Grammaire de base

2e et 3e cycle du primaire

Suzanne-G. Chartrand
Claude Simard

avec la collaboration de
Carole Fisher (UQAC)
et de Marie Nadeau (UQAM)
professeures de didactique du français

ÉDITIONS DU RENOUVEAU PÉDAGOGIQUE INC.
5757, RUE CYPIHOT
SAINT-LAURENT (QUÉBEC)
H4S 1R3
TÉLÉPHONE : (514) 334-2690
TÉLÉCOPIEUR : (514) 334-4720
COURRIEL : erpidlm@erpi.com

Éditrice
Suzanne Berthiaume

Chargée de projet
Mireille Côté

Révision linguistique
Marie-Josée Farley
Myriam Laporte

Correction d'épreuves
Sylvie Massariol

Recherche de textes
Gilles Mc Millan

Illustrations
Philippe Béha
Bertrand Lachance (p. 92 et 93)

Couverture
Illustration : Philippe Béha

Conception graphique
Eykel Design et EPI

Édition électronique
Infographie DN

Dépôt légal : 2e trimestre 2000
Bibliothèque nationale du Québec
Bibliothèque nationale du Canada

Imprimé au Canada
ISBN 978-2-7613-1148-9

11 12 13 FR 0 9
10382 BCD UM10

Table des matières

PREMIÈRE PARTIE Les signes écrits

DEUXIÈME PARTIE Les mots

Avant-propos

« La grammaire, c'est ennuyant ! C'est plein de règles et d'exceptions compliquées ! En plus, c'est rempli de termes difficiles à comprendre ! Si on pouvait s'en passer ! »

Voilà comment certains voient la grammaire. Et toi, penses-tu la même chose ? Détestes-tu la grammaire au point de ne pas vouloir en faire ?

Bien sûr, la grammaire peut paraître aride et exigeante. Mais dis-toi que la grammaire porte sur quelque chose d'essentiel : elle sert à décrire la langue grâce à laquelle tu peux t'exprimer et communiquer avec les autres. Essaie d'imaginer que ta langue s'est effacée de ton esprit, que tu l'as complètement oubliée. Que deviendrais-tu ? Tu ne pourrais plus rien dire. Tu ne pourrais pas savoir toi-même ni faire savoir aux autres ce que tu désires, ce que tu éprouves, ce que tu penses. La perte du langage serait une tragédie. Te rends-tu compte que la langue que tu parles est un merveilleux héritage transmis par des générations d'hommes et de femmes ? Cela vaut la peine de l'étudier et de bien la connaître.

Tu te sers de la langue surtout pour parler. Mais l'écrit constitue une autre forme de langage tout aussi importante. Une des principales raisons pour lesquelles tu dois étudier la grammaire à l'école est qu'elle aide à savoir s'exprimer par écrit. Une fois que tu auras maîtrisé les règles de la langue écrite, tu posséderas un moyen d'expression sans pareil. Tu pourras envoyer des lettres personnelles à tes proches, conserver tes impressions et tes réflexions, faire valoir ton opinion, inventer des histoires, recréer le monde avec la poésie.

Nous espérons que cette grammaire te permettra de mieux comprendre le français écrit et qu'elle contribuera à animer ton intérêt pour le français.

Bonne étude !

Remerciements

Nous remercions chaleureusement les personnes qui ont bien voulu lire et commenter le manuscrit, tout particulièrement Mesdames Thérèse Blais et Suzanne Mc Millan, enseignantes au primaire, ainsi que Monsieur Auguste Pasquier, chef du Service du français au Département de l'Instruction publique à Genève.

Les auteurs

Abréviations, pictogrammes et signes utilisés

ABRÉVIATIONS

Adj.:	adjectif	aux.:	verbe auxiliaire	m.:	masculin
Adv.:	adverbe	compl.:	complément	f.:	féminin
Dét.:	déterminant	part. p.:	participe passé	s.:	singulier
Prép.:	préposition	**D**:	donneur	pl.:	pluriel
Pron.:	pronom	**R**:	receveur	pers.:	personne
V.:	verbe				

PICTOGRAMMES ET SIGNES

attention!	mise en garde contre une mauvaise compréhension de la notion, une généralisation abusive
REM.:	remarque, information pertinente mais secondaire
	incite à consulter un dictionnaire
a z	incite à consulter la liste orthographique
+	renvoi aux contenus plus difficiles. Dans les cas où il s'agit du chapitre entier, le symbole apparaît sur chacune des pages; sinon, il précède une division précise (section, paragraphe ou remarque).
⦸	emploi incorrect
-s:	lettre ou groupe de lettres s'ajoutant à la fin d'un mot et donnant une information grammaticale
in-:	préfixe
-tion:	suffixe
Sujet	mot ou groupe qui remplit la fonction de sujet de la phrase
Prédicat	groupe qui remplit la fonction de prédicat de la phrase
Complément de phrase	mot ou groupe qui remplit la fonction de complément de phrase

MANIPULATIONS SYNTAXIQUES

Possibles	*Impossibles*
Ajout	~~Ajout~~
Déplacement	~~Déplacement~~
Effacement	~~Effacement~~
Encadrement	~~Encadrement~~
Substitution	~~Substitution~~

CHAPITRE 1

Les lettres

1 Les 26 lettres de l'alphabet

L'**alphabet** qui sert à écrire le français comporte 26 lettres. L'ordre dans lequel les lettres sont placées s'appelle l'**ordre alphabétique**.

Chaque lettre de l'alphabet a une forme **majuscule**, qui est plus grande (A), et une forme **minuscule**, qui est plus petite (a).

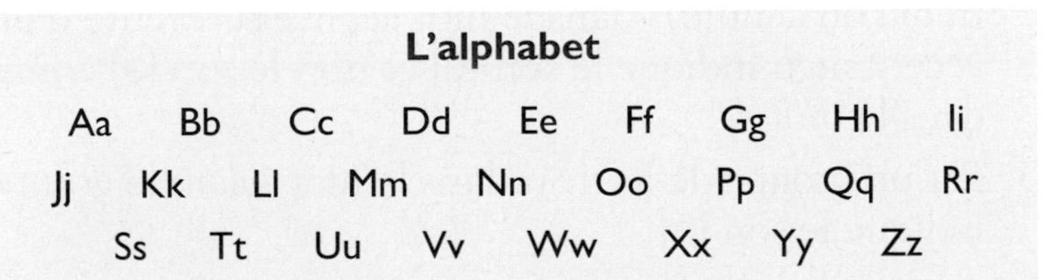

L'alphabet

Aa	Bb	Cc	Dd	Ee	Ff	Gg	Hh	Ii
Jj	Kk	Ll	Mm	Nn	Oo	Pp	Qq	Rr
Ss	Tt	Uu	Vv	Ww	Xx	Yy	Zz	

L'alphabet se divise en :

- 6 **lettres-voyelles** : *a*, *e*, *i*, *o*, *u*, *y* ;
- 20 **lettres-consonnes** : *b*, *c*, *d*, *f*, *g*, *h*, *j*, *k*, *l*, *m*, *n*, *p*, *q*, *r*, *s*, *t*, *v*, *w*, *x*, *z*.

CHAPITRE 1

L'alphabet ne donne pas une image exacte des **sons** du français. Il y a six lettres-voyelles, mais il y a beaucoup plus de sons-voyelles, comme le montre le tableau de l'annexe 1, aux pages 199 à 201.

Le son, c'est ce qu'on entend ; la lettre, c'est ce qu'on écrit. Dans cette grammaire, les sons sont notés entre crochets à l'aide d'un alphabet particulier qu'on appelle l'**alphabet phonétique**. Quand tu vois [a], c'est le son. Quand tu vois *a* en italique, c'est la lettre.

2 À quoi servent les lettres ?

Les lettres servent d'abord à transcrire les sons. Mais certaines lettres servent à donner des informations grammaticales.

2.1 Les lettres servent d'abord à transcrire les sons.

A. Il existe trois façons de transcrire les sons.

1. Par une seule lettre : dans le mot *ami*, chaque lettre *a*, *m*, *i* correspond à un son : [a], [m], [i].
2. Par une lettre avec un signe orthographique (accent, tréma ou cédille) : dans le mot *dé*, le *e* surmonté d'un accent aigu indique le son [e] et non le son [ə] comme dans le mot *de*.
3. Par un groupe de lettres : dans le mot *salon*, le groupe *on* indique le son [ɔ̃].

B. Un même son peut être transcrit de différentes façons.

L'écriture du français n'est pas simple parce qu'il y a plusieurs manières de transcrire un même son. Voici des exemples.

Le son [ɛ] peut être transcrit par :

- *e* : ***espoir*** (une seule lettre) ;
- *è* : ***sève*** (une lettre avec un signe orthographique) ;
- *ê* : ***tête*** (une lettre avec un signe orthographique) ;
- *ai* : ***lait*** (un groupe de lettres) ;
- *ei* : ***neige*** (un groupe de lettres).

Le son [t] peut être transcrit par :

- *t* : ***très*** (une seule lettre) ;
- *tt* : ***attache*** (un groupe de lettres) ;
- *th* : ***thé*** (un groupe de lettres).

Tu trouveras les principales façons de transcrire les sons à l'annexe 1, aux pages 199 à 201.

Comme un son se transcrit différemment selon les mots, on est obligé d'apprendre l'**orthographe** de chaque mot, c'est-à-dire la manière correcte de l'écrire.

Tu trouveras, à l'annexe 6, qui commence à la page 230, une liste orthographique qui contient 3000 mots courants. Si le mot que tu cherches n'est pas dans cette liste, consulte un dictionnaire. Les deux pictogrammes qui apparaissent dans la marge t'invitent à consulter la liste orthographique ou un dictionnaire.

2.2 Les lettres servent aussi à donner des informations grammaticales.

Les **lettres grammaticales** se trouvent le plus souvent à la fin d'un mot. Elles ne se prononcent généralement pas. C'est pour cela qu'on dit qu'elles sont muettes.

Ces lettres indiquent :

1. le féminin : le *-e* du mot *amie* dans *Maya est mon ami**e*** ;
2. le pluriel : le *-s* du mot *livres* dans *quatre livre**s*** ;
3. la personne grammaticale : le *-t* du verbe *réfléchit* dans *Il réfléchi**t*** (3e personne) ;
4. la famille de mots : le *-d* du mot *grand* marque un lien avec les mots de la même famille : *gran**d**e*, *gran**d**eur*, *gran**d**ir*.

REM. Il y a des lettres muettes qui jouent un autre rôle. Ces lettres rappellent l'histoire des mots. Par exemple, on écrit *heure* avec un *h* parce que ce mot vient de l'ancien mot latin *hora*.

3 L'emploi des lettres *m*, *c*, *g* et *s*

L'emploi des lettres *m*, *c*, *g* et *s* pour transcrire un son dépend de leur entourage, c'est-à-dire des lettres qui les accompagnent.

RÈGLES D'EMPLOI DES LETTRES *m*, *c*, *g* ET *s*

Lettre	Exemples	J'entends	Je vois	
m	***am**poule*	[ã]	*am*	devant *p* ou *b*
	***em**ploi*	[ã]	*em*	
	***im**possible*	[ɛ̃]	*im*	
	***com**bien* **Exceptions :** Les mots qui ont été formés avec le mot *bon* s'écrivent avec un *n* : *bo**n**bon*, *bo**n**bonne*, *embo**n**point*.	[ɔ̃]	*om*	
	*h**um**ble*	[œ̃]	*um*	
REM. Dans les autres cas, ces sons-voyelles s'écrivent avec la lettre *n* : *t**an**te*, ***en**core*, ***in**viter*, *f**on**dre*, *auc**un***.				

→

Lettre	Exemples	J'entends	Je vois
c	*canif, école, culotte, clé*	[k]	*c* devant *a, o, u* ou une consonne
	cela, ici, cygne	[s]	*c* devant e, *i, y*
	ça, il lançait, leçon, reçu	[s]	*ç* devant *a, o, u*
g	*gant, gomme, aigu, gras* **Exceptions :** Les verbes en *-guer* s'écrivent avec *gu* dans toute la conjugaison : *je naviguais, en naviguant.*	[g]	*g* devant *a, o, u* ou une consonne
	âge, général, agiter, gymnase	[ʒ]	*g* devant e, *i, y*
	orangeade, plongeon, mangeons, gageure	[ʒ]	*ge* devant *a, o, u*
	longue, guitare, aiguiser, Guy	[g]	*gu* devant e, *i, y*
s	*magasin, rose, usé, poison* + **Exceptions :** Dans quelques mots, le s se prononce [s], comme dans *tournesol* et *resaler,* parce que *tournesol* est formé de deux mots, *tourne* et *sol*, et *resaler*, du préfixe *re-* suivi de *saler*.	[z]	*s* entre deux voyelles
	assez, essence, grossir, poisson	[s]	*ss* entre deux voyelles

CHAPITRE 1

4 L'orthographe d'usage et l'orthographe d'accord

4.1 L'orthographe d'usage

L'**orthographe d'usage** concerne la partie du mot qui ne change jamais et qui est donnée par le dictionnaire. Par exemple, l'adjectif *correct* présente toujours la suite de lettres *c o r r e c t*.

4.2 L'orthographe d'accord

L'**orthographe d'accord** concerne la partie finale du mot qui change selon les règles d'accord. Elle porte sur les lettres qui indiquent le genre, le nombre et la personne. Par exemple, dans la phrase *Ta réponse est correcte*, l'adjectif *correcte* se termine par la lettre *-e* parce qu'il s'accorde avec le nom féminin *réponse*. S'il s'accordait avec un nom masculin comme *calcul*, il n'aurait pas ce *-e* du féminin : *Ton calcul est correct*.

1. Dans un dictionnaire, les mots sont classés en ordre alphabétique. Dans les dictionnaires qui n'ont pas de section de noms propres, je trouve, au début, des mots qui commencent par *a, b, c, d* ou *e*. Vers le milieu, je trouve des mots qui commencent par *f, g, h, i, j, k, l, m, n* ou *o*. Vers la fin, je trouve des mots qui commencent par *p, q, r, s, t, u, v, w, x, y* ou *z*.

La présence d'un accent ne change pas l'ordre alphabétique. Les mots qui commencent par la lettre *é* sont placés avec les mots qui commencent par la lettre *e*.

2. Quand j'ai repéré où se trouve la première lettre du mot que je cherche, par exemple, le *c* pour le mot *cidre*, je dois regarder la deuxième lettre, puis la troisième, etc. Ainsi, je vais trouver le mot ***cid**re* entre les mots ***ch**ute et **cie**l.*

3. Pour trouver plus rapidement un mot, je regarde les **mots repères** qui se trouvent en haut de chaque page. Le mot repère de gauche indique le premier mot présenté dans la page de gauche. Celui de droite indique le dernier mot présenté dans la page de droite.

238 DÉJÀ

déjà adv. 1. *Tu as **déjà** fini ?*, dès maintenant (≠ pas encore). 2. *Je t'ai **déjà** dit mon opinion* (= auparavant ; ≠ jamais).

déjeuner n.m. Le *déjeuner* est le premier repas du matin (en France c'est le repas de midi).

[illegible] *déjeu*[illegible] heures.

▪**délayage** n.m. 1. *farine doit être fai*[illegible] 2. *Son discours n'est*[illegible] *layage,* il y a beaucoup d'idées.
R. → Conj. n° 4.

se délecter v. *Je me* [illegible]

n.f. SENS 4 *Alicia a beau*[illegible] *tesse* (= gentillesse,

[illegible] *eau, quel **délice** !* (= *ce d'écouter cette musi-* [illegible]

[illegible] **se** adj. *Nous avons fait* [illegible] exqu[illegible]

[illegible] liberté (= [illegible] ier ; [illegible] 2. *Si tu paies la fac-* [illegible] *un reçu* (=

SENS 1 *Après l'examen, un sentiment de **déli**-* [illegible] ration, soulagement).

[illegible] **té** → *loyal.*

DEMANDER 239

delta n.m. *Le Missisipi se jette dans la mer par un **delta**,* une embouchure à plusieurs bras.

deltaplane n.m. Un *deltaplane* est un planeur très léger.

déluge n.m. 1. *Quand l'orage a éclaté, ce fut un vrai* [illegible], une très forte pluie.

[illegible]

demander v. 1. *Jean m'a **demandé** de lui prêter ce livre,* il m'a dit qu'il le souhaitait (= prier). 2. *Rachid m'a **demandé** si je venais au cinéma,* il a voulu savoir (≠ répondre). 3. *Je me **demande** ce que je vais faire,* je ne le sais pas. 4. *Ce travail m'a **demandé** deux heures,* j'ai eu besoin de deux heures pour le faire. 5. *Veux-tu manger du gâ-*

725

437

Dictionnaire Maxi-Débutants, Librairie Larousse, 1989.

Par exemple, si je cherche *diadème* et que je tombe sur les pages dont les mots repères sont *déjà* et *demander*, je dois aller un peu plus loin.

4. Quand je cherche un mot dans le dictionnaire et que je ne sais pas comment s'écrit le début du mot, je dois faire plusieurs hypothèses. Par exemple, un mot qui commence par le son [i] peut commencer par *i* comme ***i**dée*, mais aussi par *hi* comme ***hi**bou*.

CHAPITRE 1

Je m'aide du tableau suivant pour faire mes hypothèses sur l'orthographe du début des mots.

POUR TROUVER UN MOT DANS UN DICTIONNAIRE

Le premier son du mot est une voyelle.					
J'entends :	Je cherche dans l'ordre :				
	1°	2°	3°	4°	5°
[a]	*a* ***a**rbre*	*ha* ***ha**che*			
[ɑ̃]	*en* ***en**veloppe*	*em* ***em**brasser*	*an* ***an**glais*	*am* ***am**poule*	*han* ***han**gar*
[e]	*é* ***é**cole*	*hé* ***hé**ros*	*ai* ***ai**guille*		
[ɛ]	*e* ***e**spoir*	*ai* ***ai**le*	*he* ***he**rbe*	*hai* ***hai**ne*	
[ø] ou [œ]	*eu* ***eu**ropéen*	*œ* ***œ**il*	*œu* ***œu**vre*	*heu* ***heu**rter*	
[i]	*i* ***i**mage*	*hi* ***hi**ver*	*hy* ***hy**giène*		
[ɛ̃]	*in* ***in**secte*	*im* ***im**possible*	*hin* ***hin**dou*		
[o]	*au* ***au**truche*	*hau* ***hau**teur*	*ô* ***ô**ter*	*hô* ***hô**tel*	
[ɔ]	*o* ***o**rdinaire*	*ho* ***ho**mme*	*au* ***au**gmenter*		
[ɔ̃]	*on* ***on**gle*	*om* ***om**bre*	*hon* ***hon**te*		
[u]	*ou* ***ou**vrir*	*hou* ***hou**rra*			
[y]	*u* ***u**sine*	*hu* ***hu**mide*			

Le premier son du mot est une consonne.					
J'entends :	Je cherche dans l'ordre :				
	1°	2°	3°	4°	5°
[b]	*b* ***b**outeille*				
[k]	*c* ***c**arotte*	*qu* ***qu**ille*	*k* ***k**ilo*	*ch* ***ch**ronomètre*	*cu* ***cu**eillir*
[ʃ]	*ch* ***ch**eval*	*sch* ***sch**éma*	*sh* ***sh**érif*		
[d]	*d* ***d**ame*				
[f]	*f* ***f**arine*	*ph* ***ph**oto*			
[g]	*g* ***g**arage*	*gu* ***gu**êpe*			
[ʒ]	*j* ***j**ouet*	*g* ***g**ivre*			
[l]	*l* ***l**arme*				
[m]	*m* ***m**arin*				
[n]	*n* ***n**ourrir*				
[p]	*p* ***p**ère*				
[ʀ]	*r* ***r**adio*	*rh* ***rh**ume*			
[s]	*s* ***s**apin*	*c* ***c**iel*	*sc* ***sc**ie*		
[t]	*t* ***t**able*	*th* ***th**éâtre*			
[j]	*y* ***y**ogourt*	*hy* ***hy**ène*			
[w]	*oi* [wa] ***oi**seau*	*ou* ***ou**ate*	*w* ***w**estern*		

CHAPITRE 1

J'utilise mes connaissances pour réviser l'orthographe d'usage.

Voici un texte d'élève qui contient des erreurs d'orthographe d'usage.

Au feu !

Hier, je suis allé au restorent. J'ai pris des saucises très fortes. J'avais la bouche en feu ! Une autre fois, je comanderai une sinple salade !

Pour réviser l'orthographe d'usage d'un texte, je procède ainsi :

1° Je m'arrête à chacun des mots qui présentent une difficulté ou pour lesquels j'ai un doute.

2° J'utilise ce que j'ai appris sur les mots pour vérifier si le mot est bien écrit.

3° Si je ne sais pas comment le mot s'écrit, je le cherche dans la liste orthographique. Si je ne le trouve pas, je le cherche dans le dictionnaire.

Dans le texte ci-dessus, je trouve les mots suivants :

- *restorent* : Ce mot contient les sons-voyelles [ɔ] et [ɑ̃] qui peuvent s'écrire de différentes façons. Est-ce que j'ai la bonne orthographe ? En vérifiant dans la liste orthographique, je trouve *rest**aur**ant*.

- *saucises* : Il y a sûrement une erreur, car tel qu'il est écrit avec un *s* entre deux voyelles (*ise*), le mot se prononcerait avec le son [z]. Pour faire [s], je pourrais écrire *ss* (*saucisses*) ou *c* (*saucices*). Quelle est la bonne forme ? Je cherche dans la liste orthographique, mais je ne trouve pas le mot. Je vérifie alors dans le dictionnaire, où je trouve *sauci**ss**e* avec deux *s* entre *i* et *e*.

- *comanderai* : Je sais que ce mot s'écrit avec *an*. Mais j'hésite au sujet du *m*, car la lettre *m* est souvent doublée à l'intérieur d'un mot. Je vérifie dans la liste orthographique, où je trouve *commander* écrit avec deux *m*.

- *sinple* : Il y a sûrement une erreur, car le son [ɛ̃] doit s'écrire avec un *m* devant un *p*. Je corrige en écrivant *simple*.

Voici le texte corrigé.

Au feu !

au a
Hier, je suis allé au restørɇnt. J'ai pris des
s
saucis̸es très fortes. J'avais la bouche en feu !
m m
Une autre fois, je com̸anderai une sin̸ple
salade !

CHAPITRE 2

Les signes orthographiques

 Les accents

Il y a trois sortes d'**accents** : l'accent aigu, l'accent grave et l'accent circonflexe.

1.1 L'accent aigu ´

L'**accent aigu** se place seulement sur la lettre *e* pour indiquer le son [e] : ***égal, blé***.

1.2 L'accent grave `

A. L'accent grave sur la lettre *e*

L'**accent grave** se place sur la lettre *e* pour indiquer le son [ɛ] : ***lèvre, fidèle***.

B. L'accent grave sur les lettres *a* et *u*

Placé sur les lettres *a* et *u*, l'accent grave sert à distinguer des **homophones**, c'est-à-dire des mots qui se prononcent de la même façon ou à peu près, mais qui n'ont pas le même sens.

*où : Voici l'école **où** j'étudie.*
*ou : Il veut un livre **ou** un disque comme cadeau.*

Consulte l'annexe 5 sur les homophones, aux pages 221 et 228.

1.3 L'accent circonflexe ^

A. L'accent circonflexe sur la lettre *e*

Placé sur la lettre *e*, l'**accent circonflexe** indique le son [ɛ] : ***tê**te, fenê**tre***.

B. L'accent circonflexe sur les lettres *a* et *o*

Placé sur les lettres *a* et *o*, l'accent circonflexe peut indiquer une différence de son.

*une **patte** cassée / des **pâtes** alimentaires*
*une **tache** d'encre / une **tâche** à faire*
notre** maison / la **nôtre
votre** voiture / la **vôtre

attention!

Pour savoir si tu dois employer ou non un accent circonflexe, tu ne peux pas toujours te fier à la prononciation. En effet, le même son, dans le cas des lettres *a* et *o*, peut s'écrire parfois avec un accent circonflexe, parfois sans accent circonflexe.

[ɑ] : *un thé**â**tre* mais *un pédi**a**tre*
[o] : *un c**ô**ne* mais *un cycl**o**ne*

C. L'accent circonflexe pour distinguer des homophones

L'accent circonflexe sert parfois à distinguer des homophones.

*Je mange un melon **mûr**. / Je décore le **mur**.*

D. L’accent circonflexe sans rôle précis

L’accent circonflexe est le plus souvent employé par simple tradition dans des mots comme *août*, *brûler*, *connaître*, *coûter*, *flûte*, *forêt*, *goût*, *île*, *paraître*, *traîneau*, etc.

Le tréma ¨

Le **tréma** se place surtout sur les lettres *e* et *i*. Il indique de prononcer séparément deux lettres-voyelles qui se suivent.

Compare les deux mots en gras dans la phrase suivante.

*J’aime le **maïs, mais** je n’aime pas les radis.*

Mots	Lettres	Sons
maïs	*aï*	[a] + [i]
mais	*ai*	[ɛ]

Le tréma se rencontre dans quelques mots seulement. Voici les plus courants. Retiens-les.

*égo**ï**ste*	*héro**ï**ne*	*Isra**ë**l*
*gla**ï**eul*	*ma**ï**s*	*No**ë**l*
*ha**ï**r*	*na**ï**f*	*aigu**ë***

La cédille ¸

La **cédille** se place sous la lettre *c* (ç) devant *a*, *o* et *u* pour indiquer que le *c* se prononce [s] et non [k].

*ber**ç**ante*	*balan**ç**oire*	*dé**ç**u*
***ç**a*	*gla**ç**on*	*re**ç**u*
*fran**ç**ais*	*le**ç**on*	

On rencontre le *c* cédille dans la conjugaison de certains verbes qui comportent un *c* devant les lettres *a*, *o* et *u*.

*lancer : je lan**ç**ais*	*effacer : nous effa**ç**ons*
*placer : en pla**ç**ant*	*apercevoir : elle a aper**ç**u*

4 L'espace entre les mots

À l'oral, les mots ne sont pas séparés les uns des autres. Ils sont prononcés de manière enchaînée :

[madoafinilasalad]

À l'écrit, ils sont séparés les uns des autres par des espaces :

Mado a fini la salade.

Même si on entend une liaison entre deux mots, il faut les séparer à l'écrit. On ne doit pas écrire ⦸ *Marc est monami*, mais *Marc est mon ami*.

5 L'apostrophe ’

L'**apostrophe** s'utilise devant une voyelle ou un *h* muet.

5.1 L'apostrophe devant une voyelle

À la fin d'un mot, l'apostrophe remplace la voyelle *e*, *a* ou *i* qui s'efface devant une autre voyelle : *l~~e~~ ami* → *l' ami*.

Cet effacement de la voyelle s'appelle l'**élision**. Quand une voyelle s'efface, on dit qu'elle s'élide.

CHAPITRE 2

Mots qui s'élident	Exemples et remarques
ce je me te se le la de ne que *jusque*	***C'**est moi.* *Demain, **j'**arrête.* *Jean **m'**aide.* *Ils **t'**ont vu.* *Elles **s'**écrivent.* ***l'**oncle* ***l'**usine* *un ami **d'**enfance* *Il **n'**y a rien.* *Je veux **qu'**il vienne.* ***jusqu'**à midi*
si	Le mot *si* s'élide seulement devant *il / ils* : ***s'**il accepte,* mais on écrit ***si** elle accepte.*
lorsque *puisque* *quoique*	Les mots *lorsque, puisque* et *quoique* s'élident surtout devant *il / ils, elle / elles, un / une, en, on* et *ainsi* : ***lorsqu'**il arrivera.*
quelque	Le mot *quelque* s'élide seulement dans ***quelqu'**un.*
presque	Le mot *presque* s'élide seulement dans ***presqu'**île.*

attention!

À l'écrit, *tu* ne s'élide jamais. Même si on entend *T'as raison*, on doit écrire *Tu as raison*.

5.2 L'apostrophe devant un *h* muet

Certains *h* en début de mot permettent l'élision. On parle alors d'un **h muet**.

*Malgré la fête, l'**h**omme s'**h**abilla comme d'**h**abitude.*

Par contre, d'autres *h* en début de mot empêchent l'élision et obligent à prononcer la voyelle. On parle alors d'un **h aspiré**.

*Le **h**ibou a mangé le **h**amster.*

REM. Le *h* aspiré empêche aussi la liaison à l'oral. Compare les deux exemples suivants : *les || homards* avec *h* aspiré mais *les‿hivers* avec *h* muet.

La liaison est un moyen de vérifier si on a affaire à un *h* muet ou non. Est-ce que je dis *un‿homard* ? Non. Donc, je dois écrire *le homard*.

CHAPITRE 2

6 Le trait d'union dans les mots composés

Les mots formés de plusieurs mots sont appelés des **mots composés**. Les mots formant un mot composé sont souvent unis par un petit trait horizontal qu'on appelle un **trait d'union** : *un chou-fleur*. Cependant, bien des mots composés n'ont pas de trait d'union : *un disque compact, un appareil photo*. Certains mots composés sont même écrits en un seul mot : *un tournevis*.

7 Le trait d'union pour la coupure des mots à la fin d'une ligne

Quand il n'y a pas assez de place au bout d'une ligne pour écrire un mot en entier, il faut couper le mot en deux. Le trait d'union sert à indiquer que le mot a été coupé.

La coupure des mots se fait généralement d'après les **syllabes écrites**, qui sont différentes des **syllabes orales**. Compare ce qui suit.

Syllabes écrites			Syllabes orales	
cas	*quet*	*te*	[kas]	[kɛt]
1	2	3	1	2

Voici les règles que tu dois respecter pour diviser les mots à la fin d'une ligne.

A. On coupe un mot entre deux syllabes écrites.

jeu | di	*jour | nal*	*cou | ra | geux*
cha | peau	*men | teur*	*ven | dre | di*
moi | tié	*or | teil*	*heu | reu | se | ment*
tré | sor	*comp | ter*	
	mar | cher	

B. On coupe entre deux consonnes pareilles.

suc | cès	*cail | lou*	*frap | per*
chif | fon	*com | ment*	*cor | rect*
al | ler	*son | ner*	*as | siet | tée*

C. On coupe les mots composés après le trait d'union.

cure -| dent *sous -| sol*

D. On ne coupe jamais avant ou après les lettres *x* et *y* placées entre deux voyelles.

On ne peut donc pas séparer à la fin d'une ligne des mots courts comme *taxi*, *boxe*, *tuyau*, *bruyant*. Les mots plus longs, comme ceux qui suivent, peuvent être coupés seulement de cette façon :

exa | men	*en | voyer*
re | laxant	*ba | layeur*

E. On ne coupe jamais à l'apostrophe.

⦸ *l' \| école* ⦸ *d' \| abord*

F. On ne coupe jamais les nombres écrits en chiffres arabes ou romains.

⦸ *l'année 19 \| 99* ⦸ *le X \| XIe siècle*

CHAPITRE 2

8 Le point abréviatif

À l'écrit, on peut raccourcir certains mots en supprimant des lettres. On dit alors que le mot est abrégé et on parle d'une **abréviation**.

Le plus souvent, les abréviations se terminent par un **point abréviatif**. M. est l'abréviation de *monsieur*.

Quand l'abréviation contient la dernière lettre du mot abrégé, on ne met pas de point. Mme est l'abréviation de *madame*.

On ne met pas non plus de point aux symboles, entre autres ceux qui représentent des unités de mesure.

s	*seconde*	m	*mètre*
min	*minute*	mm	*millimètre*
h	*heure*	cm	*centimètre*
l	*litre*	dm	*décimètre*
kg	*kilogramme*	km	*kilomètre*

Voici des abréviations courantes que tu dois apprendre.

Abréviations courantes					
app.	*appartement*	chap.	*chapitre*	ex.	*exemple*
av.	*avenue*	p.	*page* ou *pages*	N. B.	*notez bien*
boul.	*boulevard*	n°	*numéro*	s.v.p.	*s'il vous plaît*
C. P.	*case postale*	vol.	*volume*	etc.	*et cetera* (Cette expression latine signifie « et le reste » et elle est toujours précédée d'une virgule.)
tél.	*téléphone*	P.-S.	*post-scriptum* (ajout fait à la fin d'une lettre)		
QC	*Québec*				
Cie	*compagnie*				

(*suite*)

Abréviations courantes					
M.	*monsieur*	1er	*premier*	N.	*nord*
MM.	*messieurs*	2^{e}	*deuxième*	S.	*sud*
Mme	*madame*	3^{e}	*troisième*	E.	*est*
Mmes	*mesdames*	1°	*premièrement*	O.	*ouest*
D^{r}	*docteur*	2°	*deuxièmement*		

A. Accent circonflexe ou non ?

Comme l'emploi de l'accent circonflexe ne suit pas de règle précise, je prends l'habitude de vérifier dans la liste orthographique ou dans un dictionnaire si le mot en prend un.

Pour m'aider, j'essaie de relier le mot à un mot de la même famille. Il faut un accent circonflexe si le mot de la même famille a un *s* qui se prononce.

*arrêt / arre**s**tation*
*connaître / connai**ss**ance*
*croûte / crou**s**tillant*
*fête / fe**s**tival*
*forêt / fore**s**tier*
*goût / dégu**s**ter*
*hôpital / ho**s**pitalier*
*île / in**s**ulaire*
*maître / magi**s**tral*
*vêtement / ve**s**timentaire*

attention!

Cela vaut pour certains mots seulement. Par exemple, le nom *chaîne* prend un accent circonflexe, mais aucun mot de sa famille ne contient le son [s].

B. En un mot ou en plusieurs mots ?

CHAPITRE 2

Quand je ne sais pas si je dois mettre un espace ou non, je vérifie dans la liste orthographique ou dans un dictionnaire. Je retiens bien les mots suivants.

En un seul mot		En plusieurs mots	
aujourd'hui	*bonsoir*	*en effet*	*s'il vous plaît*
autrefois	*longtemps*	*la plupart*	*tout à coup*
beaucoup	*quelquefois*	*parce que*	*tout de suite*
bonjour		*quelque chose*	

C. *H* muet ou *h* aspiré ?

Comment savoir si je dois écrire *l'hibou* (*h* muet)ou *le hibou* (*h* aspiré) ? Comme aucun *h* ne se prononce en français, je dois vérifier dans un dictionnaire. Dans la plupart des dictionnaires, les mots avec un *h* aspiré sont précédés d'un astérisque.

hibou** n.m. Les ***hiboux sont des oiseaux de nuit.

Dictionnaire Maxi-Débutants, Librairie Larousse, 1989.

Je retiens bien les mots suivants.

haïr (ils se haïssent)	*la hauteur*	*le héros (mais l'héroïne)*
hurler (je hurle)	*la honte*	*le hibou*
la hache	*le hamac*	*le hockey*
la haie	*le hamburger*	*le hollandais*
la haine	*le hamster*	*la Hollande*
la halte	*le handicapé*	*le homard*
la hâte	*la handicapée*	*le huard*
	le haricot	

CHAPITRE 2

D. L'orthographe des mots composés

Comme l'orthographe des mots composés est difficile, je prends l'habitude de les vérifier dans la liste orthographique ou dans un dictionnaire. Je retiens bien les mots suivants.

Avec trait d'union		Sans trait d'union	En un seul mot
abat-jour	*hot-dog*	*à peu près*	*autoroute*
après-midi	*lave-vaisselle*	*appareil photo*	*baseball*
arc-en-ciel	*libre-service*	*bande dessinée*	*(ou base-ball)*
avant-midi	*passe-partout*	*blé d'Inde*	*football*
basket-ball	*peut-être*	*chaise longue*	*motoneige*
c'est-à-dire	*ping-pong*	*chemin de fer*	*passeport*
chef-d'œuvre	*pique-nique*	*compte rendu*	*photocopie*
chou-fleur	*porte-monnaie*	*disque compact*	*tournesol*
couvre-lit	*sourd-muet*	*hôtel de ville*	*tournevis*
cow-boy	*sous-sol*	*machine à coudre*	*portefeuille*
cure-dent	*sous-vêtement*	*planche à repasser*	
garde-robe	*tire-bouchon*	*pomme de terre*	
grand-mère		*premier ministre*	
grand-parent		*robe de chambre*	
grand-père		*sac à dos*	
		trait d'union	

Les signes de ponctuation

CHAPITRE 3

 À quoi sert la ponctuation ?

Essaie de lire le texte qui suit.

> *je n'ai pas faim je n'ai pas envie de manger ma collation près de moi Guillaume dévore sa tartine ses parents sont là assis sur une couverture j'entends son père lui dire bravo mon garçon tu n'as pas gagné l'épreuve de la danse mais tu m'as épaté*

Ce texte est difficile à comprendre parce que les majuscules qui marquent le début des phrases et les **signes de ponctuation** ont été enlevés.

Voici le même texte, ponctué.

> ***J**e n'ai pas faim. **J**e n'ai pas envie de manger ma collation. **P**rès de moi, Guillaume dévore sa tartine. **S**es parents sont là, assis sur une couverture. **J**'entends son père lui dire :*
> *– **B**ravo, mon garçon. **T**u n'as pas gagné l'épreuve de la danse, mais tu m'as épaté !*

Lucie Bergeron, *Le tournoi des petits rois.*

Ce texte est plus facile à lire, car la **ponctuation** aide à la compréhension.

2 Les points de phrase

En général, une phrase commence par une lettre majuscule et se termine par un **point de phrase**.

2.1 Le point [.]

On met un **point** à la fin d'une phrase qui sert à déclarer ou à constater quelque chose.

Je voudrais aller au bord de la mer cet été.
La mer est très agitée aujourd'hui.

On met souvent un point à la fin d'une phrase qui sert à ordonner ou à conseiller quelque chose à quelqu'un.

Ferme la porte.
Bois de l'eau régulièrement pour être en santé.

2.2 Le point d'interrogation [?]

On met un **point d'interrogation** à la fin d'une phrase qui sert à poser une question.

Veux-tu venir à la mer avec moi ?
Tu veux venir avec moi ?

CHAPITRE 3

2.3 Le point d'exclamation [!]

On met un **point d'exclamation** à la fin d'une phrase qui sert à exprimer quelque chose avec une émotion vive.

Comme la mer est belle!
Quel horrible cauchemar j'ai fait!
Tais-toi!

3 Les trois principaux emplois de la virgule [,]

3.1 La virgule sépare des éléments d'une énumération.

Les éléments énumérés sont le plus souvent des groupes du nom, des groupes du verbe ou des adjectifs. Le dernier élément n'est pas séparé par une **virgule**, mais par *et* ou par *ou*.

Le violon, l'alto, le violoncelle, la contrebasse **et** *la guitare sont des instruments à cordes.*

Elle mit son maillot, décrocha son gilet de sécurité, courut vers le lac, prit le kayak **et** *partit.*

Alain était-il surpris, déçu **ou** *ravi ?*

+ 3.2 La virgule isole un mot ou un groupe de mots.

A. La virgule isole le complément de phrase.

On isole le complément de phrase lorsqu'il est au début de la phrase.

Dès demain, nous partirons en expédition.

Depuis que je suis très jeune, je rêve de participer à une expédition dans le Grand Nord.

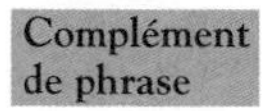

On isole aussi le complément de phrase lorsqu'il est entre les deux constituants obligatoires de la phrase, c'est-à-dire entre le sujet et le groupe du verbe.

Plusieurs explorateurs, **depuis le début du siècle**, *se sont rendus au pôle Nord.*

B. La virgule isole un mot ou un groupe de mots qui désigne à qui on s'adresse.

Myriam, *viens ici tout de suite.*
Faut-il vous rappeler, ***les enfants,*** *qu'on doit se taire ?*

+ 3.3 La virgule isole une phrase qui précise qui parle.

Dans un dialogue, la virgule isole souvent la phrase qui précise de qui sont les paroles rapportées.

– J'ai peur, ***dit Lygaya d'une voix tremblante.***
– Ne bouge pas, reste près de moi. Je vais te chanter une chanson, ***répondit sa mère****.*

Andrée-Paule Mignot, *Lygaya.*

+ 4 Les emplois des deux-points :

Voici deux des trois emplois des **deux-points**. Le troisième emploi est présenté au point 5, aux pages 27 et 28.

4.1 Les deux-points annoncent une énumération.

Pour son anniversaire, Daniel veut plusieurs cadeaux : un livre d'histoires drôles, un jeu vidéo et un ballon de basket.

4.2 Les deux-points annoncent une explication.

Les chevreuils sont de plus en plus nombreux : on les nourrit et la chasse est réglementée.

Dans cette phrase, les deux-points remplacent *parce que*. On pourrait dire aussi :

Les chevreuils sont de plus en plus nombreux ***parce qu'****on les nourrit et* ***que*** *la chasse est réglementée.*

CHAPITRE 3

5 La ponctuation des paroles rapportées

5.1 Les signes utilisés pour rapporter les paroles d'une seule personne

Quand on rapporte les paroles d'une seule personne, on les met entre **guillemets** (« … ») et on les annonce par les deux-points (:).

Luce disait toujours : « Un jour, je partirai et j'irai à la mer. »

5.2 Les signes utilisés pour rapporter les paroles échangées entre des personnes

Quand on rapporte les paroles échangées entre deux ou plusieurs personnes, on met un **tiret** devant chaque réplique pour indiquer que quelqu'un prend la parole.

– Je voudrais des enfants.
– Combien ? demanda le prince qui était en train de passer l'aspirateur.
– Beaucoup, répondit la princesse, plein de petits glaçons et de petites billes.

Le prince la regarda avec étonnement, puis il éclata de rire.

Pef, *La belle lisse poire du prince de Motordu.*

CHAPITRE 3

Lorsqu'un verbe comme *dire*, *déclarer*, *demander*, etc., annonce des paroles rapportées, on met les deux-points après ce verbe.

Au bout de quelque temps, Hansel s'arrêta et regarda en direction de la maison. Et sans cesse, il répéta ce geste.
Le père ***dit :***
– Que regardes-tu, Hansel, et pourquoi restes-tu toujours en arrière ? Fais attention à toi et n'oublie pas de marcher.
– Ah ! père, dit Hansel, je regarde mon petit chat blanc qui est perché là-haut sur le toit et je lui dis au revoir.

Jacob et Wilhelm Grimm, *Hansel et Grethel.*

+ 6 Les parenthèses ( )

Les **parenthèses** servent à insérer une information supplémentaire ou une précision.

Pour les Chinois, la calligraphie **(***science de l'écriture***)** *est la plus haute forme de l'art.*

L'invention de la peinture, Gallimard.

J'utilise mes connaissances pour réviser la ponctuation.

CHAPITRE 3

Voici un texte d'élève qui contient des erreurs de ponctuation.

Un garçon de 7 ans avait un chien dressé pour aller chercher des bâtons dans l'eau. Un jour le petit garçon faisait une promenade au bord de la rivière avec son chien il ramassa un bâton et le lança. Avec l'élan il tomba dans l'eau avec le bâton . Des gens qui passaient par là l'aidèrent à revenir sur le rivage. Ils le ramenèrent chez lui. À la maison son père lui dit je ne veux plus que tu te promènes seul au bord de la rivière.

Pour réviser la ponctuation d'un texte, je procède ainsi :

1° Je vérifie d'abord si chaque phrase commence par une lettre majuscule et se termine par un point de phrase.

La première phrase est une phrase complète. Elle forme un tout et peut se dire seule, comme on l'explique au chapitre 14, à la page 159.

Elle est bien ponctuée parce qu'elle commence par une majuscule et qu'elle se termine par un point.

La deuxième phrase, celle qui commence par *Un jour*, est mal ponctuée. Je peux faire deux phrases avec cette phrase-là.

Un jour le petit garçon faisait une promenade au bord de la rivière avec son chien.
Il ramassa un bâton et le lança.

J'ai maintenant deux phrases complètes et bien ponctuées.

Les quatre autres phrases sont complètes. Elles commencent toutes par une majuscule et se terminent toutes par un point.

Complément de phrase

+ 2° Je vérifie ensuite les virgules dans chaque phrase.

Un jour, *Avec l'élan* et *À la maison* sont des compléments de phrase. Je dois les isoler par une virgule parce qu'ils sont placés au début de la phrase.

Un jour, le petit garçon faisait une promenade au bord de la rivière avec son chien.

Avec l'élan, il tomba dans l'eau avec le bâton.

À la maison, son père lui dit…

+ 3° Je vérifie enfin les signes qui accompagnent les paroles rapportées.

Je dois placer les paroles du père entre guillemets et les faire précéder des deux-points.

À la maison, son père lui dit : « Je ne veux plus que tu te promènes seul au bord de la rivière. »

Voici le texte corrigé.

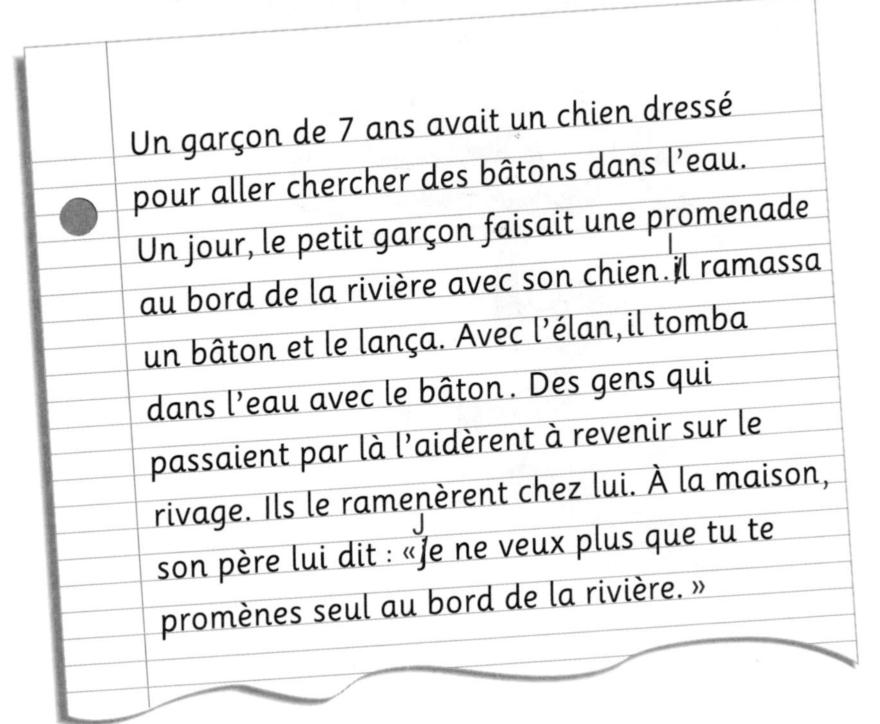
Un garçon de 7 ans avait un chien dressé
pour aller chercher des bâtons dans l'eau.
Un jour, le petit garçon faisait une promenade
au bord de la rivière avec son chien. I
il ramassa
un bâton et le lança. Avec l'élan, il tomba
dans l'eau avec le bâton. Des gens qui
passaient par là l'aidèrent à revenir sur le
rivage. Ils le ramenèrent chez lui. À la maison,
son père lui dit : « J
je ne veux plus que tu te
promènes seul au bord de la rivière. »

CHAPITRE 4

La formation des mots

1 Comment forme-t-on des mots en français ?

On a besoin de former de nouveaux mots pour désigner des réalités nouvelles. Au cours des dernières années, on a créé par exemple les mots *internaute* et *disque compact*. Il en a toujours été ainsi au cours de l'histoire.

On dispose principalement de deux moyens pour former de nouveaux mots.

1.1 On ajoute un élément à un mot existant.

On peut ajouter à un mot existant un élément plus petit qu'un mot, mais qui a du sens. On obtient alors un **mot dérivé**. Par exemple, le mot dérivé *fleuriste* est formé du mot *fleur* auquel on a ajouté l'élément *-iste* pour indiquer une personne qui vend des fleurs.

1.2 On unit plusieurs mots.

On peut aussi unir deux mots ou plus pour en former un nouveau. On obtient alors un **mot composé.** Le mot composé *coupe-ongle* est formé de la réunion des mots *coupe* et *ongle*.

2 Les mots dérivés : préfixes et suffixes

Les éléments qui s'ajoutent à un mot pour en former un nouveau peuvent apparaître au début ou à la fin du mot.

Si l'élément ajouté est au début, c'est un **préfixe**. Si l'élément ajouté est à la fin, c'est un **suffixe**. Le mot qui sert à former un mot dérivé est appelé **mot de base**.

- Mots dérivés avec un préfixe :

Préfixe		Mot de base		Mot dérivé
anti	+	*vol*	→	***anti**vol*
Préfixe		Mot de base		Mot dérivé
dé	+	*faire*	→	***dé**faire*

- Mots dérivés avec un suffixe :

Mot de base		Suffixe		Mot dérivé
jardin	+	*age*	→	*jardin**age***
Mot de base		Suffixe		Mot dérivé
profond	+	*eur*	→	*profond**eur***

REM. Il y a des mots dérivés qui contiennent à la fois un préfixe et un suffixe.

Préfixe		Mot de base		Suffixe		Mot dérivé
im	+	*précis*	+	*ion*	→	***im**précis**ion***
Préfixe		Mot de base		Suffixe		Mot dérivé
ré	+	*chauff(er)*	+	*ement*	→	***ré**chauff**ement***

Consulte l'annexe 2, aux pages 202 à 208, pour connaître les principaux préfixes et suffixes.

3 Pourquoi étudier les mots dérivés ?

Il est utile de savoir reconnaître les mots dérivés, car ils sont très nombreux en français.

3.1 Pour comprendre le sens des mots

On peut découvrir le sens d'un mot en essayant d'identifier ses parties (préfixe, mot de base, suffixe).

Imagine que tu lis la phrase suivante : *Ce que vous dites est invérifiable*. Même si tu n'as jamais vu le mot *invérifiable*, tu peux arriver à lui donner un sens en analysant comment il est formé.

Préfixe signifiant « ne … pas »		Base venant du verbe *vérifier*		Suffixe signifiant « qui peut être »
in	+	*vérifi*	+	*able*

Tu découvres ainsi que le mot *invérifiable* signifie « qui ne peut pas être vérifié ».

Imagine que tu lis cette autre phrase : *Ce peintre a fait plusieurs autoportraits*. En analysant de la même façon le mot *autoportrait*, tu découvres que ce nom veut dire « portrait d'un peintre par lui-même ».

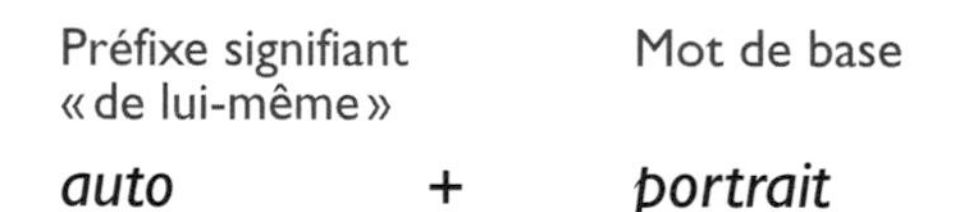

Préfixe signifiant « de lui-même »		Mot de base
auto	+	*portrait*

3.2 Pour maîtriser l'orthographe d'usage

La connaissance des mots de base, des préfixes et des suffixes aide à orthographier les mots dérivés.

Suppose que tu écris pour la première fois le mot *hachette*. En analysant le mot, tu sauras qu'il commence par un *h* si tu connais déjà le mot de base *hache*. Tu sauras aussi que la fin du mot s'écrit avec deux *t*, parce qu'elle correspond au suffixe *-ette*, qui signifie « petit » : une *hachette*, c'est en effet une petite hache.

Suppose que tu dois étudier l'orthographe du mot *irréel*. Tu observes que le mot contient deux *r* parce qu'il est formé du mot *réel* précédé du préfixe *ir-*, qui signifie « ne … pas » : quelque chose d'*irréel*, c'est en effet quelque chose qui n'est pas réel.

Les mots composés

Un mot composé est formé de la réunion de plusieurs mots. On trouve des mots composés dans diverses classes de mots.

Noms	Adjectifs	Adverbes
arc-en-ciel	*aigre-doux*	*à jamais*
disque compact	*bleu ciel*	*au-dessus*
grille-pain	*clairsemé*	*en effet*
machine à laver	*court-vêtu*	*là-bas*
rendez-vous	*raide mort*	*par contre*
tire-bouchon	*sourd-muet*	*tout à coup*

REM. Comme on le voit au chapitre 2, à la page 22, les mots composés s'écrivent parfois avec un trait d'union (*grille-pain*), parfois sans trait d'union (*bleu ciel*).

CHAPITRE 4

5 Les familles de mots

Une **famille de mots** est un ensemble de mots formés à partir d'un même mot de base.

Par exemple, la famille de mots du nom *art* comprend :

- trois mots dérivés : le nom *artiste*, l'adjectif *artistique*, l'adverbe *artistiquement* ;
- un mot composé : le nom *beaux-arts*, qui désigne la peinture, la sculpture et l'architecture.

6 Pourquoi étudier les familles de mots ?

6.1 Pour maîtriser l'orthographe d'usage

Quand on connaît le mot de base d'une famille de mots, il est plus facile d'orthographier les autres mots de la famille. Si tu sais écrire *cueillir*, tu sauras que les mots dérivés *cueilleur* et *cueillette* s'écrivent eux aussi avec la suite de lettres *c u e i l l*.

6.2 Pour enrichir son vocabulaire

Connaître les mots de même famille permet aussi d'exprimer une idée de diverses façons. Voici des paires de phrases qui comprennent des mots de même famille et qui ont à peu près le même sens.

*Véronique a du **charme**.* = *Véronique est **charmante**.*
*Peux-tu me nommer six villes du **Québec** ?* = *Peux-tu me nommer six villes **québécoises** ?*

*Noah a une **sensibilité** extrême.* = *Noah est **hypersensible**.*

*Elle nous a répondu avec **politesse**.* = *Elle nous a répondu **poliment**.*

CHAPITRE 4

7 L'emprunt et les anglicismes

Une autre façon de former des mots nouveaux est d'en emprunter à des langues étrangères. Au cours de son histoire, le français a emprunté des mots à différentes langues dont l'arabe (*chiffre*, *jupe*, *sofa*, etc.), l'espagnol (*piment*, *sieste*, *tornade*, etc.), l'italien (*ballon*, *piano*, *spaghetti*, etc.).

Aujourd'hui, le français emprunte des mots surtout à l'anglais. Les emprunts à l'anglais sont appelés des **anglicismes**.

Certains anglicismes sont tout à fait acceptés en français comme *badminton*, *bouledogue*, *clown*, *muffin*, *snob*, *sketch*, etc. Cependant d'autres anglicismes sont considérés comme incorrects et doivent être remplacés par des mots français.

Anglicismes incorrects	Mots français
⃠ *J'aime faire du* ***bicycle****.*	*J'aime faire de la* ***bicyclette****.*
⃠ *Le chauffeur* ***a braké****.*	*Le chauffeur* ***a freiné****.*
⃠ *Nous avons dû* ***canceller*** *la réunion.*	*Nous avons dû* ***annuler*** *la réunion.*
⃠ ***Check*** *ça.*	***Regarde*** *ça.*
⃠ *Maman* ***file*** *bien.*	*Maman* ***va*** *bien.*
⃠ *C'est* ***full*** *intéressant.*	*C'est* ***très*** *intéressant.*
⃠ *C'est le* ***fun****.*	*C'est* ***agréable, amusant.***
⃠ *L'auto n'a plus de* ***gaz****.*	*L'auto n'a plus d'****essence****.*
⃠ *C'est une* ***joke****.*	*C'est une* ***blague****.*
⃠ *Veux-tu une* ***liqueur*** *avec tes frites ?*	*Veux-tu une* ***boisson gazeuse*** *avec tes frites ?*
⃠ *Tu as été vraiment* ***luckée****.*	*Tu as été vraiment* ***chanceuse****.*

CHAPITRE 4

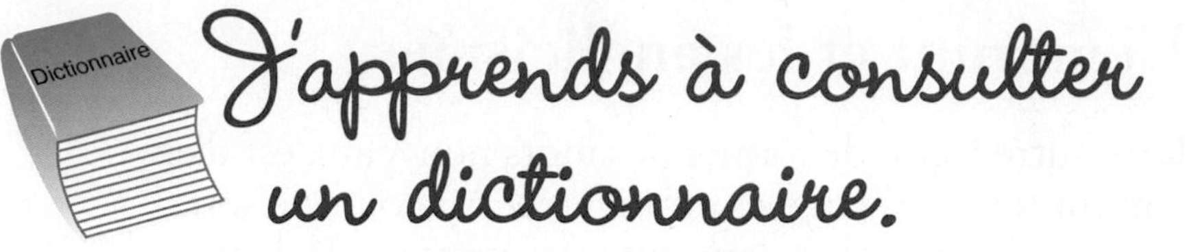

J'apprends à consulter un dictionnaire.

Certains dictionnaires regroupent les mots de même famille à la suite du mot de base. Ce regroupement permet de faire voir les familles de mots que l'ordre alphabétique pourrait séparer.

adroit, e adj. *Un ouvrier **adroit*** est celui qui sait s'y prendre (= habile).
■ **adroitement** adv. *La cycliste a évité **adroitement** l'obstacle* (= habilement).
■ **adresse** n.f. *Marie conduit sa voiture avec **adresse*** (= habileté, dextérité).
■ **maladroit, e** adj. *Il a eu un geste **maladroit*** (= gauche).
■ **maladroitement** adv. *Jean dessine **maladroitement**.*
■ **maladresse** n.f. *J'ai cassé ce vase par **maladresse**.*

Dictionnaire Maxi-Débutants, Librairie Larousse, 1989.

Le sens des mots

CHAPITRE 5

Voici une histoire où l'auteur s'amuse avec les mots. Peux-tu expliquer le jeu de mots qu'elle contient ?

> *Plus personne ne prend le soleil. Et tout cela pourquoi ? Parce qu'un jour quelqu'un l'avait pris et l'avait gardé huit jours. Une semaine de nuit complète, vingt-quatre heures sur vingt-quatre !*
>
> *La ruine pour la station balnéaire.*
>
> *Maintenant l'affaire est réglée : prendre le soleil est interdit.*
>
> *Le plus étonnant est que les gens continuent de venir à la plage. Ils y passent un mois.*
>
> *Pour prendre l'air, sans doute.*
>
> Claude Bourgeyx, *Le fil à retordre.*

Cette histoire est drôle parce qu'on passe d'un **sens** du verbe *prendre* à un autre. *Prendre le soleil*, ce n'est plus simplement se faire bronzer, mais c'est partir avec lui dans ses bras !

CHAPITRE 5

1 La plupart des mots courants ont plusieurs sens.

La plupart des mots courants ont différents sens selon le **contexte**, c'est-à-dire selon les mots qui les entourent.

Voici trois exemples de mots qui ont plusieurs sens.

- Divers sens de *prendre* :

  *Alice **prend** un verre dans l'armoire :* elle le saisit dans sa main.

  *Papa **prend** le pain au supermarché :* il l'achète à cet endroit.

  *Mon cousin **prend** l'autobus pour aller à l'école :* il utilise l'autobus pour y aller.

  *J'aime **prendre** une douche :* j'aime me doucher.

  *Ma sœur aime **prendre** des bains de soleil :* elle aime se faire bronzer.

  *Le bébé **a pris** un rhume :* il a attrapé un rhume.

  *Le feu ne **prend** pas :* il ne s'allume pas.

  *Le policier **a pris** le voleur :* il l'a attrapé.

  *Ce travail m'**a pris** deux heures :* j'ai mis deux heures à le faire.

  *Tu ne sais pas t'y **prendre** :* tu ne sais pas comment faire les choses.

- Divers sens de *tête* :

  *Je me suis cogné la **tête** :* la partie supérieure du corps.

  *Il se lave la **tête** :* les cheveux.

  *La **tête** du sapin s'est cassée au vent :* la partie la plus haute du sapin.

  *Cela coûte 10 dollars par **tête** :* par personne.

Hélène a toujours plein de projets en ***tête****:* elle imagine toutes sortes de projets.

Ce coureur a pris la ***tête*** *de la course:* il est en première place.

CHAPITRE 5

- Divers sens de *bon*:

  Hier, j'ai mangé un ***bon*** *gâteau à la vanille:* un succulent gâteau à la vanille.

  Il habite à une ***bonne*** *distance d'ici:* il habite à une grande distance d'ici.

  Bravo! ta réponse est ***bonne****:* elle est exacte.

  Lucie est toujours ***bonne*** *avec ses amis:* elle est généreuse.

  Ce film est très ***bon****:* il est très intéressant.

  Ta blague est très ***bonne****:* elle est très drôle.

  Le sport est ***bon*** *pour la santé:* il est bénéfique à la santé.

2 Le sens propre et le sens figuré

Le **sens propre** d'un mot est le sens qu'il a habituellement. Dans la phrase *Il s'est cogné la tête*, le mot *tête* est employé au sens propre : il indique la partie supérieure du corps.

Le **sens figuré** d'un mot est un sens qui vient du sens propre et qui est souvent imagé. Sur la base d'une comparaison, le mot est appliqué à une autre réalité. Par exemple, dans la phrase *Ce coureur a pris la tête de la course*, le mot *tête* est employé au sens figuré : il signifie que le coureur occupe la première place par comparaison avec la tête qui est la partie supérieure du corps.

Lorsqu'on lit, on comprend parfois un mot au sens propre alors qu'il est employé au sens figuré. Par conséquent, on ne comprend pas la phrase ou le texte. Pour bien distinguer les sens d'un mot, il faut consulter un dictionnaire.

3 Les expressions toutes faites

Une **expression** est un groupe de mots qui exprime de façon imagée une idée ou un sentiment. Une expression doit être comprise en bloc, car c'est toute l'expression qui a un sens et non chacun des mots qui la composent.

Voici des exemples d'expressions.

Ces voyageurs vont ***dormir à la belle étoile****:* ils vont dormir en plein air, la nuit.

Jeanne est toujours en train de ***se tourner les pouces****:* elle reste toujours sans rien faire.

Bernard ***a le cœur sur la main****:* il est très généreux.

Son mensonge est ***cousu de fil blanc****:* il est tellement évident qu'il ne trompe personne.

Tu ***ne vois pas plus loin que le bout de ton nez****:* tu n'es pas prévoyant.

Joé a ***un œil au beurre noir****:* il a un œil noir à cause d'un coup qu'il a reçu.

Je n'aime pas ***avoir des fourmis dans les jambes****:* sentir des picotements dans les jambes.

Il fait ***un froid de canard****:* il fait très froid.

4 Les mots génériques et les mots spécifiques

Un **mot générique** est un mot qui a un sens général. Il inclut d'autres mots qui ont un sens plus précis. Les mots inclus dans un mot générique sont des **mots spécifiques**. Par exemple, le mot *légume* est un mot générique qui inclut un ensemble de mots spécifiques comme *carotte*, *chou*, *oignon*, etc.

Voici d'autres exemples.

	POISSONS	VÉHICULES	SCIENCES
Mots génériques	***POISSONS***	***VÉHICULES***	***SCIENCES***
Mots spécifiques	*morue* *saumon* *sole* *truite*	*avion* *bicyclette* *camion* *train*	*biologie* *chimie* *grammaire* *histoire*

Dans un texte, un mot générique peut servir à reprendre un ou plusieurs mots spécifiques.

> *Robinson ramassa une grosse souche qui pourrait lui servir de massue. Quand il arriva à proximité du* ***bouc****,* ***l'animal*** *baissa la tête et grogna sourdement.*
>
> Michel Tournier, *Vendredi ou la vie sauvage.*

Dans ce texte, le mot générique *animal* précédé du déterminant *l'* reprend le mot spécifique *bouc*.

5 Les synonymes

Lorsqu'on remplace un mot par un mot **synonyme**, le sens de la phrase ne change pas beaucoup, car les synonymes sont des mots qui ont à peu près le même sens.

Dans la phrase *Cet arbre est très* ***grand***, l'adjectif *grand* est synonyme de l'adjectif *haut*, car si on le remplace par *haut*, on obtient une phrase équivalente : *Cet arbre est très* ***haut***.

CHAPITRE 5

Un mot peut avoir plusieurs synonymes correspondant aux différents sens qu'il possède. En voici deux exemples.

- Divers synonymes de l'adjectif *fort* selon le contexte :

  *Les lions sont très **forts**. = Les lions sont très **puissants**.*

  *Une lumière **forte** fatigue la vue. = Une lumière **intense** fatigue la vue.*

  *On annonce une **forte** chute de neige. = On annonce une **abondante** chute de neige.*

  *Son histoire semble un peu **forte**. = Son histoire semble **exagérée**.*

  *Aïe ! que la sauce est **forte** ! = Aïe ! que la sauce est **piquante** !*

- Divers synonymes du verbe *monter* selon le contexte :

  *Joëlle aime **monter** aux arbres. = Joëlle aime **grimper** aux arbres.*

  *Nous allons **monter** notre tente ici. = Nous allons **planter** notre tente ici.*

  *Je **monte** un spectacle en son honneur. = J'**organise** un spectacle en son honneur.*

  *René **se monte** à propos de rien. = René **se fâche** à propos de rien.*

Les synonymes sont très utiles pour reprendre des éléments dans un texte. On évite ainsi de répéter un même mot.

> *J'entendis tout à coup un **bruit** étourdissant. Le **vacarme** était si intense que je dus me boucher les oreilles avec mes mains.*

Le nom *vacarme* reprend le nom *bruit* de la première phrase.

6 Les antonymes

CHAPITRE 5

Les **antonymes** sont des mots de sens contraire.

Dans *Éloi est **joyeux*** et *Éloi est **triste***, les adjectifs *joyeux* et *triste* sont des antonymes.

Un mot peut avoir plusieurs antonymes correspondant aux divers sens qu'il possède. En voici deux exemples.

- Divers antonymes de l'adjectif *vrai* selon le contexte :

  *Ce qu'elle dit est **vrai.** ≠ Ce qu'elle dit est **faux**.*

  *Son histoire semble **vraie.** ≠ Son histoire semble **inventée**.*

  *C'est une **vraie** fleur. ≠ C'est une fleur **artificielle**.*

  *Il est tombé **pour de vrai**. ≠ Il est tombé **pour rire**.*

- Divers antonymes du verbe *manquer* selon le contexte :

  *Avec cet appareil, j'**ai manqué** mes photos. ≠ Avec cet appareil, j'**ai réussi** mes photos.*

  *Paul va **manquer** le match. ≠ Paul va **assister** au match.*

  *Il **a manqué** à sa parole. ≠ Il **a respecté** sa parole.*

  *Elle vient de **manquer** son train. ≠ Elle vient de **prendre** son train.*

CHAPITRE 5

J'apprends à consulter un dictionnaire.

A. Pour trouver le sens d'un mot

Lorsque tu veux trouver le sens d'un mot à l'aide d'un dictionnaire, tu dois tenir compte du contexte où le mot apparaît. Imagine que tu ne connais pas le sens de *se cabra* dans l'exemple qui suit.

*Le cheval noir était nerveux. Tout à coup, il **se cabra**.*

Voici ce que tu peux trouver dans un dictionnaire au verbe *se cabrer*.

se cabrer v. pron. **1** • ***Le cheval s'est cabré:*** **il s'est dressé sur ses pattes de derrière. 2** (fig.) • ***Quand elle a été punie, Sarah s'est cabrée:*** **elle a eu un mouvement de révolte (→ SYN. se rebiffer).**

Dictionnaire CEC Jeunesse, Les Éditions CEC inc., 1999.

Dans les dictionnaires, les différents sens d'un mot sont généralement numérotés. Tu dois repérer le numéro du sens qui convient à la phrase. Comme le texte parle d'un cheval, c'est le premier sens, « se dresser sur ses pattes », qui convient ici.

B. Pour distinguer le sens propre et le sens figuré

Dans les dictionnaires, le sens figuré d'un mot est souvent signalé par l'abréviation **fig.** C'est ce que tu trouves au numéro 2 de l'extrait ci-dessus.

Dans la phrase suivante, le verbe *se cabrer* est employé dans le sens figuré de « se rebiffer » :

*Martine avait un caractère difficile. À la moindre critique, elle **se cabrait**, puis allait s'enfermer dans sa chambre.*

C. Pour trouver un synonyme

Quand tu cherches un synonyme, ne t'arrête pas au premier sens que tu trouves dans le dictionnaire. Cherche celui qui convient à la phrase. Imagine que tu as écrit la phrase *C'était un roi très **dur***. Tu as déjà employé l'adjectif *dur* et tu veux le remplacer par un synonyme.

Voici les synonymes donnés par un dictionnaire.

dur, e adj. **1.** *Cette viande est **dure**,* difficile à mâcher (= résistant ; ≠ tendre, mou). **2.** *Voilà un problème trop **dur**, je ne sais pas le résoudre* (= difficile ; ≠ facile, aisé). **3.** *M. Durand est un homme **dur*** (= sévère, insensible ; ≠ doux, bon). **4.** *Avoir la **tête dure**,* c'est être très têtu ou peu intelligent.

Dictionnaire Maxi-Débutants, Librairie Larousse, 1989.

C'est l'adjectif *sévère,* au numéro 3, qui est le synonyme approprié, car il concerne le caractère d'une personne. Tu pourrais réécrire la phrase ainsi : *C'était un roi très **sévère***.

D. Pour trouver un antonyme

Quand tu cherches un antonyme, ne t'arrête pas au premier antonyme que tu trouves dans le dictionnaire. Cherche celui qui convient à la phrase. Imagine que tu as écrit la phrase *L'eau de mon verre **n'était pas claire***. Tu veux éviter la forme négative en employant un antonyme.

Voici les antonymes donnés par un dictionnaire.

clair, claire adj., nom m. et adv. **A.** adj. **1** • ***Un appartement clair***, qui reçoit de la lumière, qui est bien éclairé (→ SYN. **lumineux**; CONTR. **sombre**). **2** • ***Une robe vert clair*** (→ CONTR. **foncé**). **3** • ***Les torrents de montagne ont une eau claire*** (→ SYN. **limpide, transparente**; CONTR. **trouble**). — • ***Par temps clair, on peut apercevoir l'île***, **quand il n'y a pas de nuages.** **4** • ***Des explications claires***, **faciles à comprendre** (→ **clairement**; CONTR. **ambigu, confus, embrouillé, obscur**).

Dictionnaire CEC Jeunesse, Les Éditions CEC inc., 1999.

C'est l'adjectif *trouble,* au numéro 3, qui est l'antonyme approprié, car il concerne l'eau. Tu pourrais réécrire la phrase ainsi : *L'eau de mon verre était **trouble***.

CHAPITRE 6

Les notions de classe, de groupe et de fonction

1 Les huit classes de mots

Depuis que les humains s'intéressent au langage, ils essayent d'en comprendre le fonctionnement. Ils ont classé les mots d'après leurs ressemblances et leurs différences, un peu comme les zoologistes le font avec les animaux en distinguant les mammifères, les oiseaux, les poissons, les insectes, etc.

En français, il y a huit **classes de mots**, comme on peut le voir dans le schéma de la page 49.

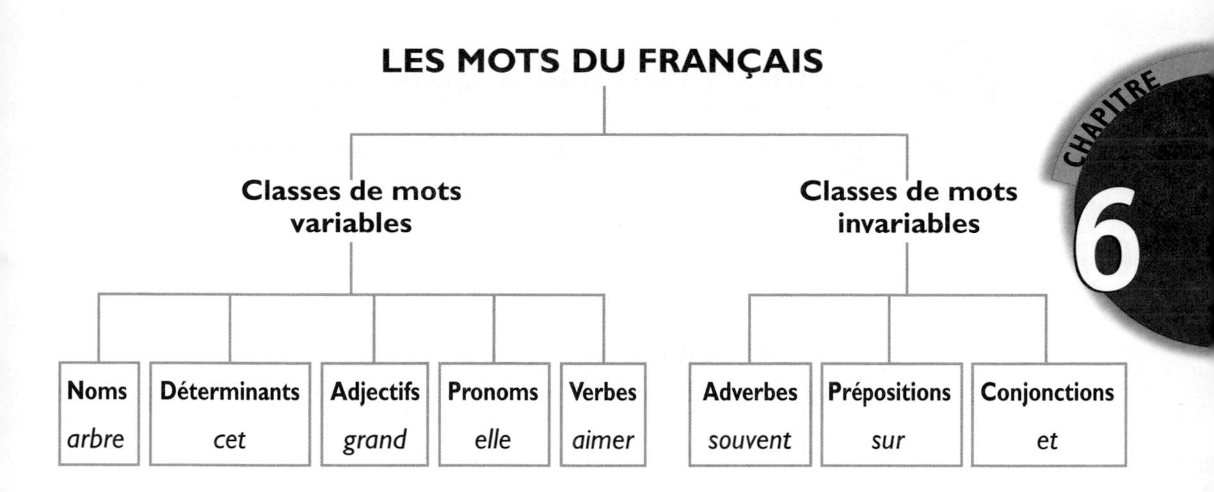

C'est à partir de leurs caractéristiques qu'on regroupe les mots dans des classes. Ces caractéristiques se rapportent :

- au sens des mots ;
- à leur forme, qui peut varier ou non ;
- à leur relation avec les autres mots dans une phrase.

Par exemple, le mot *arbre* fait partie de la classe du nom parce qu'il a les caractéristiques suivantes.

1. Il désigne une réalité : le mot *arbre* désigne une réalité du monde végétal.
2. Il a un genre : le mot *arbre* est masculin, on dit *un arbre*.
3. Il varie en nombre : il peut être singulier ou pluriel, on peut écrire *arbre* ou *arbres*.
4. Il est généralement précédé d'un déterminant : *L'arbre est magnifique.*

Dans les chapitres 7 à 13, nous étudierons les caractéristiques des différentes classes de mots.

CHAPITRE 6

2 Les deux principaux groupes de mots

Les phrases sont construites avec des **groupes de mots**. Il y a deux groupes principaux.

2.1 Le groupe du nom

Il y a un **groupe du nom** chaque fois qu'il y a un nom. Le nom est le **noyau** du groupe du nom.

Dans les exemples qui suivent, le noyau de chaque groupe du nom est en caractères gras.

Groupe du nom
[***Patrick***] *aime beaucoup manger.*

Groupe du nom
[*Les* ***serpents***] *me fascinent.*

Groupe du nom
Lis-moi [*cette adorable petite* ***histoire***].

2.2 Le groupe du verbe

Il y a un **groupe du verbe** chaque fois qu'il y a un verbe conjugué. Le verbe conjugué est le **noyau** du groupe du verbe.

Dans les exemples qui suivent, le noyau de chaque groupe du verbe est en caractères gras.

Groupe du verbe
Le soleil [***brille***].

Groupe du verbe
Elle [***donne*** *des leçons de piano à ma sœur*].

attention!
Un groupe peut être formé d'un seul mot ou de plusieurs mots, comme on peut le voir dans les exemples précédents.

3 La fonction des groupes de mots

Chaque groupe de mots joue un rôle dans une phrase. Ce rôle s'appelle sa **fonction**. Il y a deux fonctions principales dans une phrase.

3.1 La fonction de sujet de la phrase

C'est le plus souvent un groupe du nom ou un pronom qui a la fonction de **sujet de la phrase**.

*Le **soleil** brille .*
__Il__ est chaud .

Pour en savoir plus sur le sujet de la phrase, consulte le chapitre 14, à la page 160.

3.2 La fonction de prédicat de la phrase

Sujet
Prédicat

C'est toujours un groupe du verbe qui a la fonction de **prédicat de la phrase**.

*Les enfants **jouent** au ballon chasseur .*

Pour en savoir plus sur le groupe du verbe, qui est prédicat de la phrase, consulte le chapitre 11, à la page 108, et le chapitre 14, à la page 161.

CHAPITRE 7

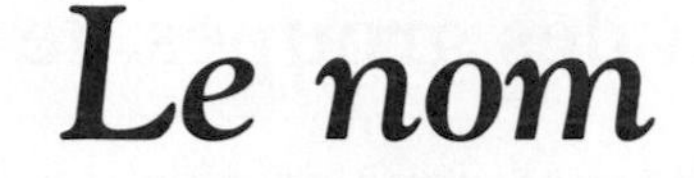

Le nom

Le texte qui suit contient 19 noms. Est-ce que tu peux les reconnaître ?

> *Les enfants de l'école inventent aussi des histoires. Un jour, ils ont imaginé une très longue et bien jolie histoire : on y parlait d'aventures, du Brésil, d'un voyage à Paris, du métro... Ces aventures, les enfants les ont ensuite dessinées, transformées en images, puis projetées sur un écran. Comme au cinéma. Une musique accompagnait chaque image. Ulysse a été invité à la première projection.*
>
> Monique Ponty, *Ulysse qui voulait voir Paris.*

1 Comment reconnaître un nom ?

Les mots de la classe du nom ont plusieurs caractéristiques, mais deux suffisent pour reconnaître un **nom**.

1.1 Un nom sert à nommer toutes sortes de réalités.

On reconnaît généralement un nom d'après son sens : les noms nomment toutes sortes de réalités. Voici les principales :

- des personnes : ***écolier, enfant, Mireille, Ulysse*** ;
- des animaux : ***chien, perroquet, renard, tigre*** ;
- des objets : ***crayon, écran, image, livre, papier*** ;
- des lieux : ***cinéma, désert, école, métro, pays, Brésil, Paris*** ;
- des actions et des activités : ***aventure, explosion, projection*** ;
- des unités de mesure : ***gramme, heure, jour, mètre*** ;
- des phénomènes de la nature : ***marée, neige, ouragan, pluie*** ;
- des qualités morales ou physiques : ***autonomie, beauté, liberté*** ;
- des émotions et des sentiments : ***amour, colère, joie*** ;
- des sciences et des arts : ***écologie, mathématique, musique***.

1.2 Le nom est généralement précédé d'un déterminant.

Le nom est généralement précédé d'un ou de plusieurs mots appelés **déterminants**.

le		***la***		***les***		***les***	
un		***une***		***des***		***des***	
ce	*sac*	***cette***	*route*	***ces***	*jours*	***ces***	*années*
ton		***ta***		***tes***		***tes***	
chaque		***chaque***		***plusieurs***		***plusieurs***	
tout le		***toute la***		***tous les***		***toutes les***	

Le déterminant révèle souvent le genre et le nombre du nom. Mais il arrive qu'un nom ne soit pas précédé d'un déterminant.

Consulte le chapitre 8, aux pages 67 et 68, pour connaître les principaux cas de noms employés sans déterminant.

2 Les autres caractéristiques du nom

2.1 Le nom fait partie d'une classe de mots variables.

Le nom fait partie d'une classe de **mots variables**, car sa forme peut changer.

2.2 Le nom a un genre en propre : il est masculin ou féminin.

De façon générale, le nom a un **genre** et un seul : il est masculin ou féminin.

Le nom qui ne désigne pas un être vivant ne varie pas en genre. Son genre est décidé par la langue :

un ***fauteuil*** (m.)
une ***table*** (f.)

Cependant, le nom qui désigne une personne ou un animal varie généralement en genre :

un ***cousin*** (m.) → *une* ***cousine*** (f.)
un ***lion*** (m.) → *une* ***lionne*** (f.)

La formation du féminin d'un nom suit la règle ci-dessous.

À l'écrit, le féminin d'un nom se forme généralement en ajoutant un *-e* au nom masculin.

Pour connaître les autres règles de formation du féminin des noms, consulte l'annexe 3, aux pages 209 à 212.

CHAPITRE 7

2.3 Le nom a un nombre qui dépend de la réalité qu'il nomme : il est singulier ou pluriel.

Dans une phrase, un nom a un **nombre**. Il peut être au singulier ou au pluriel. Par exemple, pour désigner un renard, on écrit le mot au singulier : *renard*. Pour désigner plusieurs renards, on écrit le mot au pluriel : *renards*.

La formation du pluriel d'un nom suit la règle ci-dessous.

RÈGLE

À l'écrit, le pluriel d'un nom se forme généralement en ajoutant un *-s* au nom singulier.

Pour connaître les autres règles de formation du pluriel des noms, consulte l'annexe 3, aux pages 212 à 214.

2.4 Le nom est toujours de la 3e personne.

Le nom est toujours de la 3e **personne**. Aussi, lorsque le nom et son déterminant sont le sujet de la phrase, ils peuvent être remplacés par *il/ils* ou *elle/elles* (pronoms de la 3e personne).

Sujet

Une musique accompagnait chaque image.

Substitution *Elle accompagnait chaque image.*

2.5 Le nom est un donneur.

Le nom donne son genre (masculin ou féminin), son nombre (singulier ou pluriel) et sa personne (3e) aux mots qui sont en relation avec lui. C'est pour cela qu'on dit qu'il est un **donneur (D)**. Le nom est, avec le pronom, le seul mot qui est donneur.

Le nom donne son genre et son nombre au déterminant et à l'adjectif qui se rapportent à lui. Ce sont ses **receveurs** (R).

D Nom (f. s.)

Ils ont imaginé une très jolie ***histoire****.*

R Dét. (f. s.) **R** Adj. (f. s.)

Lorsque le nom est le sujet de la phrase, il donne sa personne (3e) et son nombre au verbe, qui est un receveur.

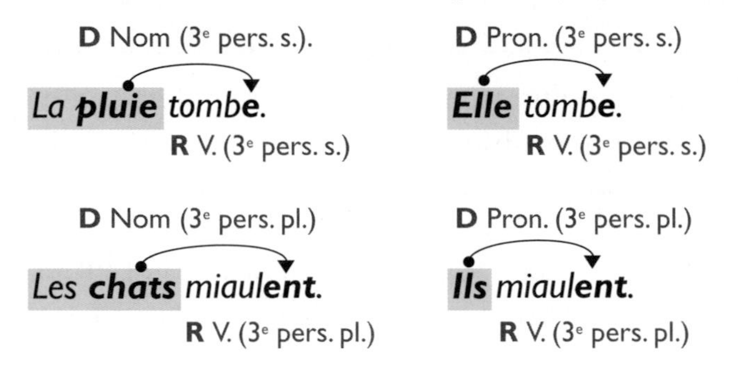

3 Le nom commun et le nom propre

On distingue le **nom commun** et le **nom propre**.

Le nom commun s'écrit avec une lettre minuscule :

un enfant, une vache, la neige, l'amour.

Le nom propre, lui, commence toujours par une lettre majuscule. Il sert surtout à nommer les réalités suivantes :

- des personnes, des personnages ou des animaux en particulier :

  M*arie* ***C****omeau,* ***A****stérix,* ***L****assie ;*

- des lieux géographiques :

  L*aval, le* ***Q****uébec, le* ***N****ouveau-****B****runswick,* ***H****aïti, les* ***L****aurentides, l'****E****urope, l'océan* ***A****tlantique ;*

- des populations ou des peuples :
  *les **M**ontréalaises, les **F**rançaises, les **A**méricains, les **M**arocains ;*
- des dénominations officielles :
  *l'école **P**lein-**S**oleil, la **B**ibliothèque de **M**ontréal.*

4 Le groupe du nom

Le nom, seul ou avec d'autres mots, forme un groupe appelé **groupe du nom**. Dès qu'il y a un nom, il y a un groupe du nom, même si le nom est seul dans son groupe.

Groupe du nom		Groupe du nom
Nom		Dét. + Nom
Ulysse	*a été invité chez*	*son* ***ami*** .

Le nom est le **noyau** du groupe du nom. Dans cet exemple, le noyau de chaque groupe du nom est en gras.

Si on efface le noyau du groupe, le groupe n'existe plus.

Groupe du nom

Il a été invité chez [*son* ***ami***].

Effacement ⊘ *Il a été invité chez son* .

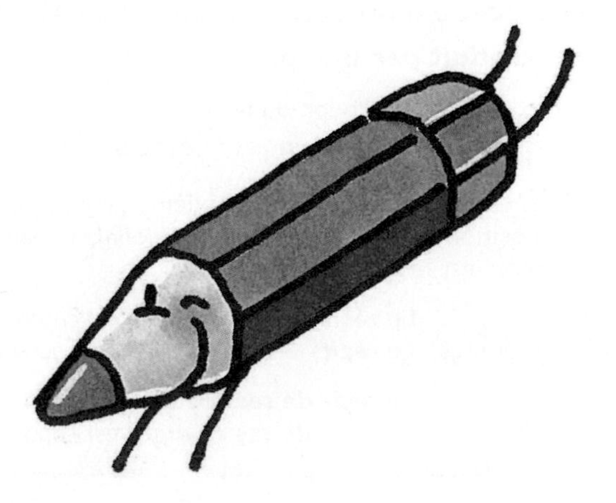

CHAPITRE 7

4.1 Les constructions du groupe du nom

Le groupe du nom peut être construit de différentes façons.

LES PRINCIPALES CONSTRUCTIONS DU GROUPE DU NOM

Le groupe du nom sans complément

A. Un nom seul :

Nom
Ulysse *a voyagé.*

B. Un nom précédé d'un déterminant :

Dét. + Nom
Les enfants *jouent.*

Le groupe du nom avec un complément

C. Un nom précédé d'un déterminant et suivi ou précédé d'un adjectif :

Dét. + Nom + Adj.
Ils regardent ***un film comique.***

Dét. + Adj. + Nom
Ils ont imaginé ***une jolie histoire.***

REM. Dans cette construction, l'adjectif peut s'effacer :

Ils regardent ***un film comique.***
Effacement *Ils regardent* ***un film.***

D. Un nom précédé d'un déterminant et suivi d'un groupe du nom introduit par une préposition :

Dét. + Nom + Prép. + Groupe du nom
Le récit de ses voyages *est captivant.*

REM. Dans cette construction, le deuxième groupe du nom et la préposition qui l'introduit peuvent s'effacer, mais pas le premier nom qui est le noyau du groupe :

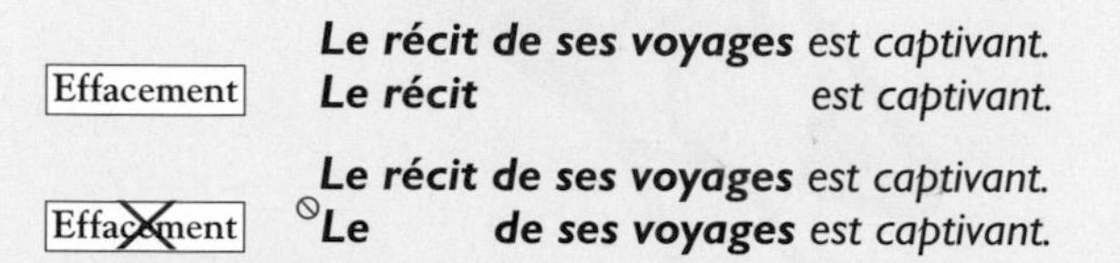
Le récit de ses voyages *est captivant.*
Effacement ***Le récit*** *est captivant.*

Le récit de ses voyages *est captivant.*
~~Effacement~~ ⊘***Le de ses voyages*** *est captivant.*

+ 4.2 La fonction de complément du nom

Tout ce qui précise le sens du nom et qui en dépend a la fonction de **complément du nom**.

complément du nom

une piscine ***olympique***
une piscine ***bondée***
une piscine ***hors terre***
la piscine ***qui est en réparation***

CHAPITRE 7

attention!

Le complément du nom est généralement placé après le nom, mais, dans le cas de certains adjectifs, il peut parfois être placé avant.

complément du nom

une ***belle*** *piscine*

4.3 L'accord dans le groupe du nom

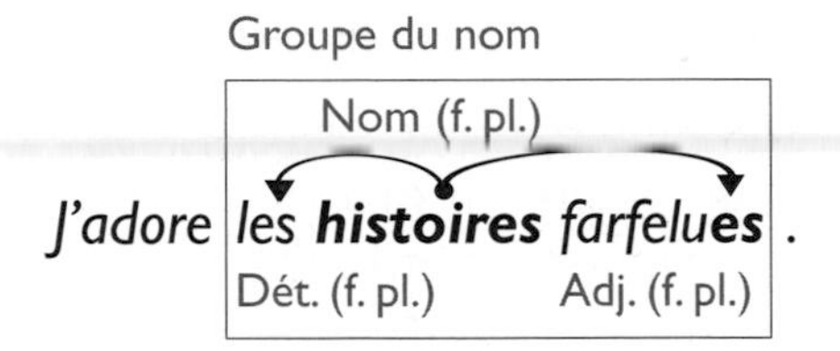

Dans le groupe du nom, les accords se font selon la règle suivante.

RÈGLE

Le nom donne son genre et son nombre au déterminant et à l'adjectif qui se rapportent à lui.

CHAPITRE 7

Je fais attention aux difficultés suivantes.

A. Reconnaître un nom est parfois difficile.

Voici quelques cas :

1. quand il nomme une réalité abstraite : *le **respect**, la **compréhension***;
2. quand il est séparé du déterminant par un adjectif : *de longues **années***;
3. quand il n'est pas précédé d'un déterminant : *parler de **musique** avec **passion***;
4. quand le même mot fait partie de plusieurs classes de mots :

   *Nous sommes allés visiter une **ferme** avec ma classe.*
   (Le mot *ferme* est ici un nom.)
   *Les portières de l'auto, mon père les **ferme** toujours à clé.*
   (Le mot *ferme* est ici le verbe *fermer* au présent.)
   *Elle lui a parlé d'un ton **ferme**.*
   (Le mot *ferme* est ici un adjectif.)

attention!

Le/la/l'/les ne sont pas toujours des déterminants. Lorsqu'ils sont suivis d'un verbe, ce sont des pronoms personnels.

*Il prend **le** chariot et il **le** pousse lentement.*

(Le premier *le* est un déterminant, mais le deuxième est un pronom.)

***La** pâte à modeler, il faut **la** travailler énergiquement.*

(Le premier *la* est un déterminant, mais le deuxième est un pronom.)

B. Employer un nom au bon genre

Quand j'emploie un nom, je dois m'assurer que je connais son genre. Sinon, je dois consulter la liste orthographique ou un dictionnaire qui donne le genre des noms.

Dans un dictionnaire, le genre du nom est indiqué par une abréviation : m. pour masculin et f. pour féminin.

> **orthographe** n. f.
> Manière d'écrire un mot. *Une orthographe difficile. Des fautes d'orthographe.*

Marie-Éva De Villers, *Le Multi des jeunes*, Éditions Québec Amérique, 1997.

Quand le nom commence par une voyelle ou un *h* muet, je dois vérifier son genre, car c'est une source d'erreur fréquente. Je retiens le genre des mots suivants.

Noms masculins commençant par une voyelle ou un *h* muet

un accident
un aéroport
un agenda
un ascenseur
un autobus
un autographe
un avion
un éclair
un édifice
un escalier
un exemple
un habit
un hélicoptère
un hôpital
un horaire
un incendie
un instant
un orage
un oreiller
un orteil

Noms féminins commençant par une voyelle ou un *h* muet

une annonce
une atmosphère
une autoroute
une épice
une épingle
une étagère
une horloge
une idole
une omoplate
une offre

CHAPITRE 7

J'utilise mes connaissances
pour reconnaître les noms.

Voici un texte qui contient plusieurs noms.

Tes amis pratiquent un sport qui ne t'attire pas ? Tu te sens délaissé, mais tu veux t'amuser durant les vacances ? Alors, j'ai une solution. Cet été, les inscriptions pour la piscine auront lieu dans deux semaines. Quoi de mieux pour connaître des amis ? La piscine est ouverte dès midi et on la ferme à vingt heures.

Pour identifier les noms, je procède ainsi.

1° Je cherche tous les mots qui nomment une réalité et qui sont précédés d'un déterminant.

Je trouve les mots suivants : *tes* ***amis****, un* ***sport****, les* ***vacances****, une* ***solution****, cet* ***été****, les* ***inscriptions****, la* ***piscine****, deux* ***semaines****, des* ***amis****, la* ***piscine****, vingt* ***heures.***

Il y a aussi le mot *ferme* qui pourrait être un nom.

2° Je vérifie parmi les mots que j'ai trouvés s'il n'y a pas un verbe qu'on pourrait prendre pour un nom parce qu'il est précédé de *le*, *la*, *l'* ou *les*.

C'est le cas du mot *ferme.* Si je peux le conjuguer dans cette phrase, c'est un verbe. Je le conjugue au futur: *On la fermera à vingt heures*. C'est donc le verbe *fermer* précédé du pronom *la*.

CHAPITRE 7

3° Je cherche des mots qui ne sont pas précédés d'un déterminant, mais qui pourraient l'être dans un autre texte.

Je trouve un mot qui nomme une réalité: ***midi***. Ce mot a un genre. Je peux mettre le déterminant *un* devant: *un midi*: c'est donc un nom.

4° En cas de doute, j'ajoute un adjectif devant ou après le mot que je pense être un nom. Si c'est possible, c'est un nom.

Dans le texte, il y a le mot *lieu*. Il peut être un nom, car je peux dire *un lieu*. Mais ici il ne fonctionne pas comme un nom, car je ne peux pas mettre un adjectif avant ou après ce mot: ⦸ *les inscriptions auront grand lieu*. Le mot *lieu* fait partie de l'expression verbale: *avoir lieu*.

CHAPITRE 7

J'utilise mes connaissances

pour réviser les accords dans les groupes du nom.

Voici le texte d'une élève dont il faut réviser les accords dans les groupes du nom.

> Je pense qu'il faudrait acheter
> plusieurs nouveaux livres pour la bibliothèque
> de l'école. Il pourrait y avoir
> des encyclopédies et des revues.
> Mes raisons sont que les livres
> nous apprennent des mots et nous donnent
> de bonnes idées pour écrire.

Pour réviser les accords dans les groupes du nom, je procède ainsi.

1° Je trouve les noms et j'écris Nom au-dessus de chacun ainsi que son genre et son nombre.

Pour trouver les noms, consulte la procédure des pages 62 et 63.

2° Je cherche les déterminants et les adjectifs qui se rapportent à ces noms et j'écris Dét. et Adj. au-dessous.

3° Je fais une flèche qui part de chaque nom qui est donneur vers le déterminant et l'adjectif qui sont receveurs.

4° Je vérifie si les receveurs ont le même genre et le même nombre que le nom auquel ils se rapportent.

Voici le texte révisé.

CHAPITRE 8

Les déterminants

Le texte qui suit contient 13 déterminants. Est-ce que tu peux les reconnaître ?

Le bain terminé, Zoé força les diables à revêtir les vêtements de ses poupées.

Non ! hurlèrent-ils. Pas ça !

Mais le chat montra ses dents et les petits diables nerveux enfilèrent jupes, robes, blouses et pantalons.

Zoé leur tailla ensuite les ongles et les poudra de talc.

Atchoum ! Pouah ! Atchoum ! Ça pue !

Et elle vaporisa un désodorisant sur la classe. Le nuage rose tomba en pluie fine sur la tête des diables dégoûtés.

Sylvain Trudel, *Zoé et les petits diables.*

1 Comment reconnaître un déterminant ?

1.1 Le déterminant précède le nom.

Dans une phrase, le **déterminant** précède un nom.

*Zoé força **les** diables à revêtir **les** vêtements de **ses** poupées.*

Le déterminant est parfois séparé du nom par un adjectif.

Dét. + Adj. + Nom	Dét. + Adj. + Nom
les *petits diables*	***une*** *belle journée*

attention!

Quand ils sont devant un nom, les mots *à*, *en*, *pour*, *sans*, etc. ne sont pas des déterminants, mais des mots invariables appelés prépositions.

1.2 Le déterminant est un mot généralement obligatoire.

Le déterminant est généralement obligatoire. On ne peut pas l'effacer. Si on l'efface, la phrase devient incorrecte.

Elle vaporisa ***un*** *désodorisant sur* ***la*** *classe.*

Effacement ⊘ *Elle vaporisa désodorisant sur classe.*

Les *diables nous effraient.*

Effacement ⊘ *diables nous effraient.*

Cependant, il y a des cas où le nom n'est pas précédé d'un déterminant dans une phrase.

1. Devant la plupart des noms propres :
   - de personnes ou de personnages ;

     As-tu déjà entendu de la musique de ***Mozart****?*
     *J'aime beaucoup lire les albums d'****Astérix****.*

   - de certains lieux.

     Elle rêve de visiter ***New York****.*
     À ***Terre-Neuve****, on peut observer des icebergs.*

2. Dans des expressions verbales : *avoir* ***soif****, avoir* ***lieu****, faire* ***peur****, prendre* ***garde****.*

   Personne ne prenait ***soin*** *de ce chaton et il avait* ***faim****.*

3. Devant un nom qui exprime une qualité ou une caractéristique du nom complété.

   *Ils viennent d'acheter un bateau à **voiles**.*

   *J'ai préparé une salade de **fruits**.*

   *Dans notre classe, nous avons un coin de **lecture**.*

   *Luce désire une chaîne en **or** pour son cadeau d'**anniversaire**.*

   *Mon voyage en **avion** a été très agréable.*

   *C'est un fruit sans **noyau**.*

4. Dans des messages particuliers comme :
   - des titres : ***Histoires** extraordinaires* ;
   - des annonces : ***Chatons** à vendre* ;
   - des adresses : *350, **boulevard** Saint-Laurent.*

1.3 Le déterminant peut être composé d'un seul mot ou de plusieurs mots.

Déterminant en un mot		Déterminant en plusieurs mots	
les	*crayons*	***tous les***	*crayons*
ces		***tes cinq***	
leurs		***beaucoup de***	
plusieurs		***tous mes autres***	

1.4 Le déterminant fait partie d'une classe de mots variables.

Le déterminant fait partie d'une classe de **mots variables**, car sa forme peut changer. La plupart des déterminants varient :

1. en genre : ***un** arbre*, ***une** feuille* ;
2. en nombre : ***la** ligne*, ***les** lignes*.

Certains déterminants ne varient pas. Voici deux cas.

1. *Chaque* est toujours singulier : ***chaque*** *couleur,* ***chaque*** *mouvement.*
2. *Plusieurs* est toujours pluriel : ***plusieurs*** *exercices,* ***plusieurs*** *formes.*

CHAPITRE 8

2 Le déterminant est un receveur.

Le déterminant reçoit le genre (masculin ou féminin) et le nombre (singulier ou pluriel) du nom qu'il introduit dans la phrase. C'est pour cela qu'on dit qu'il est un **receveur (R)**.

D Nom (m. pl.)

Les *petits diables nerveux*

R Dét. (m. pl.)

3 Les déterminants articles

3.1 Les articles *le/la/l'/les, un/une/des*

Le texte suivant contient dix **déterminants articles**, qui sont surlignés.

> *Le roi se tourne vers l'étang et contemple ce ravissant paysage : les roseaux, les fleurs, les poissons argentés qui glissent à la surface... À quelques pas de la rive, une petite limace rampe droit vers l'eau. « Limace, arrête-toi ! crie le roi. Tu vas te noyer ! »*

Hans Hagen, *Trois princes et une limace.*

CHAPITRE 8

DÉTERMINANTS ARTICLES

Singulier		Pluriel
Masculin	**Féminin**	**Masculin et féminin**
le / l'	***la / l'***	***les***
le *chant*	***la*** *voix*	***les*** *instruments*
l'*écho*	***l'****écoute*	***les*** *techniques*
un	***une***	***des***
un *rythme*	***une*** *mesure*	***des*** *cuivres*
		des *clarinettes*

REM. 1. Les articles *le* et *la* deviennent *l'* devant une voyelle ou un *h* muet.
2. Le déterminant *des* devient souvent *de* quand le nom qu'il introduit est au pluriel et qu'il est précédé d'un adjectif.
Ces garçons sont ***des*** *amis. / Ces garçons sont* ***de*** *bons amis.*
3. Dans une phrase négative, les déterminants *un*, *une* et *des* deviennent *de* quand ils sont dans un groupe du nom complément du verbe.
Il a reçu ***un*** *livre. / Il n'a pas reçu* ***de*** *livre.*
J'ai pris ***des*** *photos. / Je n'ai pas pris* ***de*** *photos.*

3.2 Les déterminants contractés

Les déterminants *le* et *les* peuvent fusionner avec les prépositions *à* et *de*. C'est ce qu'on appelle des **déterminants contractés**. Le déterminant contracté est toujours en un seul mot même s'il représente deux mots : une préposition et un article.

DÉTERMINANTS CONTRACTÉS

Avec la préposition *à*	
Masculin singulier	**Masculin et féminin pluriel**
au *(à + le)*	***aux*** *(à + les)*
Cet été, nous sommes allées ***au*** *cirque.*	*Je m'intéresse* ***aux*** *tours de magie.*

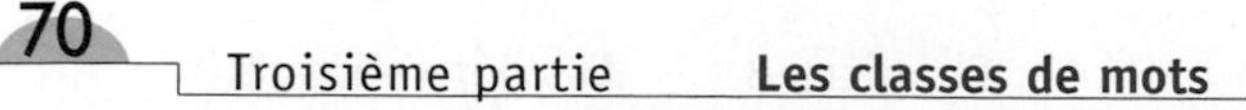

Avec la préposition de	
Masculin singulier	**Masculin et féminin pluriel**
du (de + le) *Je visiterai les installations **du** stade.*	**des** (de + les) *Nous adorons le spectacle **des** otaries.*
REM. Les déterminants *du* et *des* n'incluent pas toujours la préposition *de*: *Je veux **du** jus. J'ai reçu **des** patins neufs.*	

CHAPITRE 8

4 Les déterminants démonstratifs

Le texte suivant contient quatre **déterminants démonstratifs**, qui sont surlignés.

Ma maison est tellement pleine que je ne sais plus où ranger les objets. Un grand ménage s'impose! continue Jacques. Je pourrais me débarrasser de certains objets, comme cette chaise et ce coffre ou ce tableau et ce vase. Je les ai assez vus.

Rindert Kroumhout, *Le bric-à-brac de Jacques.*

4.1 Les formes des déterminants démonstratifs

DÉTERMINANTS DÉMONSTRATIFS

Singulier		Pluriel
Masculin	**Féminin**	**Masculin et féminin**
ce / cet **ce** *geste* **cet** *enfant* **cet** *homme*	**cette** **cette** *démarche*	**ces** **ces** *mouvements* **ces** *attitudes*
REM. Le déterminant *cet* remplace *ce* devant un mot masculin qui commence par une voyelle ou un *h* muet.		

CHAPITRE 8

+ 4.2 L'emploi des déterminants démonstratifs

Le déterminant démonstratif a deux rôles. Dans le texte de la page 71, les déterminants démonstratifs désignent les objets que Jacques montre : une chaise, un coffre, un tableau, un vase.

Dans le texte qui suit, le déterminant démonstratif a un rôle différent.

> *Ensuite il préparait de l'argile mouillée – pas trop mouillée, mais assez pour qu'elle soit facile à modeler et à pétrir – il en faisait une galette bien plate. Puis il roulait* ***cette*** *galette autour de l'oiseau, il l'enfermait bien dans la pâte* [...].
>
> Michel Tournier, *Vendredi ou la vie sauvage.*

Le déterminant *cette* sert à reprendre, avec le nom qu'il introduit, quelque chose qui est déjà mentionné dans le texte : *une galette bien plate*.

5 Les déterminants possessifs

Le texte suivant contient six **déterminants possessifs**, qui sont surlignés.

Moi
J'aime mon père,
J'aime ma mère,
J'aime mes sœurs,
J'aime mes frères
De tout mon cœur
Et tante et oncle,
Oui, tout le monde,
Oui, tous, sauf moi
Quand je n'ai pas
Mon chocolat.

Maurice Carême, *Le moulin de papier.*

5.1 Les formes des déterminants possessifs

DÉTERMINANTS POSSESSIFS

		Singulier		Pluriel
		Masculin	**Féminin**	**Masculin et féminin**
Relation à une seule personne ou à une seule chose	**1re pers.**	***mon*** ***mon*** *chien*	***ma / mon*** ***ma*** *flûte* ***mon*** *offre*	***mes*** ***mes*** *amis* ***mes*** *amies*
	2e pers.	***ton*** ***ton*** *chat*	***ta / ton*** ***ta*** *famille* ***ton*** *idole*	***tes*** ***tes*** *cousins* ***tes*** *cousines*
	3e pers.	***son*** ***son*** *jeu*	***sa / son*** ***sa*** *rue* ***son*** *horloge*	***ses*** ***ses*** *jouets* ***ses*** *poupées*
Relation à plusieurs personnes ou à plusieurs choses	**1re pers.**	***notre*** ***notre*** *ascenseur*	***notre*** ***notre*** *automobile*	***nos*** ***nos*** *souvenirs* ***nos*** *excuses*
	2e pers.	***votre*** ***votre*** *agenda*	***votre*** ***votre*** *école*	***vos*** ***vos*** *ennuis* ***vos*** *maladies*
	3e pers.	***leur*** ***leur*** *exemple*	***leur*** ***leur*** *chance*	***leurs*** ***leurs*** *désirs* ***leurs*** *joies*

REM. Les déterminants *mon / ton / son* remplacent *ma / ta / sa* devant un mot féminin qui commence par une voyelle ou un *h* muet.

+ 5.2 L'emploi des déterminants possessifs

Dans le poème de la page 72, les déterminants possessifs indiquent la relation entre deux personnes, par exemple moi et papa (*mon père*) ou entre une personne et une chose, par exemple moi et du chocolat (*mon chocolat*).

6 Les déterminants numéraux

Le texte suivant contient six **déterminants numéraux**, qui sont surlignés.

Un monstre visite la cave.
Deux monstres jouent à cache-cache.
Trois monstres chantent une chanson.
Quatre monstres font un concours d'horreur.
Cinq monstres comptent leur trésor.
Six monstres se moquent des autres monstres.

Les déterminants numéraux précisent le nombre de ce qui est nommé par le nom (personnes, animaux, choses, etc.). Ils ne varient pas, sauf le déterminant *un* qui devient *une* au féminin.

attention!

Les mots *premier*, *deuxième*, *troisième*, etc., ne sont pas des déterminants, mais des adjectifs.

*Le **deuxième** jour après son arrivée, il voulait déjà partir.*

7 Les autres sortes de déterminants

CHAPITRE 8

Il existe d'autres sortes de déterminants que tu étudieras plus tard. En voici des exemples.

Quel beau spectacle j'ai vu !

Quels disques veux-tu ?

Tout apprentissage exige de l'effort.

Toute personne a droit au respect.

Simon réussit à tous coups.

Il courait à toutes jambes.

Mon sac n'est nulle part.

On pouvait gagner divers prix.

Chaque élève doit apporter son lunch.

Plusieurs élèves sont arrivés en retard.

J'aime la plupart des cirques.

Ce zoo possède beaucoup d' animaux d'Afrique.

Elle a fait quelques tours de magie.

Thierry a choisi différentes couleurs.

Je fais attention aux difficultés suivantes.

A. *De* au lieu de *des* devant un nom précédé d'un adjectif

Quand j'écris *de* au lieu de *des* devant un nom précédé d'un adjectif, je ne dois pas oublier de mettre les marques du pluriel à ces deux mots.

Dét. + Adj. + Nom

Ils ont vu ***de*** *bon**s** numéro**s** d'acrobatie.*

CHAPITRE 8

B. Les mots *le / la / l' / les* ne sont pas toujours des déterminants.

Dét. Pron.

Zoé tailla ensuite ***les*** *ongles des petits diables et* ***les*** *poudra de talc.*

Le premier *les* est un déterminant qui introduit le nom *ongles* ; le second est le pronom *les* qui remplace *les petits diables*.

+ C. L'accord du déterminant *leur*

Nos voisins vendent ***leur*** *maison.*
Nos voisins adorent ***leurs*** *enfants.*

Dans la première phrase, *leur maison* désigne la maison de nos voisins. Le déterminant *leur* est au singulier parce que les voisins ont une seule maison.

Dans la deuxième phrase, *leurs enfants* désigne les enfants de nos voisins. Le déterminant *leurs* est au pluriel parce que les voisins ont plusieurs enfants.

L'adjectif

CHAPITRE 9

Le texte qui suit contient six adjectifs. Est-ce que tu peux les reconnaître ?

Le lièvre américain à queue noire se reconnaît à ses oreilles immenses, beaucoup plus grandes que celles des autres lièvres. Contrairement à la plupart des petits animaux du désert, il ne creuse pas de terrier. Dans la journée, pour se protéger de la chaleur, il reste immobile à l'ombre d'un cactus ou d'un rocher.

Les animaux des déserts, Larousse, collection Du tac au tac.

1 Comment reconnaître un adjectif ?

1.1 L'adjectif dit comment est la chose ou l'être désigné par un nom ou un pronom.

On reconnaît facilement un **adjectif** quand il qualifie un être ou une chose. Cependant, il y a des adjectifs qui n'indiquent pas une qualité, jugée bonne ou mauvaise, mais qui indiquent une sorte d'êtres ou de choses.

Les adjectifs de la première colonne indiquent une qualité, ceux de la deuxième colonne indiquent une sorte d'êtres ou de choses.

*une **belle** journée*
*une pluie **tiède***
*de **petits** animaux*
*un film **réussi***
*un spectacle **ennuyant***
*des oreilles **immenses***
*une queue **noire***
*Ils sont **bavards**.*

*un lièvre **américain***
*un ours **polaire***
*l'espèce **humaine***
*un centre **médical***
*une carte **routière***
*une équipe **olympique***
*sa main **droite***
*Elle est **célibataire**.*

1.2 L'adjectif fait partie d'une classe de mots variables.

L'adjectif fait partie d'une classe de **mots variables**, car sa forme peut changer.

A. L'adjectif peut être masculin ou féminin.

*C'est un camion **bleu**. / C'est une voiture **bleue**.*

La formation du féminin de l'adjectif suit la règle ci-dessous.

À l'écrit, le féminin d'un adjectif se forme généralement en ajoutant un -*e* à l'adjectif masculin.

B. L'adjectif peut être singulier ou pluriel.

*Voici un dessin **magnifique**! / Voici des dessins **magnifiques**!*

La formation du pluriel de l'adjectif suit la règle ci-dessous.

RÈGLE

À l'écrit, le pluriel d'un adjectif se forme généralement en ajoutant un -*s* à l'adjectif singulier.

Pour connaître les autres règles de formation du féminin et du pluriel des adjectifs, consulte l'annexe 4, aux pages 215 à 218.

CHAPITRE 9

1.3 L'adjectif est un receveur.

L'adjectif reçoit le genre (masculin ou féminin) et le nombre (singulier ou pluriel) du nom ou du pronom auquel il se rapporte. C'est pour cela qu'on dit qu'il est un **receveur (R)**.

D Nom (f. s.)

la queue ***noire*** *du lièvre*

R Adj. (f. s.)

D Pron. (m. s.)

Il reste ***caché*** *à l'ombre d'un cactus.*

R Adj. (m. s.)

1.4 Certains adjectifs peuvent être précédés de l'adverbe *très*.

On peut employer l'adverbe *très* devant certains adjectifs qui qualifient.

Les cornes de la chèvre étaient ***arquées*** *et sa fourrure était* ***soyeuse****.*

Ajout *Les cornes de la chèvre étaient* ***très arquées*** *et sa fourrure était* ***très soyeuse****.*

Cependant, les adjectifs qui indiquent une sorte d'êtres ou de choses ne peuvent pas s'employer avec l'adverbe *très*.

un lièvre ***américain***

~~Ajout~~ ⦸ *un lièvre* ***très américain***

2 L'accord de l'adjectif

2.1 La règle générale de l'accord de l'adjectif

Observe l'accord des adjectifs dans les exemples suivants.

Nom (f. pl.)

*Les racines d'une plante correspondent à ses parties **souterraines**.*

Adj. (f. pl.)

Nom (f. s.)

***Surprise**, Annie se mit à pleurer de joie.*

Adj. (f. s.)

Pron. (m. s.)

*Il est très **craintif**.*

Adj. (m. s.)

Pron. (f. s.)

*Elle est moins **patiente**.*

Adj. (f. s.)

L'adjectif reçoit le genre et le nombre du nom ou du pronom auquel il se rapporte.

2.2 Les cas particuliers de l'accord de l'adjectif

A. L'accord de l'adjectif avec des noms du même genre

Nom (f. s.) Nom (f. s.)

*Elle porte une chemise et une jupe **bleues**.*

Adj. (f. pl.)

RÈGLE

Lorsqu'un adjectif se rapporte à plusieurs noms du même genre, il reçoit ce genre et se met au pluriel.

B. L'accord de l'adjectif avec des noms de genres différents

Nom (f. pl.) Nom (m. pl.)

*Il étudie les plantes et les animaux **marins**.*

Adj. (m. pl.)

RÈGLE

Lorsqu'un adjectif se rapporte à des noms de genres différents, il se met au masculin pluriel.

C. L'accord de l'adjectif avec des noms de genres et de nombres différents

Nom (m. s.) Nom (f. s.) Nom (m. pl.)

*Elle porte un chandail, une jupe et des souliers **noirs**.*

Adj. (m. pl.)

RÈGLE

Lorsqu'un adjectif se rapporte à des noms de genres et de nombres différents, il se met au masculin pluriel.

CHAPITRE 9

+ 3 La place et la fonction de l'adjectif

3.1 Dans le groupe du nom

L'adjectif est généralement placé après le nom.

*Le lièvre **américain** à queue **noire** se reconnaît à ses oreilles **immenses**.*

L'adjectif qui complète le nom et qui dépend de lui a la fonction de **complément du nom**.

Dans la phrase ci-dessus, il y a trois adjectifs qui ont la fonction de complément du nom :

complément du nom

*le lièvre **américain***
*la queue **noire***
*ses oreilles **immenses***

attention!

Quelques adjectifs très courants peuvent se placer devant le nom.

*Les **petits** animaux du désert creusent de **longs** terriers.*

3.2 Dans le groupe du verbe

Dans le groupe du verbe, l'adjectif qui est placé après le verbe *être* ou après un verbe qui peut être remplacé par *être* a la fonction d'**attribut du sujet**.

Sujet — *La lionne* *était **malade***.
Prédicat — *Elle* *paraissait très **faible***.

Dans la première phrase, le nom *lionne* est sujet de la phrase. L'adjectif *malade* se rapporte à *lionne* par l'intermédiaire du verbe *était*. L'adjectif *malade* a la fonction d'attribut du sujet.

Dans la deuxième phrase, c'est le pronom *elle* qui est sujet de la phrase. L'adjectif *faible* se rapporte à *elle* par l'intermédiaire du verbe *paraissait*. L'adjectif *faible* est lui aussi attribut du sujet.

CHAPITRE 9

A. On peut qualifier des noms avec des mots qui ne sont pas des adjectifs.

Dans *des cheveux en bataille*, le groupe *en bataille* qualifie les *cheveux*, mais ce n'est pas un adjectif. De même dans *une montre en or*, le groupe *en or* qualifie la *montre*, mais ce n'est pas un adjectif.

B. Certains mots sont tantôt des adjectifs, tantôt des noms.

Adjectif	Nom
*C'est un enfant **secret**.*	*C'est un **secret** bien gardé.*
*J'ai un **petit** garçon.*	*Ce **petit** est mignon.*
*Ce sont de **jeunes** chiens.*	*Ces **jeunes** sont débrouillards.*

C. Certains mots sont tantôt des adjectifs, tantôt des adverbes.

1. Lorsque le mot est un adjectif, il qualifie le nom et reçoit le genre et le nombre du nom.

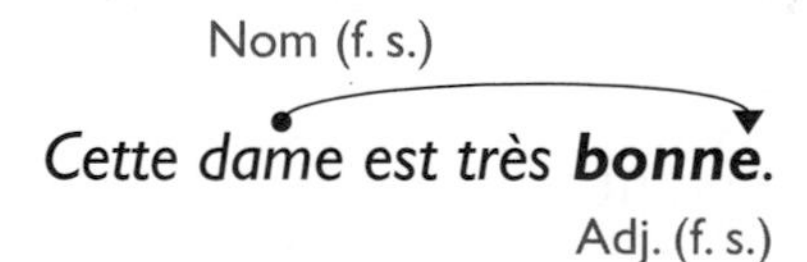

2. Lorsque le mot est un adverbe qui précise le verbe, il est invariable.

Adv.

*Laura adore prendre un bain parfumé, car après elle sent **bon**.*

CHAPITRE 9

D. Les adjectifs *bon* et *pire* ne peuvent pas être employés avec *plus*.

Formes incorrectes	Formes correctes
⦸ *C'est mon **plus bon** ami.*	*C'est mon **meilleur** ami.*
⦸ *C'est le **plus pire** jour de ma vie.*	*C'est le **pire** jour de ma vie.*

J'utilise mes connaissances pour reconnaître les adjectifs.

Voici le texte d'Anthony.

À la maternelle, chaque élève devait apporter son jouet préféré à l'école. J'avais apporté mon auto télécommandée rouge. À la fin de la journée, je suis parti sans mon auto. J'étais très malheureux. Le lendemain matin, quand je suis arrivé dans la classe, elle était là!

Pour identifier les adjectifs, je procède ainsi.

1° Je cherche les mots qui qualifient ou décrivent un nom ou un pronom.

Je trouve les mots suivants:

préféré qualifie *jouet*

télécommandée qualifie *auto*

rouge qualifie *auto*

malheureux qualifie *je* (Le pronom *je* désigne Anthony qui raconte ce qui lui est arrivé.)

2° J'observe la place du mot que je pense être un adjectif, car c'est un bon indice. Est-il:

- **devant ou après un nom?**
- **après le verbe *être* ou un verbe qui peut être remplacé par *être*?**

Les quatre mots trouvés sont à côté d'un nom ou après le verbe *être*.

mon jouet ***préféré***
mon auto ***télécommandée rouge***
j'étais très ***malheureux***

Ce sont des adjectifs.

attention!

Les mots qui suivent le verbe *être* ne sont pas toujours des adjectifs. Par exemple, dans le texte, il y a:

je suis parti
je suis arrivé

Les mots *parti* et *arrivé*, ici, sont des formes des verbes *partir* et *arriver*. Ce sont des participes passés.

J'utilise mes connaissances pour réviser l'accord des adjectifs.

Pour réviser l'accord des adjectifs, je procède ainsi.

1° Je trouve les adjectifs et j'écris Adj. au-dessous de chacun.

Pour trouver les adjectifs, consulte la procédure des pages 84 et 85.

CHAPITRE 9

2° Je trouve le nom ou le pronom auquel se rapporte chaque adjectif. J'écris au-dessus Nom ou Pron. ainsi que le genre et le nombre de chacun.

3° Je fais une flèche qui part de ces noms ou pronoms qui sont donneurs vers les adjectifs qui sont receveurs.

4° Je vérifie si ces adjectifs ont le même genre et le même nombre que le nom ou le pronom donneur auquel ils se rapportent.

Voici le texte révisé.

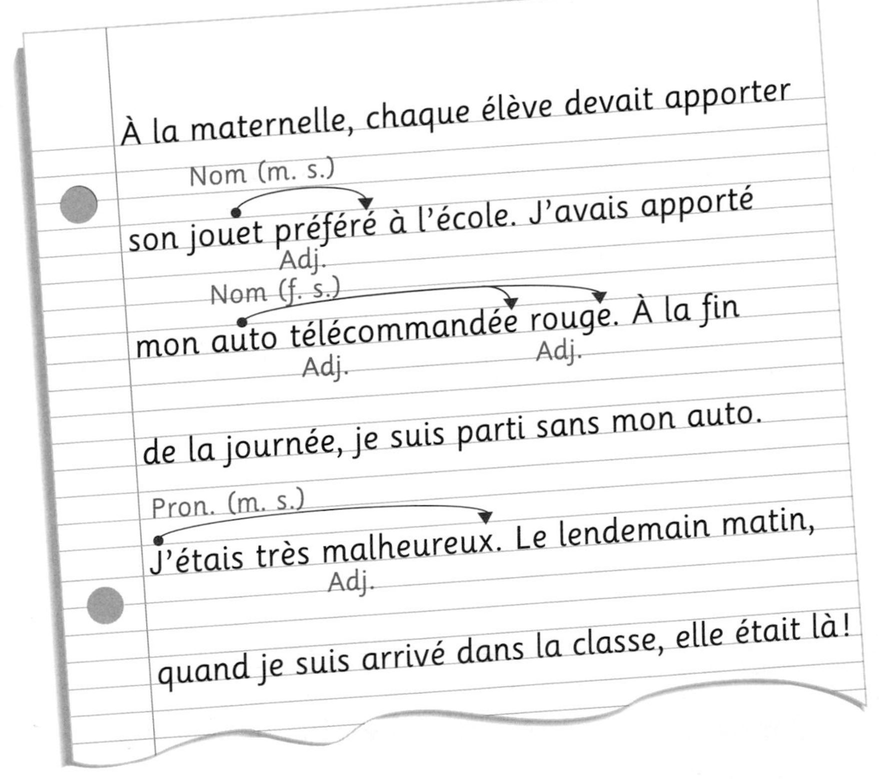

Les pronoms

CHAPITRE 10

1 À quoi servent les pronoms ?

1.1 La plupart des pronoms sont des mots de substitution.

La plupart des **pronoms** servent à remplacer un mot ou un groupe de mots déjà mentionné dans un texte. C'est pour cela qu'on dit que ce sont des **mots de substitution**.

Dans le texte qui suit, les mots surlignés font partie de la classe des pronoms.

Un matin, Ian a aperçu sur la plage une petite tortue à peine sortie de son œuf. Il sait que les tortues nouveau-nées doivent aller à la mer dès leur naissance. Mais celle-là n' en avait pas la force. Ian l' a recueillie. Il la nourrit et veille sur elle depuis plusieurs mois. Lorsqu' elle sera assez robuste, il la conduira à la mer pour qu' elle retrouve ses semblables.

Les Débrouillards, janvier 1999.

Dans ce texte, le pronom *il*, par exemple, remplace *Ian* et le pronom *elle* remplace *la tortue*.

CHAPITRE 10

1.2 Certains pronoms désignent les personnes qui communiquent.

Dans le texte qui suit, les mots surlignés sont des pronoms, mais ils ne remplacent pas un groupe du nom placé avant dans le texte. Ils désignent les personnes qui communiquent.

Paris, le 5 juin 2000

Bonjour Miguel,

J' arrive de Paris samedi après-midi par le vol DJ 40. J' espère que tu as envie de faire de la musique, mon vieux Miguel, car nous commençons l'enregistrement du disque lundi matin. J' ai hâte de travailler avec toi .

À bientôt,

Carlos

Monsieur Miguel Gonzalez
6666, rue Berri
Montréal (Québec) H2J 3Z8
CANADA

Dans ce texte, *J'* désigne *Carlos*, celui qui écrit la carte postale. Les pronoms *tu* et *toi* désignent *Miguel*, la personne à qui est adressée la carte. Le pronom *nous* désigne *Carlos* et *Miguel*, les deux personnes qui participent à la communication.

2 Le pronom est un donneur.

Le pronom donne son genre et son nombre ou sa personne et son nombre aux mots qui sont en relation avec lui. C'est pour cela qu'on dit qu'il est un **donneur (D)**.

Dans l'exemple suivant, le pronom donne son genre et son nombre à l'adjectif qui est en relation avec lui. L'adjectif est donc un receveur (**R**).

D Pron. (f. s.)

*Un jour, **elle** sera assez gran**de** pour aller à la mer.*

R Adj. (f. s.)

Dans cet autre exemple, le pronom donne sa personne et son nombre au verbe, car il est sujet de la phrase.

D Pron. (2e pers. s.)

***Tu** a**s** envie de faire de la musique.*

R V. (2e pers. s.)

3 Les pronoms personnels

3.1 L'emploi des pronoms personnels

Dans le texte qui suit, les **pronoms personnels** sont surlignés.

L'enfant a peur du noir. Il crie. Sa mère vient le rassurer.
Elle le prend dans ses bras, l' embrasse et lui parle doucement.
Il ne veut pas dormir dans le noir. Elle installe une petite veilleuse dans sa chambre. Après quelques minutes, l'enfant dort.

Pour bien comprendre ce texte, il faut comprendre le sens des pronoms. Par exemple, le pronom *Il* remplace *l'enfant* et le pronom *Elle* remplace *la mère*.

CHAPITRE 10

Certains pronoms personnels ne remplacent pas un groupe du nom placé avant dans le texte. Ils désignent les personnes qui communiquent, oralement ou par écrit.

Ma chère maman,

Avant de partir pour l'école, j' ai donné à manger à Minette.
Je t' aime beaucoup. Bonne journée.
Sylvain

Dans ce texte, les pronoms surlignés ne remplacent aucun groupe de mots du texte. Les pronoms personnels *j'* et *Je* désignent Sylvain qui écrit le message et *t'* désigne sa mère à qui le message est adressé.

3.2 Les formes des pronoms personnels

Les pronoms personnels sont les pronoms les plus courants. Ils ont plusieurs formes.

PRONOMS PERSONNELS

Personne	Fonction sujet	+ Fonction complément
	Pronoms de communication	
1re pers. s.	***je / j'*** ***Je*** *veux devenir guitariste.* ***J'****aime la clarinette.*	***me / m', moi*** *Juan* ***me*** *donne des cours.* *La musique espagnole* ***m'****attire.* *Carlos joue avec* ***moi****.*
2e pers. s.	***tu*** ***Tu*** *aimes jouer du piano.*	***te / t', toi*** *Ton professeur* ***te*** *trouve doué.* *Papa* ***t'****a transmis son talent.* *C'est à* ***toi*** *que le prix ira.*
1re pers. pl.	***nous*** ***Nous*** *faisons de la musique.*	***nous*** *La musique* ***nous*** *passionne.*
2e pers. pl.	***vous*** ***Vous*** *donnerez un bon concert.*	***vous*** *Les gens* ***vous*** *ont bien écoutés.*
	Pronoms substituts	
3e pers. s.	***il / elle*** *L'enfant a peur.* ***Il*** *crie.* *La mère arrive.* ***Elle*** *console son petit.*	***le / la / l', lui, en, y, se / s'*** *Lou prend son chat et* ***le*** *caresse. Le chat attrape sa manche et* ***la*** *mordille. Lou* ***lui*** *dit doucement : « Du lait, tu* ***en*** *veux ? Viens à la cuisine. » Le minet* ***y*** *court et* ***se*** *laisse servir. Ensuite, il* ***s'****endort dans le salon.*
3e pers. pl.	***ils / elles*** *Les arbres bougent au vent.* ***Ils*** *craquent.* *Les feuilles sont arrachées des branches.* ***Elles*** *tombent sur le sol.*	***les, leur, eux / elles, en, y, se / s'*** *Max aime les animaux. Il* ***les*** *respecte et* ***leur*** *fournit de bons soins. Il ferait tout pour* ***eux****. Les bêtes sont sa vie. Max croit que sans* ***elles*** *le monde serait bien triste. Il* ***en*** *parle avec passion et* ***y*** *pense tout le temps. Les animaux* ***se*** *sentent en sécurité avec Max.*

REM. Pour conjuguer le verbe, on se sert des pronoms personnels sujets : *je, tu, il / elle, nous, vous, ils / elles.*

+ 4 Les pronoms possessifs

4.1 L'emploi des pronoms possessifs

Observe le **pronom possessif** surligné dans l'illustration suivante.

Le pronom possessif *la mienne* désigne la marionnette de Nicolas.

4.2 Les formes des pronoms possessifs

PRONOMS POSSESSIFS

		Singulier		Pluriel	
		Masculin	**Féminin**	**Masculin**	**Féminin**
Relation à une seule personne	**1re pers.**	*le mien*	*la mienne*	*les miens*	*les miennes*
	2e pers.	*le tien*	*la tienne*	*les tiens*	*les tiennes*
	3e pers.	*le sien*	*la sienne*	*les siens*	*les siennes*
Relation à plusieurs personnes	**1re pers.**	*le nôtre*	*la nôtre*	*les nôtres*	
	2e pers.	*le vôtre*	*la vôtre*	*les vôtres*	
	3e pers.	*le leur*	*la leur*	*les leurs*	

REM. Les formes ⊘*mon mien*, ⊘*ton tien*, etc., sont incorrectes.

5 Les pronoms démonstratifs

5.1 L'emploi des pronoms démonstratifs

Observe les **pronoms démonstratifs** surlignés dans l'illustration suivante.

Dans le texte, le pronom démonstratif *celle-là* désigne la crème glacée que montre Anaïs et le pronom *celui* désigne le suçon qu'indique Kim.

Les pronoms démonstratifs peuvent aussi remplacer un mot ou un groupe de mots dans un texte.

Stéphane a une discussion animée avec Luc. Soudain ***celui-ci*** *se lève et quitte la pièce.*

Le pronom démonstratif *celui-ci* remplace le nom *Luc* ; c'est un pronom substitut.

5.2 Les formes des pronoms démonstratifs

PRONOMS DÉMONSTRATIFS

Singulier		Pluriel	
Masculin	**Féminin**	**Masculin**	**Féminin**
celui *celui-ci* *celui-là* *ce, ceci, cela, ça*	*celle* *celle-ci* *celle-là*	*ceux* *ceux-ci* *ceux-là*	*celles* *celles-ci* *celles-là*

6 Les pronoms relatifs

6.1 L'emploi des pronoms relatifs

Dans le texte qui suit, les **pronoms relatifs** sont surlignés.

J'ai vu ce film dont tu parles. L'acteur qui joue le héros est mauvais, mais les scènes où il s'entraîne m'ont bien amusé. Dans ce film, l'acteur que je préfère joue le second rôle.

Les pronoms relatifs sont employés dans des phrases subordonnées (consulte le chapitre 15, aux pages 177 à 179). Dans ce texte, le pronom relatif *qui*, par exemple, remplace *l'acteur* et le pronom relatif *dont* remplace *de ce film*.

6.2 Les formes des pronoms relatifs

PRONOMS RELATIFS

Formes invariables	Exemples
qui	*Le livre* ***qui*** *était sur la table a disparu.*
que	*Le livre* ***que*** *j'ai lu était formidable.*
dont	*Je connais le livre* ***dont*** *tu parles.* (On parle **de** quelque chose.)
où	*J'ai vu l'école* ***où*** *tu es allé.* *C'est l'heure* ***où*** *je me couche.*
quoi	*Je ne sais pas de* ***quoi*** *tu te plains.*

7 Les pronoms interrogatifs

7.1 L'emploi des pronoms interrogatifs

Dans le texte qui suit, les **pronoms interrogatifs** sont surlignés.

> *« À quoi j'ai rêvé ? » se demande Philippe en ouvrant les yeux. « Une drôle de personne me donnait quelque chose, une sorte de clé. Je devais ouvrir une porte, mais laquelle ? Il y en avait des dizaines dans cette vaste pièce. Que devais-je faire ? »*

Les pronoms interrogatifs servent à poser des questions. Dans le texte, le pronom interrogatif *laquelle* a le sens de la question : *quelle porte ouvrir ?*

7.2 Les formes des pronoms interrogatifs

PRONOMS INTERROGATIFS

Formes invariables	Exemples	Formes variables	Exemples
qui	***Qui** vient souper ?*	*quel* *quelle* *quels*	***Quel** est ton nom ?* ***Quelle** est ton adresse ?* ***Quels** sont tes acteurs préférés ?*
que	***Que** fais-tu ce soir ?*	*quelles*	***Quelles** sont les villes que tu as visitées ?*
		lequel *laquelle*	***Lequel** veux-tu ?* ***Laquelle** est ta chanson favorite ?*
quoi	*À **quoi** veux-tu jouer ?*	*lesquels* *lesquelles*	***Lesquels** ont gagné ?* ***Lesquelles** sont tes amies ?*

CHAPITRE 10

+ 8 Les pronoms numéraux

Dans le texte qui suit, les **pronoms numéraux** sont surlignés.

Connaissez-vous l'histoire des trois petits cochons ? Ils se sont chacun construit une maison, mais deux des trois ont été démolies par le loup. Seulement une a échappé au vilain loup.

Les pronoms numéraux indiquent un nombre. Il y a autant de pronoms numéraux que de nombres : *un*, *deux*, *trois*, *cent*, *mille*, etc.

+ 9 Les autres pronoms

Il existe d'autres pronoms que tu étudieras plus tard. En voici des exemples.

L'un aime la trompette, l'autre le saxo.
Toutes sont là, prêtes pour la fête.
Aucun n'a réussi, pourtant certains avaient beaucoup travaillé.
Quelques-uns étaient déçus.
Plusieurs ont aimé le film.
On dit beaucoup de choses fausses. (*On* = les gens en général.)
Personne n'est venu.
Je n'ai rien vu.

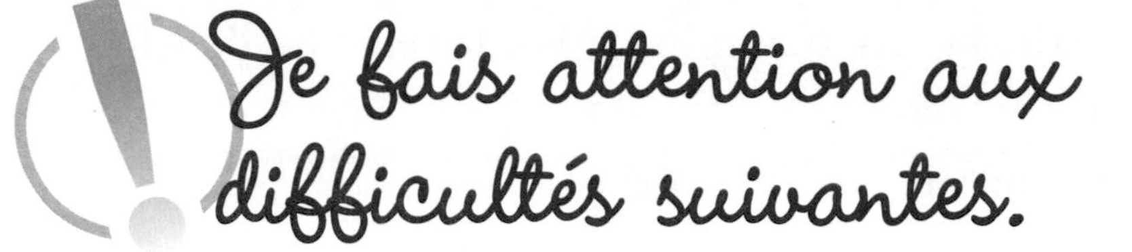

A. Le choix du pronom

Quand j'écris, je vérifie si le pronom a le genre, le nombre et la personne du nom qu'il remplace.

⊘ *L'équipe a bien joué, mais* ***ils*** *ont perdu.*

Le pronom *ils* (3e pers. pl.) ne convient pas ici, car il ne peut pas remplacer *l'équipe* (3e pers. s.). C'est le pronom *elle* (3e pers. s.) qui peut remplacer *l'équipe*. Je dois écrire :

L'équipe a bien joué, mais ***elle*** *a perdu.*

B. Le pronom *on* à la place de *nous* dans les textes familiers

Dans les textes familiers, on peut employer le pronom *on* à la place du pronom *nous*, mais alors, on ne doit pas employer les deux pronoms ensemble comme cela a été fait dans l'exemple qui suit.

Quand j'avais six ans, j'étais allée dans un chalet avec un ami. La première nuit, il y avait eu un gros orage, mais c'était très beau. ***On*** *est restés debout très longtemps. Le lendemain matin, le sol était tout mouillé. Le lac était très beau.* ***On*** *est allés dans le bois.* ***Nous*** *avons construit une cabane dans le bois.* ***Nous*** *avons apporté de la nourriture.* ***On*** *s'est bien amusés.*

Dans ce texte, l'auteure aurait dû employer seulement le pronom *on* ou seulement le pronom *nous*.

CHAPITRE 10

C. À l'écrit, j'évite d'employer les formes de l'oral familier.

Oral familier	Écrit
t'as raison	*tu as raison*
y pense	*il pense*
y a	*il y a*

Il faut également éviter les formes incorrectes suivantes.

Formes incorrectes	Formes correctes
⊘ *chus*	*je suis*
⊘ *m'as te dire*	*je vais te dire*
⊘ *a vient*	*elle vient*

D. L'orthographe du pronom *leur*

Je fais attention à l'orthographe du pronom personnel *leur*. Le pronom *leur* désigne toujours plusieurs personnes. C'est un pronom de la 3e personne du pluriel, mais il ne prend pas de *-s*.

J'ai rencontré <u>mes amis</u>. Je ***leur*** *ai proposé de venir chez moi.*

Le pronom *leur* est le pluriel du pronom *lui*.

J'ai rencontré <u>mon ami</u>. Je ***lui*** *ai proposé de venir chez moi.*

Pour savoir quand *leur* s'écrit *leurs*, consulte l'annexe 5 sur les homophones, à la page 225, et le chapitre 8, à la page 76.

Le verbe

CHAPITRE 11

Le texte suivant contient 19 verbes. Peux-tu les reconnaître ?

Hassan se rend au palais du sultan. Il voit les gardes devant la porte. Il s'approche de l'un d'eux et lui donne une claque sur la nuque. Celui-ci, déséquilibré, se retourne, regarde autour de lui : « Qui est là ? Qui ? Au secours ! Des génies attaquent ! »

Hassan comprend qu'il est vraiment invisible ! Il se précipite immédiatement à l'intérieur du palais. Son odorat lui permet de trouver les appartements des femmes tout de suite. Et, comme s'il connaissait les lieux depuis toujours, il trouve la chambre de sa bien-aimée.

La fille du sultan dort dans son lit. Il s'approche, la regarde, elle est encore plus belle que dans son souvenir.

Praline Gay Para, « Hassan et le derviche magicien », dans *Les plus beaux contes de conteurs.*

Le **verbe** est, avec le nom, un des mots les plus importants de la langue.

1 Comment reconnaître un verbe ?

1.1 Le verbe est le seul mot qui se conjugue.

Le verbe se conjugue, c'est-à-dire que sa forme change :

1. selon la personne du sujet :
   - 1re personne : *je chant**e*** ;
   - 2e personne : *tu chant**es*** ;
   - 3e personne : *Luce chant**e**, elle chant**e*** ;
2. selon le nombre du sujet :
   - singulier : *l'enfant chant**e**, il chant**e*** ;
   - pluriel : *les enfants chant**ent**, ils chant**ent***.
3. selon le temps : *je chant**e**, je chant**ais**, je chante**rai***.

1.2 Le verbe est le seul mot qui peut être employé avec les mots de négation *ne … pas*.

Les mots de négation *ne … pas* s'emploient seulement avec le verbe.

*Elle **ne** fête **pas** son anniversaire.* (Le mot *fête* est le verbe *fêter* au présent.)

***Ne pas** courir.* (Le mot *courir* est le verbe *courir* à l'infinitif.)

On ne peut pas employer *ne … pas* avec un mot d'une autre classe, par exemple avec un nom.

Ma fête est le 30 mai.

⊘ *Ma **ne** fête **pas** est le 30 mai.*

CHAPITRE 11

1.3 Le verbe est placé généralement après le sujet.

Le verbe suit généralement le groupe du nom ou le pronom qui a la fonction de sujet de la phrase.

Groupe du nom — Verbe

Hassan ***va** au palais du roi* .

Pron. — Verbe

Il ***voit** les gardes devant la porte* .

Sujet

Prédicat

1.4 Le verbe est un receveur.

Le verbe reçoit la personne et le nombre du pronom sujet ou du nom qui est le noyau du groupe du nom sujet. C'est pour cela qu'on dit qu'il est un **receveur** (**R**).

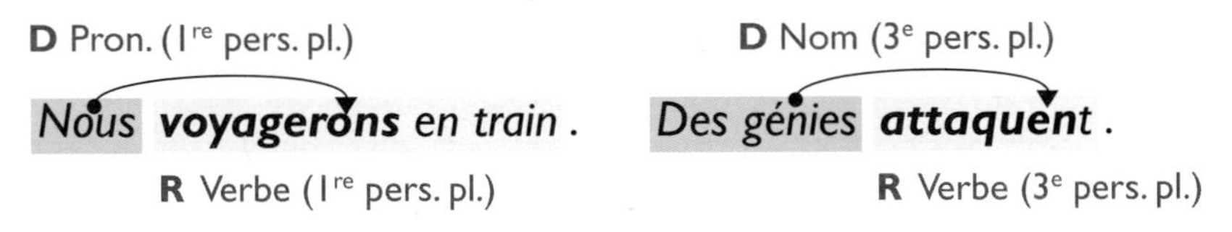

1.5 Le verbe a différents sens.

Le verbe peut exprimer :

- une action concrète : *Hassan* ***court*** *au palais.*
- une activité de la pensée : *Hassan* ***comprend*** *ses pouvoirs magiques.*
- une émotion, un sentiment : *Hassan* ***aime*** *la fille du sultan.*
- un fait : *Son odorat lui* ***permet*** *de trouver la chambre des femmes.*
- l'attribution d'une qualité à ce que désigne le sujet de la phrase : *Hassan* ***est*** *invisible.*

De plus, parce que le verbe se conjugue à différents **temps**, il peut situer un évènement à différents moments :

- dans le présent : *je* ***chante*** ;

- dans le passé : *j'**ai chanté***, *je **chantais***, *je **chantai***;
- dans l'avenir : *je **chanterai***.

2 L'accord du verbe

2.1 La règle générale d'accord du verbe

Pron. (2ᵉ pers. pl.)

*Vous **raffolerez** de ce plat* .

Verbe (2ᵉ pers. pl.)

Nom (3ᵉ pers. s.)

*Une famille de cinq personnes **habite** ce logement* .

Verbe (3ᵉ pers. s.)

RÈGLE

Le verbe reçoit la personne et le nombre du pronom sujet ou du nom qui est le noyau du groupe du nom sujet.

Pour savoir comment reconnaître le sujet de la phrase et accorder le verbe, lis la partie « J'utilise mes connaissances », aux pages 119 à 122.

2.2 Les principaux cas particuliers d'accord du verbe

A. L'accord du verbe avec plusieurs groupes du nom

Nom (3ᵉ pers. s.) Nom (3ᵉ pers. s.)

Marc-Olivier et *Benoît **voudraient** un ordinateur* .

Verbe (3ᵉ pers. pl.)

Dans cet exemple, les deux groupes du nom *Marc-Olivier* et *Benoît* ont la fonction de sujet et ils peuvent être remplacés tous les deux par le pronom sujet pluriel *Ils*. Le verbe se met donc à la 3e personne du pluriel.

Marc-Olivier et **Benoît** *voudraient un ordinateur* .

Substitution **Ils** *voudraient un ordinateur* .

CHAPITRE 11

RÈGLE

Lorsque le sujet est formé de plusieurs groupes du nom qui peuvent être remplacés par le pronom pluriel *ils* ou *elles*, le verbe se met à la 3e personne du pluriel.

+ B. L'accord du verbe avec le pronom *qui*

Pour faire l'accord du verbe avec le pronom relatif *qui* dans une subordonnée relative, il faut trouver ce que le pronom reprend.

Pron. (3e pers. pl.)

Hassan passe devant les gardes du sultan qui ne le ***voient*** *pas.*

Verbe (3e pers. pl.)

Dans cet exemple, le pronom *qui* reprend le groupe du nom *les gardes du sultan*. Le verbe se met à la 3e personne du pluriel, car il reçoit la personne et le nombre du nom *gardes* (3e pers. pl.). Le nom *gardes* est le noyau du groupe du nom que reprend le pronom sujet *qui*.

RÈGLE

Lorsque le sujet est le pronom *qui*, le verbe reçoit la personne et le nombre du nom qui est le noyau du groupe du nom que le pronom reprend.

C. L'accord du verbe avec les pronoms *aucun/aucune*, *chacun/chacune*, *personne* et *rien*

Pron. (3e pers. s.)

Chacun ***a*** *ses secrets* .

Verbe (3e pers. s.)

Pron. (3e pers. s.)

Rien *ne* ***bougeait*** .

Verbe (3e pers. s.)

Pron. (3e pers. s.)

Personne *ne* ***peut*** *entrer au palais* .

Verbe (3e pers. s.)

Pron. (3e pers. s.)

Aucun des gardes *n'****a vu*** *Hassan* .

Verbe (3e pers. s.)

Lorsque le sujet est le pronom *aucun/aucune*, *chacun/chacune*, *rien* et *personne*, le verbe se met à la 3e personne du singulier.

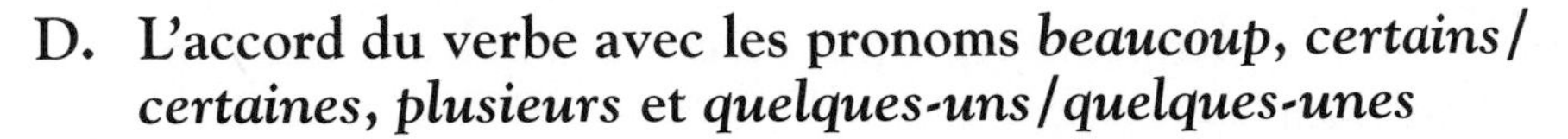

D. L'accord du verbe avec les pronoms *beaucoup, certains/certaines, plusieurs* et *quelques-uns/quelques-unes*

Pron. (3e pers. pl.)

Certains ***vivent*** *en banlieue* .

Verbe (3e pers. pl.)

Pron. (3e pers. pl.)

Plusieurs ***vivent*** *en banlieue* .

Verbe (3e pers. pl.)

Pron. (3e pers. pl.)

Beaucoup ***viendront*** *au spectacle* .

Verbe (3e pers. pl.)

Pron. (3e pers. pl.)

Quelques-uns ***viendront*** *au spectacle* .

Verbe (3e pers. pl.)

RÈGLE

Lorsque le sujet est le pronom *beaucoup*, *certains/certaines*, *plusieurs* ou *quelques-uns/quelques-unes*, le verbe se met à la 3e personne du pluriel.

E. L'accord du verbe avec le groupe du nom *tout le monde*

Nom (3e pers. s.)

Tout le monde ***applaudissait*** .

Verbe (3e pers. s.)

RÈGLE

Lorsque le sujet est *tout le monde*, le verbe se met à la 3e personne du singulier.

attention!

On ne doit pas dire : ⦸ *Le monde sont fous*, mais *Le monde est fou* ou *Les gens sont fous*.

2.3 L'accord du participe passé d'un verbe à un temps composé

Lorsque le verbe est à un temps composé, comme au passé composé, il est formé de deux mots : un auxiliaire et le participe passé du verbe, comme le montre le tableau qui suit.

VERBES À UN TEMPS COMPOSÉ

chanter			***sortir***		
Pronom	**Auxiliaire** ***avoir***	**Participe passé**	**Pronom**	**Auxiliaire** ***être***	**Participe passé**
j'	*ai*	*chanté*	*je*	*suis*	*sorti / sortie*
tu	*as*	*chanté*	*tu*	*es*	*sorti / sortie*
il / elle	*a*	*chanté*	*il / elle*	*est*	*sorti / sortie*
nous	*avons*	*chanté*	*nous*	*sommes*	*sortis / sorties*
vous	*avez*	*chanté*	*vous*	*êtes*	*sortis / sorties*
ils / elles	*ont*	*chanté*	*ils / elles*	*sont*	*sortis / sorties*

Un verbe conjugué à un temps composé obéit à deux sortes d'accord :

1. l'accord de l'auxiliaire, qui suit la règle générale de l'accord du verbe ;
2. l'accord du participe passé, qui suit des règles différentes selon l'auxiliaire employé (*être* ou *avoir*).

A. L'accord du participe passé employé avec l'auxiliaire *être*

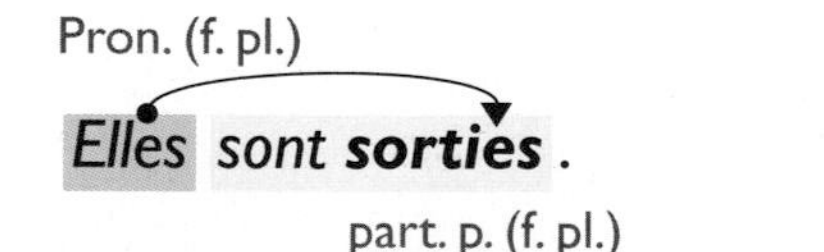

Nom (m. pl.)

Mes amis étaient ***venus*** .

part. p. (m. pl.)

RÈGLE

Le participe passé d'un verbe conjugué avec l'auxiliaire *être* reçoit le genre et le nombre du pronom sujet ou du nom qui est le noyau du groupe du nom sujet.

CHAPITRE 11

B. Le participe passé employé avec l'auxiliaire *avoir*

L'accord du participe passé employé avec l'auxiliaire *avoir* dépend de la présence ou non d'un complément direct du verbe et de sa place dans la phrase.

1. Il n'y a pas de complément direct.

   Elle a ***dormi*** .

   Dans cette phrase, le participe passé *dormi* ne s'accorde pas, car le verbe *a dormi* n'a pas de complément direct. Il reste au masculin singulier.

2. Le complément direct du verbe est après le verbe.

   Hassan a déjoué les gardes du palais .

   Dans cette phrase, le participe passé *déjoué* ne s'accorde pas, car le complément direct du verbe, *les gardes du palais*, est placé après le verbe.

RÈGLE

Le participe passé d'un verbe conjugué avec l'auxiliaire *avoir* ne s'accorde pas s'il n'a pas de complément direct ou si le complément direct est placé après le verbe.

3. Le complément direct du verbe est avant le verbe.

   Pron. (m. pl.)

   Les gardes du palais, Hassan les a ***déjoués****.*

   part. p. (m. pl.)

Dans cette phrase, le participe passé *déjoués* s'accorde avec le pronom personnel *les*, parce que ce pronom est le complément direct du verbe *a déjoués* et qu'il est placé avant le verbe. Ce participe passé est masculin pluriel parce que le pronom *les* reprend le groupe du nom *les gardes du palais* dont le noyau, le nom *gardes*, est masculin pluriel.

CHAPITRE 11

Pron. (m. pl.)

*Les gardes du palais que Hassan a **déjoués** sont furieux.*

part. p. (m. pl.)

Dans cette phrase, le participe passé *déjoués* s'accorde avec le pronom relatif *que*, parce que ce pronom est le complément direct du verbe *a déjoués* et qu'il est placé avant le verbe. Ce participe passé est masculin pluriel parce que le pronom *que* reprend le groupe du nom *les gardes du palais* dont le noyau, le nom *gardes*, est masculin pluriel.

RÈGLE

Le participe passé d'un verbe conjugué avec l'auxiliaire *avoir* s'accorde quand le complément direct est un des pronoms suivants : *le/la/l'/les* ou *que*, car ces pronoms sont toujours placés avant le verbe. Dans ce cas, le participe passé reçoit le genre et le nombre du nom qui est le noyau du groupe du nom que le pronom reprend.

REM. Comme le complément direct d'un verbe est généralement placé après le verbe, le participe passé employé avec l'auxiliaire *avoir* s'accorde rarement.

3 Le groupe du verbe

Dans une phrase, il y a un groupe du verbe chaque fois qu'il y a un verbe conjugué. Le verbe est le **noyau** du groupe du verbe. Si on efface le verbe, il n'y a plus de groupe du verbe ni de phrase.

Hassan ***regarde la fille du sultan .***

Effacement ⊘ *Hassan* ***la fille du sultan.***

Le groupe du verbe est un constituant obligatoire de la phrase qui joue le rôle de prédicat de la phrase.

3.1 Les constructions du groupe du verbe

Le groupe du verbe peut prendre des formes très variées. Voici les plus courantes.

CHAPITRE 11

LES PRINCIPALES CONSTRUCTIONS DU GROUPE DU VERBE

A. Un verbe seul :

Verbe
Des génies ***attaquent****.*

Verbe
Les gardes ***crient****.*

B. Un verbe suivi d'un ou de plusieurs compléments :

- un complément direct :

Verbe + compl. direct
Hassan ***connaît*** *le palais du sultan.*

Verbe + compl. direct
Il ***déjoue*** *les gardes.*

Verbe + compl. direct
Il ***trouve*** *les appartements des femmes.*

REM. Le complément direct est généralement un groupe du nom placé après le verbe.

- un complément indirect :

Verbe + compl. indirect
Le jeune homme ***rêve*** *à sa bien-aimée.*

Verbe + compl. indirect
Il ***entre*** *dans sa chambre.*

REM. Le complément indirect est généralement un groupe du nom précédé d'une préposition comme *à*, *de*, etc., et placé après le verbe.

- un complément direct et un complément indirect :

Verbe + compl. direct + compl. indirect
Hassan ***donne*** *une claque à un garde.*

Verbe + compl. direct + compl. indirect
Un magicien ***a transformé*** *le garçon en homme invisible.*

(*suite*)

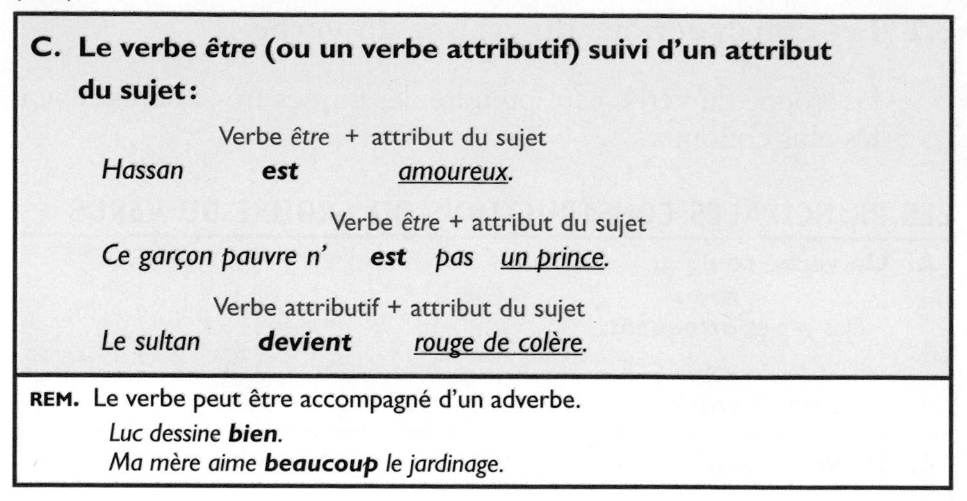

C. Le verbe être (ou un verbe attributif) suivi d'un attribut du sujet :

Verbe *être* + attribut du sujet
Hassan **est** *amoureux.*

Verbe *être* + attribut du sujet
Ce garçon pauvre n' **est** *pas un prince.*

Verbe attributif + attribut du sujet
Le sultan **devient** *rouge de colère.*

REM. Le verbe peut être accompagné d'un adverbe.
Luc dessine ***bien****.*
Ma mère aime ***beaucoup*** *le jardinage.*

+ 3.2 La fonction de complément du verbe

- En général, un **complément du verbe** se trouve après le verbe et ne peut pas se déplacer.

Je ***fais*** *mon lit.*
Déplacement ⊘ *Mon lit je* ***fais****.*

Elle ***écrit*** *à son correspondant.*
Déplacement ⊘ *À son correspondant elle* ***écrit****.*

- En général, un complément de verbe peut être remplacé par un pronom personnel.

  Si c'est un **complément direct**, le pronom est généralement *le/la/l'/les*, *ça* ou *en*.

Je ***vois*** *le garde.*
Substitution *Je le* ***vois****.*

Hassan ***regarde*** *sa bien-aimée.*
Substitution *Hassan la* ***regarde****.*

Les touristes ***admirent*** *les palais.*
Substitution *Les touristes les* ***admirent****.*

Elle **aime** la musique.
Substitution Elle **aime** ça.

Nous **respirons** des parfums.
Substitution Nous en **respirons**.

Si c'est un **complément indirect**, le pronom est généralement *lui/leur*, *en* ou *y*.

*Il **écrit** à son ami.*
Substitution *Il lui **écrit**.*

*Elle **ressemble** à ses parents.*
Substitution *Elle leur **ressemble**.*

*Nous **parlons** de notre projet.*
Substitution *Nous en **parlons**.*

*Hassan **entre** dans le palais.*
Substitution *Hassan y **entre**.*

3.3 La fonction d'attribut du sujet

- Quand le verbe conjugué est le verbe *être* ou un verbe qui peut être remplacé par *être*, ce qui suit le verbe n'est pas un complément du verbe, mais un **attribut du sujet**.

Un attribut du sujet est souvent un adjectif ou un groupe du nom.

*Cette histoire est **intéressante**.*
*L'ami d'Hassan était **un magicien**.*

L'attribut du sujet ne peut généralement pas être effacé. Si on l'efface, le groupe du verbe et la phrase deviennent incorrects.

*Cette histoire **est intéressante**.*
Effacement ⊘ *Cette histoire **est** .*

- Les verbes qui peuvent être remplacés par *être* et qui se construisent avec un attribut du sujet comme *paraître*, *sembler*, *devenir*, *demeurer*, *rester*, *avoir l'air*, *passer pour*, etc., sont appelés des **verbes attributifs**.

Le sultan ***devient*** *rouge de colère.*
Substitution *Le sultan* ***est*** *rouge de colère.*

Hassan ***passe pour*** *astucieux.*
Substitution *Hassan* ***est*** *astucieux.*

Je fais attention aux difficultés suivantes.

A. Reconnaître un verbe est parfois difficile.

1. Un mot qui indique une action concrète n'est pas toujours un verbe.

Il y a beaucoup de noms qui expriment une action concrète : *la course, une descente, une explosion,* etc. Mais contrairement aux verbes, ils ne peuvent pas s'employer avec *ne* … *pas* et ne se conjuguent pas.

2. Le verbe n'indique pas seulement une action concrète.

Bien des verbes expriment autre chose qu'une action concrète. Ils indiquent plutôt :

- une activité de la pensée : *Jeanne* ***rêve*** *à son prochain voyage.*
- une émotion, une sensation : *Cette malade* ***souffre*** *beaucoup.*

- un sentiment : *Je* ***déteste*** *les hypocrites.*
- un fait : *Le beau temps* ***continue****.*

3. Un mot qui exprime le temps n'est pas toujours un verbe.

Certains noms expriment le temps : *une année, le matin, le début,* etc. Certains adverbes aussi : *aussitôt, hier, ensuite,* etc. Mais contrairement aux verbes, les noms et les adverbes ne peuvent pas s'employer avec *ne … pas* et ne se conjuguent pas.

4. Le verbe n'est pas toujours placé après le sujet.

- Dans une phrase interrogative, le verbe peut être placé avant le sujet.

  Où vas- tu ?

- Dans une phrase qui précise qui parle, le verbe de parole est placé avant le sujet.

  « Des génies attaquent ! » s'écrient les gardes .

- Dans une phrase impérative, le verbe est souvent au début de la phrase, car il n'y a pas de sujet.

  Réfléchissez bien .

Sujet

Prédicat

CHAPITRE 11

B. Le verbe est parfois séparé du sujet par un « écran ».

Le verbe n'est pas toujours placé juste après le sujet. En effet, un mot ou un groupe de mots peut séparer le verbe du sujet. On parle alors d'**écran**. Tu dois faire attention aux écrans pour éviter les erreurs d'accord du verbe.

1. L'écran peut être un pronom complément placé devant le verbe.

Pron. (1re pers. s.)

Je ***vous*** *téléphonerai* .

Verbe (1re pers. s.)

Le verbe s'accorde avec le pronom sujet *je* et non avec le pronom complément *vous*.

Pron. (3e pers. pl.)

Elles ***nous*** *rejoindront* .

Verbe (3e pers. pl.)

Le verbe s'accorde avec le pronom sujet *Elles* et non avec le pronom complément *nous*.

Nom (3e pers. s.)

Le chien ***les*** *guide* .

Verbe (3e pers. s.)

Le verbe s'accorde avec le nom singulier *chien* et non avec le pronom complément *les*.

2. L'écran peut être un groupe du nom commençant par la préposition *de*.

Nom (3e pers. pl.)

*Les aventures **de Tintin** amusent tout le monde .*

Verbe (3e pers. pl.)

Le verbe s'accorde avec le nom pluriel *aventures* et non avec le nom *Tintin*. Le groupe *de Tintin* n'est pas le sujet, mais un complément du nom *aventures*.

Ce complément du nom peut être effacé.

*Les aventures **de Tintin** amusent tout le monde .*

Effacement *Les aventures amusent tout le monde .*

C. Il ne faut pas confondre l'infinitif en *-er* et le participe passé en *-é*.

L'infinitif en *-er* comme dans *aimer* et le participe passé en *-é* comme dans *j'ai aimé* peuvent être confondus parce qu'ils font entendre tous les deux le son [e] à la fin du mot.

- Comment orthographier le mot en [e] dans la phrase qui suit ?

  *Elle part tôt pour **arriver** / **arrivé** à l'heure.*

  1° J'observe d'abord que le mot qui fait problème suit la préposition *pour*, ce qui est un bon indice d'un verbe à l'infinitif.

CHAPITRE 11

2° Je vérifie s'il s'agit d'un verbe à l'infinitif en le remplaçant par un autre verbe à l'infinitif comme *finir*.

*Elle part tôt pour **arriver** à l'heure.*
Substitution *Elle part tôt pour **finir** à l'heure.*

La substitution est possible. C'est donc un infinitif. Je dois écrire : *Elle part tôt pour arriv**er** à l'heure.*

- Comment orthographier le mot en [e] dans la phrase qui suit ?

*Elle n'a pas **téléphoner** / **téléphoné**.*

1° J'observe que le mot qui fait problème vient après *a* (3e pers. s. du verbe *avoir* au présent) ; ceci est un bon indice d'un temps composé formé de l'auxiliaire *avoir* et d'un participe passé.

2° Je vérifie s'il s'agit d'un participe passé en remplaçant le mot en question par un verbe à l'infinitif comme *finir*.

⃠*Elle n'a pas **téléphoner**.*
Substitution ✗ ⃠*Elle n'a pas **finir**.*

La substitution est impossible. Ce n'est donc pas un infinitif, mais bien un participe passé. Comme ce participe passé est employé avec l'auxiliaire *avoir* et qu'il n'est pas précédé d'un pronom complément direct, il ne s'accorde pas. Je dois écrire : *Elle n'a pas téléphon**é**.*

D. Il ne faut pas confondre le participe présent en *-ant* et l'adverbe en *-ment*.

CHAPITRE 11

La finale d'un participe présent comme *aimant* ne doit pas être confondue avec la finale d'un adverbe de manière en *-ment*, même si on entend dans les deux cas le son [ɑ̃].

Voici une façon de les distinguer.

1° Je repère dans la phrase les mots qui se terminent par le son [ɑ̃].

2° Si je peux les employer avec *ne ... pas* et les conjuguer dans ma tête avec différents pronoms de conjugaison, il s'agit de verbes au participe présent qui se terminent par *-ant*.

Dans l'exemple qui suit, deux mots se terminent par le son [ɑ̃]: *rapidement* et *gesticulant*.

Aziz parle rapidement en gesticulant.

Le mot *rapidement* n'est pas un verbe, car il ne peut pas être employé avec *ne ... pas* dans la phrase.

Aziz parle rapidement en gesticulant.

Ajout ⊘ *Aziz parle **ne** rapidement **pas** en gesticulant.*

C'est un adverbe en *-ment* qui indique comment Aziz parle.

Le mot *gesticulant* est précédé de la préposition *en*; ceci est un bon indice d'un verbe au participe présent.

De plus, il peut être employé avec *ne ... pas*.

Ajout *Aziz parle rapidement en **ne** gesticulant **pas**.*

Je peux aussi le conjuguer dans ma tête: *je gesticule, tu gesticules, il gesticule, nous gesticulons*, etc. C'est donc un verbe au participe présent qui se termine par *-ant*.

CHAPITRE 11

J'utilise mes connaissances pour reconnaître les verbes conjugués.

Pour identifier les verbes conjugués, je procède ainsi.

1° Je cherche tous les mots que je crois être des verbes et que je peux employer avec *ne ... pas*.

2° Je vérifie ensuite si chacun de ces mots est un verbe en le faisant varier selon le temps. Si la fin du mot change, c'est bien un verbe conjugué.

Prenons la phrase :

À la fin de la course, la nageuse manquait de souffle.

- Je trouve le mot *course* qui exprime une action. Je ne peux pas l'employer avec *ne... pas*. Ce n'est pas un verbe, c'est un nom.

À la fin de la course, la nageuse manquait de souffle.

Ajout ⃠ *À la fin de la **ne** course **pas**, la nageuse manquait de souffle.*

- Je trouve le mot *souffle*. Ce pourrait être le verbe *souffler*. Dans cette phrase, je ne peux pas l'employer avec *ne ... pas*. Ce n'est pas un verbe, c'est un nom.

La nageuse manquait de souffle.

Ajout ⃠ *La nageuse manquait de **ne** souffle **pas**.*

- Je trouve le mot *manquait*. Il peut être employé avec *ne ... pas*.

La nageuse manquait de souffle.

Ajout *La nageuse **ne** manquait **pas** de souffle.*

Je peux le faire varier selon le temps. Sa terminaison change. C'est un verbe.

*À la fin de la course, la nageuse manqu**ait** de souffle.*

Substitution *À la fin de la course, la nageuse manque**ra** de souffle.*

Manquait est bien un verbe conjugué qu'il faut accorder avec son sujet.

CHAPITRE 11

J'utilise mes connaissances pour repérer le sujet qui commande l'accord du verbe.

Pour accorder le verbe, il faut repérer le donneur sujet, car c'est lui qui donne sa personne et son nombre au verbe.

Pour repérer le donneur sujet, je procède ainsi.

1° Je cherche les phrases qui contiennent le pronom *je, tu, il / ils* ou *on*.

Ces pronoms sont toujours sujets de la phrase.

***Il** allait se coucher quand **on** le lui demandait.*

Les pronoms *Il* et *on* donnent leur personne (3e pers.) et leur nombre (s.) au verbe avec lequel ils sont en relation.

2° Je cherche les phrases qui contiennent le pronom *cela / ça, elle / elles, nous* ou *vous*.

Ces pronoms peuvent être sujets, mais ils peuvent aussi être compléments.

Pour savoir si ces pronoms sont sujets, j'essaie de les encadrer par *c'est ... qui*. Si c'est possible, alors ils sont sujets.

- Dans l'exemple qui suit, le pronom *Ça* est-il sujet ?

Ça m'est égal.

Encadrement *C'est ça qui m'est égal.*

L'encadrement est possible. *Ça* est donc sujet.

- Dans l'exemple qui suit, le pronom *elle* est-il sujet ?

Sans elle, je ne peux rien.

Encadrement ⊘ *Sans c'est elle, qui je ne peux rien.*

L'encadrement est impossible. *Elle* n'est pas sujet ; c'est *je* qui est sujet.

- Dans l'exemple qui suit, le pronom *nous* est-il sujet ?

Nous aimons ce jeune rêveur.

Encadrement *C'est nous qui aimons ce jeune rêveur.*

L'encadrement est possible. *Nous* est sujet.

- Dans l'exemple qui suit, le pronom *vous* est-il sujet ?

Vous le connaissez depuis longtemps.

Encadrement *C'est vous qui le connaissez depuis longtemps.*

L'encadrement est possible. *Vous* est sujet.

Dans les phrases qui n'ont aucun de ces pronoms sujets, le sujet peut être un autre pronom comme *aucun*, *plusieurs*, *personne*, etc.; j'applique alors les règles présentées aux pages 104 et 105 de ce chapitre. Mais, le plus souvent, le sujet est un groupe du nom.

3° Je cherche les groupes du nom placés devant un verbe. Pour savoir si ces groupes du nom sont sujets, j'essaie de les remplacer par les pronoms *il / ils / elle / elles*.

CHAPITRE 11

Des oiseaux de proie *volaient dans le ciel.*

Substitution ***Ils*** *volaient dans le ciel.*

Le pronom *Ils* remplace le groupe du nom *Des oiseaux de proie*. C'est donc ce groupe du nom qui est le sujet de la phrase.

Il en va de même dans l'exemple qui suit. Le pronom *Elle* remplace le groupe du nom *Élise*. C'est donc le nom propre *Élise* qui est le sujet.

Élise *veut un morceau de gâteau.*

Substitution ***Elle*** *veut un morceau de gâteau.*

4° Si le groupe du nom sujet est long, je dois trouver son noyau, car c'est ce noyau qui donne sa personne et son nombre au verbe. Pour trouver le noyau, j'efface tout ce que je peux effacer dans le groupe du nom sans rendre la phrase incorrecte. Ce qui reste est le déterminant et le nom qui est le noyau du groupe.

Les élèves de Lucia *regardent un film.*

Effacement ***Les élèves*** *regardent un film.*

C'est le nom *élèves* qui donne sa personne et son nombre au verbe *regardent*.

Je peux le vérifier en encadrant ce qui reste après l'effacement par *c'est ... qui*.

Les élèves *regardent un film.*

Encadrement *C'est* ***les élèves*** *qui regardent un film.*

CHAPITRE 11

J'utilise mes connaissances pour réviser l'accord du verbe.

Pour réviser l'accord des verbes dans un texte, je procède ainsi.

1° Je trouve chaque verbe conjugué et j'écris V. au-dessous.

Pour trouver les verbes conjugués, consulte la procédure des pages 118 et 119.

2° Je trouve les noms ou les pronoms donneurs sujets et j'écris Nom ou Pron. au-dessus ainsi que le genre, le nombre et la personne de chacun.

Pour trouver les noms et les pronoms donneurs sujets, consulte la procédure des pages 119 à 121.

3° Je fais une flèche qui part des donneurs sujets vers les verbes qui sont receveurs.

4° Je vérifie si la terminaison du verbe a la personne et le nombre du donneur sujet et, dans le cas du participe employé avec l'auxiliaire *être*, s'il a aussi le même genre que le donneur sujet.

Voici un exemple de texte révisé.

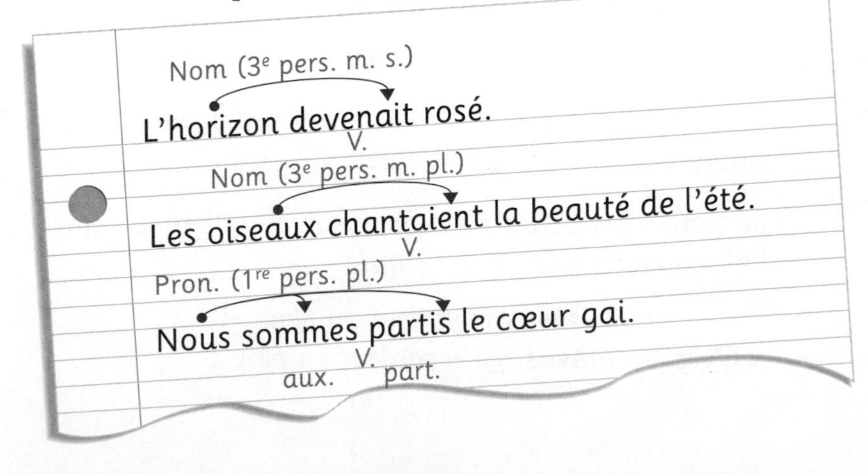

La conjugaison du verbe

CHAPITRE 12

1 Qu'est-ce que conjuguer un verbe?

Conjuguer un verbe, c'est nommer les différentes formes qu'il peut prendre.

2 Les deux parties d'un verbe

Le verbe comprend deux parties:

- la partie qui est au début du verbe s'appelle le **radical**;
- la partie qui est à la fin s'appelle la **terminaison**.

	Radical		Terminaison
nous	*aim*	+	*ons*

A. Le radical

Le radical exprime le sens du verbe. En général, le radical reste le même dans toute la conjugaison. C'est le cas de la plupart des verbes qui se terminent par *-er*. Par exemple, le radical du verbe *aimer* est toujours *aim-*: *j'**aim**e, nous **aim**ons, tu **aim**ais, **aim**ant*, etc.

Certains verbes ont plusieurs radicaux. Par exemple, le verbe *servir* en a trois: *ser-* dans *je **ser**s*, *serv-* dans *nous **serv**ons* et *servi-* dans *je **servi**rai*.

B. La terminaison

La terminaison apparaît à la fin du verbe. Elle indique le temps, la personne et le nombre. Elle change au cours de la conjugaison: *j'aim**e**, nous aim**ons**, tu aim**ais**, aim**ant***, etc.

3 Les deux types de conjugaison

On distingue deux types de **conjugaison** d'après le radical et les terminaisons des verbes.

A. La première conjugaison comprend les verbes en *-er*.

Les verbes de la première conjugaison sont les plus nombreux. Ils se terminent à l'infinitif par *-er* comme *aim**er**, chant**er**, pass**er**, siffl**er***. La 1re conjugaison est régulière, c'est-à-dire que les verbes qui en font partie se conjuguent de la même façon. Le verbe qui leur sert de modèle est ***aimer***.

CHAPITRE 12

Les verbes de la 1re conjugaison ont les cinq caractéristiques suivantes.

1. Leur radical ne change presque jamais.
2. Au présent, ils se terminent par :
   - *-e* avec *je* : ***j'aime*** ;
   - *-es* avec *tu* : ***tu aimes*** ;
   - *-e* avec *il / elle* : ***elle aime***.
3. Au passé simple, ils se terminent par :
   - *-a* avec *il / elle* : ***il aima*** ;
   - *-èrent* avec *ils / elles* : ***elles aimèrent***.
4. Au futur simple et au conditionnel présent, leur terminaison est toujours précédée d'un *e* : ***j'aimerai, j'aimerais***.
5. Au participe passé, ils se terminent par *-é* : ***aimé***.

REM. 1. Le verbe *aller* ne fait pas partie de la 1re conjugaison même s'il se termine par *-er*.

2. Il y a de petites modifications du radical pour les verbes en :

*-cer (commen**cer**)*,
*-eler (ap**peler** et **geler**)*,
*-eter (ach**eter** et **jeter**)*,
*-ger (man**ger**)*,
*-e + consonne + -er (**lever**)*,
*-é + consonne + -er (es**pérer**)*,
*-yer (emplo**yer**, envo**yer** et pa**yer**)*.

Consulte les tableaux de conjugaison de l'annexe 7.

B. La deuxième conjugaison comprend tous les autres verbes.

La deuxième conjugaison réunit les verbes qui se terminent à l'infinitif par :

- *-ir* : ***courir, finir*** ;
- *-oir* : ***devoir, pouvoir*** ;
- *-re* : ***écrire, prendre, teindre***.

Les verbes de la 2ᵉ conjugaison ont les quatre caractéristiques suivantes.

1. Leur radical change et peut présenter plusieurs formes.

savoir { *sai-* : *il* ***sai****t* ; *sav-* : *elle* ***sav****ait* ; *sau-* : *il* ***sau****ra* ; *sach-* : ***sach****ant* ; *s-* : ***s****u* }

dormir { *dor-* : *elle* ***dor****t* ; *dorm-* : *nous* ***dorm****ons* ; *dormi-* : *il* ***dormi****ra* }

2. Au présent, ils se terminent (sauf quelques exceptions) par :
   - -*s* avec *je* : *je sai****s*** ;
   - -*s* avec *tu* : *tu sai****s*** ;
   - -*t* avec *il/elle* : *elle sai****t***.
3. Leur passé simple est le plus souvent en -*i*- ou en -*u*- : *elle fin****i****t, ils fin****i****rent ; il s****u****t, elles s****u****rent.*
4. Au participe passé, ils se terminent le plus souvent par -*i* ou -*u* : *fin****i*** *; s****u***.

REM. Les verbes en *-ir* qui font *-issons* à la 1ʳᵉ personne du pluriel du présent (*nous finissons*) sont réguliers et se conjuguent tous comme *finir*, leur verbe modèle.

Tous les autres verbes en *-ir*, *-oir* et *-re* de la 2ᵉ conjugaison sont **irréguliers**. Ceux-là, tu dois les apprendre un par un.

4 Les temps simples et les temps composés

A. Les temps simples

Un verbe à un **temps simple** est formé d'un seul mot. Les principaux temps simples sont les suivants :

- Présent : *je* ***sors***
- Imparfait : *je* ***sortais***
- Futur simple : *je* ***sortirai***
- Conditionnel présent : *je* ***sortirais***

Ces quatre temps sont regroupés dans le mode **indicatif**. On parle du présent de l'indicatif, de l'imparfait de l'indicatif, du futur simple de l'indicatif et du conditionnel présent de l'indicatif.

B. Les temps composés

Un verbe à un **temps composé** est formé de deux mots :

- l'**auxiliaire** *avoir* ou *être*, conjugué ;
- un **participe passé**.

Les verbes *avoir* et *être* sont appelés des auxiliaires lorsqu'ils servent à conjuguer un autre verbe à un temps composé.

Voici les principaux temps composés de l'indicatif avec leur temps simple correspondant et la façon dont ils sont formés.

LES PRINCIPAUX TEMPS COMPOSÉS

Temps simples	Temps composés	Règle de formation des temps composés
Présent *je chante* *je tombe*	**Passé composé** *j' ai chanté* *je suis tombé / tombée*	auxiliaire *avoir* ou *être* au présent + participe passé
Imparfait *je finissais* *je partais*	**Plus-que-parfait** *j' avais fini* *j' étais parti / partie*	auxiliaire *avoir* ou *être* à l'imparfait + participe passé
Futur simple *je gagnerai* *je resterai*	**Futur antérieur** *j' aurai gagné* *je serai resté / restée*	auxiliaire *avoir* ou *être* au futur simple + participe passé
Conditionnel présent *je boirais* *je sortirais*	**Conditionnel passé** *j' aurais bu* *je serais sorti / sortie*	auxiliaire *avoir* ou *être* au conditionnel présent + participe passé

REM. La plupart des verbes forment leurs temps composés avec *avoir.*

CHAPITRE 12

5 Les verbes conjugués et non conjugués

Dans les phrases, on distingue les **verbes conjugués** des **verbes non conjugués**.

Verbe non conjugué		Verbe conjugué	Verbe non conjugué	
En ***passant***	*sur le quai, le marin*	***aimait***	***regarder***	*la mer.*

A. Les verbes non conjugués

Un verbe est non conjugué quand il est à l'infinitif ou au participe présent. Ces formes verbales ne s'emploient pas avec un sujet. Elles ne varient donc pas en personne.

Dans l'exemple ci-dessus, les verbes *passant* et *regarder* sont des verbes non conjugués. Ils n'ont pas de sujet et leur forme ne peut pas changer dans la phrase.

B. Les verbes conjugués

Un verbe conjugué est un verbe qui varie en personne, c'est-à-dire qui change selon que le sujet est à la première, à la deuxième ou à la troisième personne du singulier ou du pluriel. Un verbe conjugué varie aussi en temps (présent, imparfait, passé composé, passé simple, etc.).

Ce sont seulement les verbes conjugués qui s'accordent. Dans l'exemple ci-dessus, le verbe conjugué *aimait* s'accorde avec le nom *marin.*

Si on change la personne du sujet de la phrase, le verbe conjugué *aimait* va changer de forme.

	En passant sur le quai,	*le marin*	*aim**ait***	*regarder la mer.*
Substitution	*En passant sur le quai,*	*j'*	*aim**ais***	*regarder la mer.*
Substitution	*En passant sur le quai,*	*nous*	*aim**ions***	*regarder la mer.*

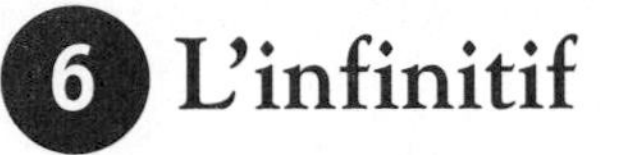

6 L'infinitif

A. Formation de l'infinitif

Terminaisons en	
-er :	*aim**er**, chant**er**, mang**er***
-ir :	*chois**ir**, fin**ir**, serv**ir***
-oir :	*dev**oir**, pouv**oir**, recev**oir***
-re :	*apprend**re**, croi**re**, viv**re***

B. Emploi de l'infinitif

1. L'infinitif sert à nommer le verbe et à le présenter dans les dictionnaires.
2. Dans une phrase, on le rencontre le plus souvent :
   - après un verbe conjugué :

     *Brigitte **veut acheter** un jeu électronique.*
     *Tout le monde **espère trouver** le bonheur.*
   - après une préposition comme *à*, *de*, *par*, *pour*, *sans*, etc. :

     *Il commence **à neiger**.*
     *Nous avions tous hâte **de** te **connaître**.*
     ***Pour réussir** cet exploit, il en fallait du courage !*
     *Je suis passé distraitement **sans** vous **voir**.*

7 Le participe présent

A. Formation du participe présent

Terminaison pour tous les verbes : *-ant*							
Règle de formation : radical du présent avec *nous* + *ant*							
	*nous **aimons***	→	***aim***	+	***ant***	=	***aimant***
	*nous **finissons***	→	***finiss***	+	***ant***	=	***finissant***
	*nous **faisons***	→	***fais***	+	***ant***	=	***faisant***
Cas particuliers : *être* : ***étant*** ; *avoir* : ***ayant*** ; *savoir* : ***sachant***.							

B. Emploi du participe présent

Le participe présent se rencontre souvent après la préposition *en*.

***En sautant**, elle s'est cassé la jambe.*
*L'appétit vient **en mangeant**.*

Mais on peut aussi rencontrer un verbe au participe présent sans la préposition *en*.

*Il aperçut un loup **sortant** de sa tanière.*

+ 8 Le participe passé

A. Formation du participe passé

Terminaison de la 1re conjugaison **-é**		Terminaison de la 2e conjugaison ***-i* ou *-u***	
*aim**é***	*gel**é***	*chois**i***	*batt**u***
*appel**é***	*jet**é***	*part**i***	*conn**u***
*donn**é***	*oubli**é***	*sort**i***	*cour**u***
Quelques cas particuliers			
couvrir : couvert		*mourir : mort*	
offrir : offert		*teindre : teint*	

REM. 1. Le participe passé peut varier en genre et en nombre :
*ils sont tombé**s**, elle est parti**e**, elles sont revenu**es***.

2. Certains participes passés ont, au masculin singulier, un -s ou un -*t* muet :
*appri**s**, assi**s**, mi**s**, couver**t**, cui**t**, di**t**, écri**t**, fai**t**, offer**t**, pein**t**, souffer**t***, etc.
Pour trouver cette consonne finale muette, mets le participe passé au féminin :
*appris → appri**se** ; cuit → cui**te***, etc.

B. **Emploi du participe passé**

Le participe passé s'emploie surtout dans les temps composés avec l'auxiliaire *avoir* ou *être*.

*L'avion n'**a** pas **atterri** à l'heure.*
*Hier, Josette **est allée** au restaurant.*

attention!

Employé sans l'auxiliaire *avoir* ou *être*, le participe passé fonctionne comme un adjectif et s'accorde comme lui. On parle dans ce cas d'un **adjectif participe** ou tout simplement d'un adjectif.

D Nom (f. s.)

***Assise** dans un bon fauteuil, Marica dévorait son roman.*

R Adj. (f. s.)

D Nom (m. pl.)

*Il y a encore beaucoup d'enfants **battus** et **négligés**.*

R Adj. (m. pl.) R Adj. (m. pl.)

9 Le présent de l'indicatif

Le présent de l'indicatif s'appelle plus couramment le **présent**. C'est le temps le plus fréquent. Le radical du présent sert à former plusieurs autres temps de verbe.

A. Formation du présent

	Terminaisons de la 1re conjugaison		Terminaisons de la 2e conjugaison
1re pers. s. :	-e		-s
2e pers. s. :	-es		-s
3e pers. s. :	-e		-t
1re pers. pl. :		-ons	
2e pers. pl. :		-ez	
3e pers. pl. :		-ent	

j'	***aime***	*je*	*reçois*
tu	*aim**es***	*tu*	*reçoi**s***
il / elle	*aim**e***	*il / elle*	*reçoi**t***
nous	*aim**ons***	*nous*	*recev**ons***
vous	*aim**ez***	*vous*	*recev**ez***
ils / elles	*aim**ent***	*ils / elles*	*reçoiv**ent***

Cas particuliers

1. Avec *je, tu* et *il / elle*, les verbes *couvrir, cueillir, découvrir, offrir, ouvrir* et *souffrir* se terminent comme les verbes en *-er* :
   *je découvr**e**, tu offr**es**, il souffr**e**.*
2. Avec *je* et *tu*, les verbes *pouvoir, vouloir* et *valoir* prennent un *-x* :
   *je peu**x**, tu veu**x**, tu vau**x**.*
3. Les verbes en *-dre* comme *apprendre, entendre, perdre, rendre, répondre* et *vendre* se terminent par un *-d* et non par un *-t* à la 3e personne du singulier :
   *elle appren**d**, il per**d**, il répon**d**.*
4. Les verbes *aller, avoir,* être et *faire* se terminent par *-ont* à la 3e personne du pluriel :
   *elles **vont**, ils **font**.*

B. Emploi du présent

1. Un verbe au présent indique un fait qui a lieu maintenant, au moment où on parle.

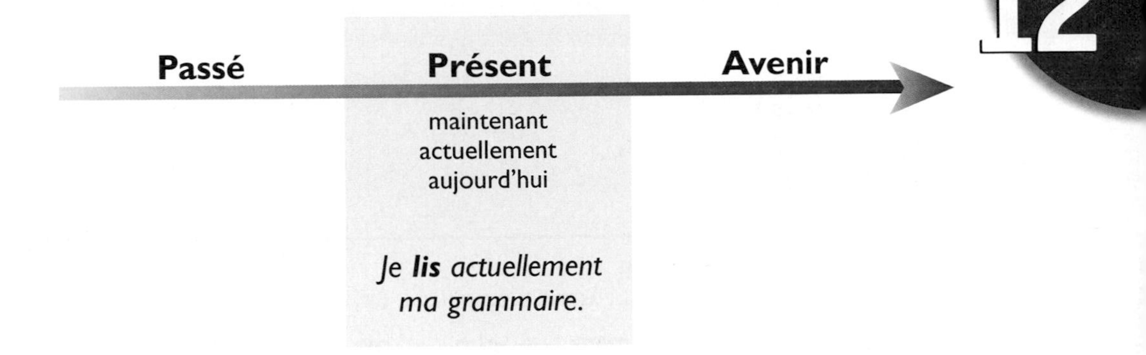

2. Le présent peut aussi indiquer ce qui est toujours vrai.

   *La Terre **est** ronde.*

3. On peut raconter au présent une histoire qui se déroule dans le passé. Le présent donne l'impression que l'histoire se déroule sous nos yeux. C'est le **présent de narration**.

   [...] *la chaleur était accablante, il n'y avait pas un air de vent, la surface de l'eau était unie comme celle d'un miroir* [...]

   *Tout à coup je **sens** mordre ; je **tire** vivement ma ligne, mais le poisson que je **tiens** au bout de ma ficelle **est** très gros et il se **débat** comme le diable dans l'eau bénite, à tel point que ma perche **casse**.*

   Contes du Canada francophone, « Que le diable l'emporte ! ».

   Le début de cet extrait montre que l'histoire se déroule dans le passé, car les verbes sont à l'imparfait. Par la suite, on passe au présent de narration.

10 L'imparfait

A. Formation de l'imparfait

Terminaisons pour tous les verbes	
1re pers. s. :	*-ais*
2e pers. s. :	*-ais*
3e pers. s. :	*-ait*
1re pers. pl. :	*-ions*
2e pers. pl. :	*-iez*
3e pers. pl. :	*-aient*

Règle de formation

radical du présent avec *nous* + *ais, ais, ait, ions, iez, aient*

nous ***aim****ons* → ***aim*** + ***ais*** = *j'* ***aimais***

nous ***finiss****ons* → ***finiss*** + ***ais*** = *je* ***finissais***

j'	*aim**ais***	*je*	*finiss**ais***
tu	*aim**ais***	*tu*	*finiss**ais***
il / elle	*aim**ait***	*il / elle*	*finiss**ait***
nous	*aim**ions***	*nous*	*finiss**ions***
vous	*aim**iez***	*vous*	*finiss**iez***
ils / elles	*aim**aient***	*ils / elles*	*finiss**aient***

Cas particulier : Le verbe *être* forme son imparfait sur le radical du présent avec *vous* : *vous* ***êt****es* → *j'**ét**ais, tu **ét**ais, elle **ét**ait*, etc.

B. Emploi de l'imparfait

1. L'imparfait exprime le passé.

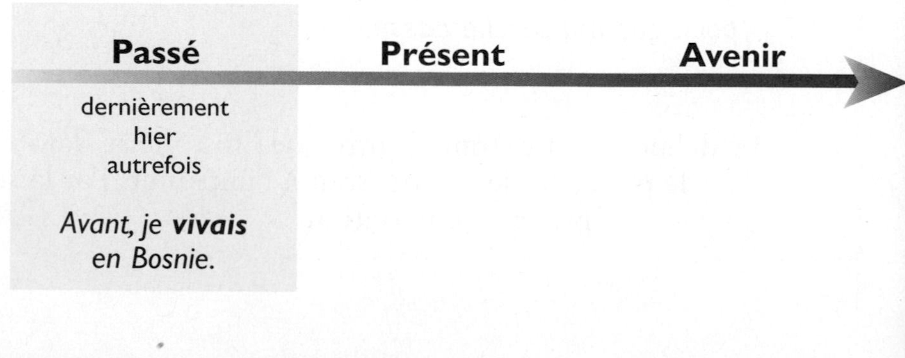

2. Dans un récit, l'imparfait sert souvent à décrire les personnages ou les lieux.

   *L'ambiance **était** très joyeuse au marché Jean-Talon [...] Les étals **regorgeaient** de tomates, de concombres, de carottes, de laitues et d'herbes aromatiques. Des odeurs de basilic et de menthe, de fromage et de pain qui **cuisait** dans une boulangerie voisine nous **chatouillaient** les narines.*

   Chrystine Brouillet, *La disparition de Baffuto.*

3. L'imparfait s'emploie aussi après *si* pour exprimer une supposition.

   *Si j'**étais** magicienne, je changerais les écoles en fabriques de jouets.*

attention!

Après un *si* qui exprime une supposition, c'est l'imparfait et non le conditionnel qu'il faut employer. On ne dit pas ⊘ *Si je le **saurais**, je te le dirais*, mais *Si je le **savais**, je te le dirais*.

11 Le passé composé

A. Formation du passé composé

Règle de formation auxiliaire *avoir* ou *être* au présent + participe passé					
j'	*ai*	*aimé*	*je*	*suis*	*parti / partie*
tu	*as*	*aimé*	*tu*	*es*	*parti / partie*
il / elle	*a*	*aimé*	*il / elle*	*est*	*parti / partie*
nous	*avons*	*aimé*	*nous*	*sommes*	*partis / parties*
vous	*avez*	*aimé*	*vous*	*êtes*	*partis / parties*
ils / elles	*ont*	*aimé*	*ils / elles*	*sont*	*partis / parties*

B. Emploi du passé composé

1. Le passé composé exprime le passé.

Passé	**Présent**	**Avenir**
dernièrement hier autrefois *Hier, nous* ***avons visité*** *le Vieux-Québec.*		

2. Dans un récit, le passé composé forme un couple avec l'imparfait. Le passé composé sert à raconter le déroulement de l'action, alors que l'imparfait sert à décrire le décor, l'ambiance, les sentiments des personnages.

   [...] *dans le bois un loup m'****a attrapée*** *et m'****a jetée*** *dans un sac. J'avais peur, mais j'étais calme.*

   Lorsque nous ***sommes arrivés*** *dans sa cave sombre et terrifiante, le loup* ***a posé*** *une grande marmite sur le poêle, tout en chantant une chanson.*

   Susan Meddaugh, *Le loup, mon œil !*

3. La plupart des verbes se conjuguent avec l'auxiliaire *avoir* au passé composé. Cependant les verbes de mouvement comme *aller*, *arriver*, *partir*, *venir*, etc., et les verbes d'existence comme *devenir*, *naître*, *mourir*, *rester*, etc., se conjuguent avec l'auxiliaire *être*. On ne dit pas : ⃠*J'ai parti*, ⃠*J'ai resté*, mais *Je suis parti*, *Je suis resté*.

REM. Les **verbes pronominaux**, qui sont des verbes s'employant avec *se*/*s'* à l'infinitif, comme *s'apercevoir*, *se lever*, *se souvenir*, *se tromper*, se conjuguent avec être. On ne dit pas : ⃠ *Je m'ai trompé*, mais *Je me suis trompé*.

12 Le passé simple

Le passé simple s'utilise aujourd'hui presque uniquement à l'écrit. Il se conjugue à toutes les personnes, mais il est surtout employé dans les récits à la 1re personne du singulier et à la 3e personne du singulier et du pluriel.

CHAPITRE 12

A. Formation du passé simple

<table>
<tr>
<td>Terminaisons des verbes de la 1re conjugaison
1re pers. s.: -ai
3e pers. s.: -a
3e pers. pl.: -èrent</td>
<td>Terminaisons des verbes en -ir, -issons de la 2e conjugaison
-is
-it
-irent</td>
<td colspan="2">Terminaisons des autres verbes de la 2e conjugaison (verbes en -ir, -oir, -re)
-is ou -us
-it ou -ut
-irent ou -urent</td>
</tr>
<tr>
<td colspan="2">Règle de formation
radical de l'infinitif
+
-ai, -a, -èrent   -is, -it, -irent
aimer →   finir →
aim + èrent =   fin + irent =
ils aimèrent   ils finirent</td>
<td colspan="2">Pas de règle de formation précise : à apprendre un par un.</td>
</tr>
<tr>
<td>j' aimai
il / elle aima
ils / elles aimèrent</td>
<td>je finis
il / elle finit
ils / elles finirent</td>
<td>j' appris
il / elle apprit
ils / elles apprirent</td>
<td>je courus
il / elle courut
ils / elles coururent</td>
</tr>
<tr>
<td colspan="4">Cas particulier : Les verbes venir et tenir et leurs dérivés (revenir, retenir, etc.) font : je vins, elle vint, elles vinrent ; je tins, il tint, ils tinrent.</td>
</tr>
</table>

B. Emploi du passé simple

1. Le passé simple exprime le passé.

Passé	Présent	Avenir
autrefois jadis *Hergé **écrivit** le premier* Tintin *en 1929.*		

2. Dans un récit, le passé simple s'emploie à la place du passé composé et forme un couple avec l'imparfait. Comme le passé composé, il sert à raconter le déroulement de l'action.

*Alors l'oiseau lui **fit** descendre une robe d'argent et d'or ainsi que des pantoufles brodées de soie et d'argent. [Cendrillon] se **hâta** de revêtir la robe et **alla** à la fête des noces. Ni sa belle-mère, ni ses demi-sœurs ne la **reconnurent** [...] tant elle <u>était</u> belle dans sa robe d'or. [...] Le fils du roi **vint** à sa rencontre, la **prit** par la main et **dansa** avec elle.*

Jacob et Wilhelm Grimm, *Contes.*

Dans cet extrait, les verbes au passé simple indiquent la succession des actions, alors que le verbe à l'imparfait, *était*, fait partie d'un commentaire sur la beauté de Cendrillon.

13 Le futur simple

A. Formation du futur simple

Terminaisons pour tous les verbes

1re pers. s. :	*-rai*
2e pers. s. :	*-ras*
3e pers. s. :	*-ra*
1re pers. pl. :	*-rons*
2e pers. pl. :	*-rez*
3e pers. pl. :	*-ront*

Règle de formation

infinitif du verbe + terminaisons du verbe *avoir* au présent

chanter + *ai, as, a, ons, ez, ont*
finir + *ai, as, a, ons, ez, ont*

je	*chante**rai***	*je*	*fini**rai***
tu	*chante**ras***	*tu*	*fini**ras***
il / elle	*chante**ra***	*il / elle*	*fini**ra***
nous	*chante**rons***	*nous*	*fini**rons***
vous	*chante**rez***	*vous*	*fini**rez***
ils / elles	*chante**ront***	*ils / elles*	*fini**ront***

Cas particuliers : Plusieurs verbes courants, comme ceux qui suivent, ne forment pas leur futur sur l'infinitif.

aller :	*j'irai*	*faire :*	*je ferai*	*savoir :*	*je saurai*
avoir :	*j'aurai*	*falloir :*	*il faudra*	*tenir :*	*je tiendrai*
devoir :	*je devrai*	*pleuvoir :*	*il pleuvra*	*valoir :*	*je vaudrai*
envoyer :	*j'enverrai*	*pouvoir :*	*je pourrai*	*voir :*	*je verrai*
être :	*je serai*	*prendre :*	*je prendrai*	*vouloir :*	*je voudrai*

REM. Les verbes de la 1re conjugaison (en *-er*) ont toujours un e devant les terminaisons du futur simple : *j'aim**e**rai, tu continu**e**ras, elle étudi**e**ra.*

B. Emploi du futur simple

Le futur simple exprime un fait ou une action à venir qui a de bonnes chances de se réaliser.

Passé **Présent** **Avenir**

demain
plus tard

*Cet été, nous **irons** en Acadie.*

14 Le futur proche

A. Formation du futur proche

Règle de formation : verbe *aller* au présent + infinitif

je	*vais*	*aimer*
tu	*vas*	*finir*
il / elle	*va*	*voir*
nous	*allons*	*parler*
vous	*allez*	*obéir*
ils / elles	*vont*	*rire*

B. Emploi du futur proche

1. Le futur proche remplace souvent le futur simple. Il exprime généralement un fait ou une action qui se réalisera bientôt.

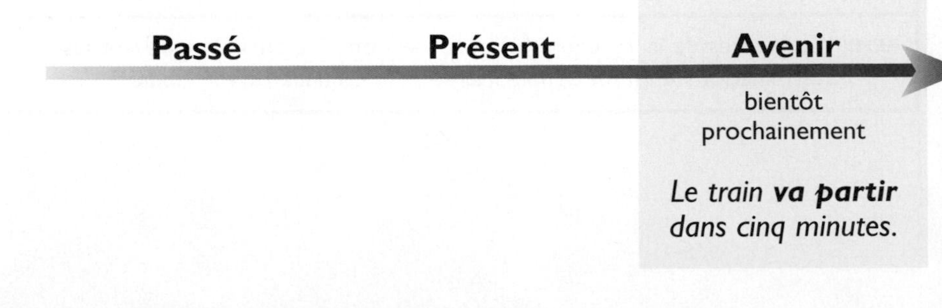

2. Il peut aussi indiquer une action ou un fait assez lointain, mais considéré comme inévitable.

*Il **va prendre** sa retraite dans cinq ans.*

CHAPITRE 12

15 Le conditionnel présent

A. Formation du conditionnel présent

Terminaisons pour tous les verbes

1re pers. s. :	*-rais*
2e pers. s. :	*-rais*
3e pers. s. :	*-rait*
1re pers. pl. :	*-rions*
2e pers. pl. :	*-riez*
3e pers. pl. :	*-raient*

Règle de formation

infinitif du verbe + terminaisons de l'imparfait

chanter + *ais, ais, ait, ions, iez, aient*

finir + *ais, ais, ait, ions, iez, aient*

je	*chante**rais***	*je*	*fini**rais***
tu	*chante**rais***	*tu*	*fini**rais***
il / elle	*chante**rait***	*il / elle*	*fini**rait***
nous	*chante**rions***	*nous*	*fini**rions***
vous	*chante**riez***	*vous*	*fini**riez***
ils / elles	*chante**raient***	*ils / elles*	*fini**raient***

Cas particuliers : Plusieurs verbes courants, comme ceux qui suivent, ne forment pas leur conditionnel sur l'infinitif.

aller :	*j'irais*	*faire :*	*je ferais*	*savoir :*	*je saurais*
avoir :	*j'aurais*	*falloir :*	*il faudrait*	*tenir :*	*je tiendrais*
devoir :	*je devrais*	*pleuvoir :*	*il pleuvrait*	*valoir :*	*je vaudrais*
envoyer :	*j'enverrais*	*pouvoir :*	*je pourrais*	*voir :*	*je verrais*
être :	*je serais*	*prendre :*	*je prendrais*	*vouloir :*	*je voudrais*

REM. Les verbes de la 1re conjugaison (en -er) ont toujours un e devant les terminaisons du conditionnel présent : *j'aimerais, tu continuerais, elle étudierait.*

CHAPITRE 12

B. Emploi du conditionnel présent

1. Le conditionnel exprime une action ou un fait à venir, mais qui est incertain ou purement imaginaire.

Passé **Présent** **Avenir**

plus tard
peut-être un jour

*Dans un monde idéal, la guerre n'**existerait** plus.*

2. Dans un récit au passé, le conditionnel indique un fait venant après un autre.

*Il ne savait pas que le lendemain il **partirait** pour un formidable voyage.*

3. Dans une phrase avec *si*, le conditionnel indique ce qui se passerait si la condition exprimée par l'imparfait était réalisée.

*Si j'avais beaucoup d'argent, je **ferais** le tour du monde.*

16 Le subjonctif

A. Formation du subjonctif

Terminaisons pour tous les verbes (sauf *avoir* et être)

1re pers. s.:	-e
2e pers. s.:	-es
3e pers. s.:	-e
1re pers. pl.:	*-ions*
2e pers. pl.:	*-iez*
3e pers. pl.:	*-ent*

Règle de formation du radical

A. Pour les formes avec les pronoms *je, tu, il / elle* et *ils / elles*: on utilise le radical de l'indicatif présent avec *ils.*

*ils **vienn**ent → que je **vienn**e, que tu **vienn**es, qu'il **vienn**e.*

B. Pour les formes avec les pronoms *nous* et *vous*: on utilise le radical de l'indicatif présent avec *nous.*

*nous **ven**ons → que nous **ven**ions, que vous **ven**iez*

que j'	*aim**e***	*que je*	*finiss**e***	*que je*	*vienn**e***
que tu	*aim**es***	*que tu*	*finiss**es***	*que tu*	*vienn**es***
qu'il / elle	*aim**e***	*qu'il / elle*	*finiss**e***	*qu'il / elle*	*vienn**e***
que nous	*aim**ions***	*que nous*	*finiss**ions***	*que nous*	*ven**ions***
que vous	*aim**iez***	*que vous*	*finiss**iez***	*que vous*	*ven**iez***
qu'ils / elles	*aim**ent***	*qu'ils / elles*	*finiss**ent***	*qu'ils / elles*	*vienn**ent***

Cas particuliers: Neuf verbes ne forment pas leur radical sur le présent.

aller: que j'aille, que nous allions
avoir: que j'aie, que nous ayons
être: que je sois, que nous soyons
faire: que je fasse, que nous fassions
falloir: qu'il faille
pouvoir: que je puisse, que nous puissions
savoir: que je sache, que nous sachions
valoir: que je vaille, que nous valions
vouloir: que je veuille, que nous voulions

B. Emploi du subjonctif

1. Le plus souvent, le verbe au subjonctif se trouve dans une phrase subordonnée qui commence par *que* et qui dépend d'un verbe comme *craindre*, *demander*, *douter*, *falloir*, *souhaiter*, *vouloir*, etc.

   *Il <u>faut</u> que tu **viennes**.*
   *Ils ne <u>veulent</u> pas que je **désobéisse**.*
   *La directrice <u>souhaitait</u> qu'on se **taise**.*

2. On rencontre aussi le subjonctif après les conjonctions *avant que*, *bien que*, *pour que*, *quoique*.

   *Rentrons <u>avant qu'</u>il **fasse** trop noir.*
   *Ils travaillent <u>pour que</u> la fête **soit** un succès.*

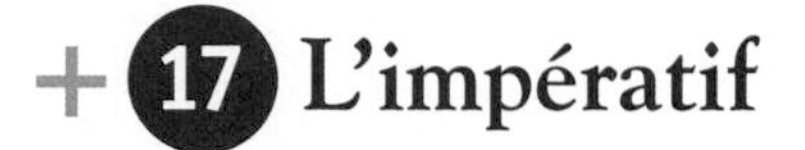

+ 17 L'impératif

A. Formation de l'impératif

	Terminaisons de la 1re conjugaison		Terminaisons de la 2e conjugaison
2e pers. s.	-e		-s
1re pers. pl.		-ons	
2e pers. pl.		-ez	

Règle de formation : présent de l'indicatif, mais sans le -s à la 2e personne du singulier dans le cas des verbes en *-er*

*tu aimes → aim**e***	*tu finis → fini**s***
*nous aimons → aim**ons***	*nous finissons → finiss**ons***
*vous aimez → aim**ez***	*vous finissez → finiss**ez***

L'impératif s'emploie sans pronom de conjugaison.

Cas particuliers

1. À la 2e personne du singulier, les verbes *couvrir, cueillir, découvrir, offrir, ouvrir* et *souffrir* se terminent comme les verbes en *-er* sans *-s* : *couvr**e**, cueill**e**, découvr**e**, offr**e**, ouvr**e*** et *souffr**e***.
2. Ces verbes et tous les verbes en *-er* prennent un *-s* devant les pronoms *en* et *y* : *va**s**-y, donne**s**-en, offre**s**-en.*
3. On met un trait d'union entre le verbe à l'impératif et ses pronoms compléments : *crois**-**moi, rends**-**les**-**nous.*
4. Quelques verbes forment leur impératif sur le subjonctif :
   avoir : aie, ayons, ayez
   être : sois, soyons, soyez
   savoir : sache, sachons, sachez

B. Emploi de l'impératif

L'impératif sert à exprimer des ordres ou des conseils.

Sors *d'ici tout de suite !*

Prenez *tout votre temps.*

CHAPITRE 12

J'utilise mes connaissances pour vérifier l'orthographe des verbes.

Voici le texte non corrigé d'Élodie.

Chère Lucie,

J'ai manqué pleuré en lisant ta lettre.
Tes parents déménagent et cela te rend
triste de quitter ton quartier et tes amis.
À ta place, j'aurais aussi beaucoup de peine.
Mais il ne faut pas te décourager. Dans ta
nouvelle ville, tu arrivera sans doute à te faire
beaucoup d'autres amis.

Bonne chance ! Téléphone-moi si tu t'ennuis
trop.

Élodie

Pour vérifier l'orthographe des verbes, je procède ainsi.

1° Je repère les phrases qui contiennent un des pronoms sujets *je, tu, il/ils, on*. Je trouve le verbe conjugué qui s'accorde avec ce pronom et je vérifie si l'accord a été bien fait.

- ***J'****ai manqué*: C'est un passé composé. Je pourrais remplacer *ai manqué* par le temps simple correspondant, soit le présent: *je manque*. Au passé composé, l'auxiliaire *avoir* s'écrit *ai* avec *j'* et le participe passé *manqué* se termine par *-é*, car le verbe *manquer* est un verbe en *-er*.
- ***j'****aurais aussi beaucoup de peine*: Le verbe *avoir* s'écrit *aurais* avec *j'* au conditionnel.
- ***il*** *ne faut pas te décourager*: Le verbe *falloir* est de la 2e conjugaison et, au présent avec *il*, il prend un *-t*.
- ***tu*** *arrivera sans doute*: Il y a sûrement une erreur parce qu'avec *tu* les verbes prennent presque toujours un *-s*. Il faut écrire *tu arrivera**s***.
- *si* ***tu*** *t'ennuis*: Le verbe *s'ennuyer* est un verbe en *-er*. Au présent avec *tu*, les verbes en *-er* se terminent par *-es*. Il y a donc une erreur et il faut écrire: *si tu t'ennui**es***.

2° Je repère ensuite les phrases qui contiennent le pronom *nous, vous, elle / elles, cela* ou *ça*. Je vérifie si le pronom est sujet et, s'il est vraiment sujet, je vérifie l'accord du verbe.

- ***cela** te rend triste*: Le pronom *cela* est bien sujet, car je peux l'encadrer par *c'est ... qui*.

Encadrement *C'est* **cela** *qui te rend triste.*

Le verbe *rend* est bien accordé, car les verbes en *-dre* comme *rendre* se terminent par *-d* à la 3e personne du singulier du présent.

3° J'essaie de trouver le sujet dans les autres phrases qui n'ont pas de pronom sujet et je vérifie l'accord du verbe.

- *Tes parents déménagent*: Le groupe du nom *Tes parents* est le sujet, car je peux le remplacer par le pronom *ils*.

Substitution ***Ils** déménagent.*

Le verbe est bien accordé, car il a la terminaison du pluriel *-ent*.

- *Téléphone-moi*: Il n'y a pas de sujet parce que le verbe *téléphoner* est à l'impératif; il est bien écrit, car les verbes en *-er* perdent leur *-s* à la 2e personne du singulier de l'impératif.

4° Je repère tous les autres verbes non conjugués, c'est-à-dire à l'infinitif et au participe présent, en faisant très attention aux verbes qui se terminent par le son [e].

- *J'ai manqué pleuré* : *pleuré* vient après le verbe conjugué *ai manqué* et pourrait être remplacé par un autre verbe à l'infinitif de la 2e conjugaison, comme *mourir*.

Substitution *J'ai manqué **mourir**.*

C'est donc un infinitif et non un participe passé. Je corrige l'erreur et j'écris *pleurer* avec *-er*.

- *en lisant ta lettre* : *lisant* vient après *en* et pourrait être employé avec *ne ... pas*.

Ajout *En **ne** lisant **pas** ta lettre.*

C'est bien un participe présent qui se termine par *-ant*.

- *cela te rend triste de quitter ton quartier*: *quitter* vient après la préposition *de* et peut être remplacé par un autre verbe à l'infinitif de la 2e conjugaison, comme *perdre*.

Substitution *Cela te rend triste de **perdre** ton quartier.*

Le verbe *quitter* est donc bien un infinitif en *-er*.

- *il ne faut pas te décourager*: *décourager* suit le verbe conjugué *faut*. Le verbe *décourager* est un infinitif en *-er* et peut être remplacé par un autre verbe de la 2e conjugaison, comme *détruire*.

Substitution *Il ne faut pas te **détruire**.*

Le verbe *décourager* est donc bien un infinitif en *-er*.

Voici le texte corrigé.

Chère Lucie,

J'ai manqué pleur~~é~~er en lisant ta lettre.
Tes parents déménagent et cela te rend
triste de quitter ton quartier et tes amis.
À ta place, j'aurais aussi beaucoup de peine.
Mais il ne faut pas te décourager. Dans ta
nouvelle ville, tu arriver~~a~~s sans doute à te faire
beaucoup d'autres amis.

Bonne chance ! Téléphone-moi si tu t'ennui~~s~~e
trop.

Élodie

Les mots invariables

CHAPITRE +13

Le texte qui suit contient des mots dont la forme ne change jamais. Ce sont des **mots invariables**.

> *Depuis son plus jeune âge, le roi chassait la gazelle. Une fois par semaine, bien avant l'aube, il faisait seller un magnifique cheval arabe et prenait la direction du désert en compagnie de deux fidèles serviteurs. La partie de chasse ne durait que quelques heures, car dès que le soleil commençait à monter dans le ciel, la chaleur devenait insupportable.*
>
> *Il faisait particulièrement chaud ce matin-là.*
>
> Jean Muzi, « Le roi et le bédouin », *Contes du monde arabe*.

La plupart des mots invariables font partie de la classe de l'adverbe ou de la classe de la préposition.

1 L'adverbe

1.1 L'adverbe peut accompagner un mot dont il précise le sens.

L'**adverbe** sert souvent à préciser le sens du verbe, de l'adjectif ou de l'adverbe dont il dépend. Il joue le rôle de modificateur du mot qu'il accompagne.

- L'adverbe modificateur du verbe exprime surtout :
  - la manière : *Il conduit* ***rapidement****.*
  - le temps : *Ariane rentrera* ***tard****.*
  - le degré d'intensité : *Ça me plaît* ***beaucoup****.*
- L'adverbe modificateur de l'adjectif ou de l'adverbe exprime surtout le degré d'intensité :

  C'est ***très*** *agréable !*
  Tu marches ***trop*** *vite.*

1.2 L'adverbe peut compléter une phrase.

L'adverbe qui indique le temps ou le lieu peut avoir la fonction de complément de phrase. Il est alors déplaçable et effaçable comme tout complément de phrase.

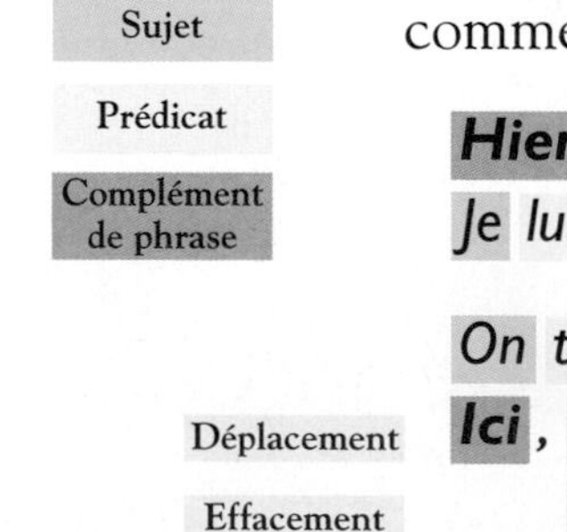

Hier*, nous avons vu un film extraordinaire.*
Je lui écrirai ***bientôt****.*

On trouve toutes sortes de choses ***ici****.*
Ici*, on trouve toutes sortes de choses.*
On trouve toutes sortes de choses.

2 La préposition

2.1 La préposition peut avoir différents sens.

Les **prépositions** les plus fréquentes sont *à* et *de*. Ces prépositions peuvent exprimer plusieurs sens :

- le lieu : *Je rêve d'aller **à** la mer. Tu reviens **de** la piscine.*
- le temps : *Elle partira **à** cinq heures.*
- l'appartenance : *Cet ordinateur est-il **à** toi ? C'est la chambre **de** Nicolas.*
- la cause : *Ils sont morts **de** la grippe espagnole.*

Le sens des autres prépositions varie moins. Voici les prépositions les plus courantes regroupées selon leurs sens principaux.

Prépositions	Exemples
Lieu : *auprès de, chez, dans, dessous, devant, en, parmi, sur, vers*	*Je passe tout l'été **chez** mes grands-parents.*
Temps : *avant, après, depuis, dès, durant, jusqu'à, pendant*	***Dès** mon retour de l'école, je peux jouer **jusqu'à** quatre heures.*
But : *afin de, pour*	*Tu as fait de gros efforts **pour** réussir.*
Opposition : *contre, malgré*	*Je vais sortir **malgré** la pluie.*
Privation : *excepté, hors, sans, sauf*	*On ne peut pas vivre heureux **sans** amour.*
Accompagnement : *avec*	*Alex dort toujours **avec** ses toutous.*

CHAPITRE 13+

2.2 La préposition sert à former des compléments.

La préposition, avec les mots qu'elle introduit, forme un groupe de mots qui remplit généralement la fonction de complément.

C'est la chambre ***de ma sœur****.* (Le groupe *de ma sœur* est complément du nom *chambre*.)

Éva joue ***avec lui*** *chaque été.* (Le groupe *avec lui* est complément du verbe *joue*.)

Dans deux heures*, le spectacle commencera.* (Le groupe *Dans deux heures* est complément de phrase.)

3 Les autres mots invariables

A. Il existe d'autres mots invariables appelés conjonctions.

Voici les **conjonctions** les plus courantes :

comme, et, mais, ou, que, parce que, puis, si.

Ces mots marquent la relation entre les deux éléments qu'ils réunissent. C'est pour cela qu'on les appelle des **marqueurs de relation**.

Je fais du hockey ***et*** *du basket-ball.*

Dans cette phrase, le mot *et* sert à indiquer l'**addition** : au premier sport mentionné, le hockey, on ajoute un deuxième sport, le basket-ball.

Amélie aime le poisson, ***mais*** *pas la viande.*

Dans cette phrase, le mot *mais* exprime l'**opposition**: il marque la préférence d'Amélie pour le poisson par rapport à la viande.

Tu te laveras les dents, ***puis*** *tu iras te coucher.*

Dans cette phrase, le mot *puis* sert à indiquer la **succession** des actions: il marque que l'action de se coucher doit suivre celle de se laver les dents.

Corinne a été absente ***parce qu****'elle a été malade.*

Dans cette phrase, le mot *parce qu'* sert à indiquer la **cause**: la maladie est la cause de l'absence de Corinne.

B. Il existe d'autres mots invariables appelés interjections.

Les **interjections** expriment une émotion et sont généralement suivies d'un point d'exclamation:

Ah! Allô! Bravo! Chut! Hein! Oh! Ouf!

Je fais attention aux difficultés suivantes.

A. L'orthographe des mots invariables

- Les adverbes *toujours, jamais, très, plus, moins, puis, alors, dessous, dessus* et *longtemps* se terminent toujours par la lettre *s*, mais ce *s* n'est pas une marque de pluriel.
- Il n'y a jamais de *s* à la fin de l'adverbe *ensemble*:

  Ils jouent toujours ***ensemble****.*

- Beaucoup d'adverbes se terminent en *-ment* : *doucement, heureusement, régulièrement*, etc. Cependant tous les mots terminés par *-ment* ne sont pas nécessairement des adverbes. Par exemple, les mots *logement, habillement* et *roulement* sont des noms, car on peut mettre un déterminant devant eux : *un logement, un habillement, un roulement*.

B. L'emploi des mots invariables

Il faut faire attention à l'emploi des mots invariables courants. Certains sont souvent mal utilisés.

Formes incorrectes	Formes correctes
⃠ *Je pense* ***pareil comme*** *toi.*	*Je pense* ***comme*** *toi.*
⃠ *Mon frère est* ***pareil que*** *ma sœur.*	*Mon frère est* ***pareil à*** *ma sœur.*
⃠ *Elle a fait* ***pareil que*** *son ami.*	*Elle a fait* ***comme*** *son ami.*
⃠ *Il est content* ***à cause que*** *tu as gagné.*	*Il est content* ***parce que*** *tu as gagné.*
⃠ *J'ai lu ça* ***sur*** *le journal.*	*J'ai lu ça* ***dans*** *le journal.*
⃠ *Je ne sors jamais* ***sur*** *semaine.*	*Je ne sors jamais* ***durant*** *la semaine.*
⃠ *Les enfants jouent* ***sur*** *la rue.*	*Les enfants jouent* ***dans*** *la rue.*
⃠ *Accroche ce cadre* ***sur*** *le mur.*	*Accroche ce cadre* ***au*** *mur.*
⃠ *Il y a du bruit* ***sur*** *l'étage.*	*Il y a du bruit* ***à*** *l'étage.*
⃠ *Elle viendra nous voir* ***à*** *matin ou* ***à*** *soir.*	*Elle viendra nous voir* ***ce*** *matin ou* ***ce*** *soir.*

⊘ *Je suis fâché* ***après*** *lui.*	*Je suis fâché* ***contre*** *lui.*
⊘ *Elle est arrivée* ***en*** *temps.*	*Elle est arrivée* ***à*** *temps.*
⊘ *Il se fâche* ***quand qu'****il est contrarié.*	*Il se fâche* ***quand*** *il est contrarié.*

La préposition *à* est souvent employée par erreur à la place de la préposition *de* pour exprimer l'appartenance.

Formes incorrectes	**Formes correctes**
⊘ *C'est l'école* ***à*** *Zoé.*	*C'est l'école* ***de*** *Zoé.*
⊘ *C'est la fête* ***à*** *Clara.*	*C'est la fête* ***de*** *Clara.*
⊘ *C'est le stylo* ***à*** *mon père.*	*C'est le stylo* ***de*** *mon père.*

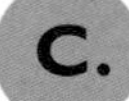

L'emploi du mot *de*

Le mot *de* est souvent une préposition, mais pas tout le temps. *De* peut être aussi un déterminant. Compare :

Elle revient ***de*** *l'école.* (*de* = préposition)

Tu veux ***de*** *l'eau.* (*de + l'* = déterminant devant un nom qui désigne une chose qui ne se compte pas)

J'ai reçu ***de*** *beaux livres.* (*de* = déterminant *des* devant un adjectif pluriel)

Il n'a pas ***de*** *gants.* (*de* = déterminant *des* dans une phrase négative)

CHAPITRE 14

Les sortes de phrases

Le texte qui suit contient six phrases. Peux-tu les identifier ?

> *Jacques était un très gentil petit garçon. Il finissait toujours ses repas. Il allait toujours se coucher quand on le lui ordonnait. Il disait toujours « s'il vous plaît » et « merci ». Mais Jacques était un rêveur. Il était toujours dans les nuages.*
>
> Roger Hargreaves, *M. Rêve*.

1 Qu'est-ce qu'une phrase ?

1.1 En général, une phrase écrite commence par une majuscule et se termine par un point.

Dans le texte ci-dessus, chaque **phrase** commence par une lettre majuscule et se termine par un point de phrase. La lettre majuscule et le point sont les signes qui servent à marquer les limites d'une phrase. Mais la majuscule et le point ne suffisent pas à définir ce qu'est une phrase.

1.2 Une phrase est une suite de mots bien ordonnée qui a du sens.

Une suite de mots qui commence par une lettre majuscule et qui se termine par un point ne forme pas nécessairement une phrase. Par exemple, la suite de mots :

⦸ *Garçon très était gentil un petit Jacques.*

ne forme pas une phrase parce que ces mots ne sont pas bien ordonnés. Il faut les replacer dans le bon ordre pour avoir une phrase :

Jacques était un très gentil petit garçon.

1.3 Dans une phrase, les mots sont reliés les uns aux autres et forment un tout.

Une suite de mots bien ordonnée qui a un sens ne forme pas forcément une phrase. Prenons cette suite de mots tirée du texte : *quand on le lui ordonnait*. Même si on mettait une majuscule au début et un point à la fin, cette suite de mots ne formerait pas une phrase, car elle ne peut pas exister seule. Elle dépend de ce qui précède : *Il allait toujours se coucher*. C'est la réunion des deux qui forme un tout et qui est une phrase : *Il allait toujours se coucher quand on le lui ordonnait.*

1.4 Une phrase est formée de deux constituants obligatoires.

Une phrase, c'est comme une construction qui repose sur deux piliers. Chacun des piliers joue un rôle essentiel dans la phrase. Ce sont les **constituants obligatoires** de la phrase.

La très grande majorité des phrases est formée des deux constituants obligatoires. Certaines comprennent aussi un constituant facultatif.

CHAPITRE 14

2 Les deux constituants obligatoires de la phrase

2.1 Le premier constituant obligatoire de la phrase est le sujet.

1. *Notre ville achètera de nouveaux autobus cette année.*
2. *Dans ce quartier, les parcs sont rares.*
3. *Je connais Hamza depuis que j'ai cinq ans.*

Sujet

- La fonction de sujet de la phrase est le plus souvent remplie par un **groupe du nom** : *Notre ville* (phrase 1), *les parcs* (phrase 2), ou par un **pronom** : *Je* (phrase 3). Pour savoir comment trouver le sujet, consulte le chapitre 11, aux pages 119 à 121.

- Le **sujet de la phrase** indique généralement de qui ou de quoi on parle dans la phrase.

  Notre ville achètera de nouveaux autobus cette année.

  Dans cette phrase, c'est de notre ville qu'on parle.

- Le sujet de la phrase est habituellement placé au début de la phrase.

  Je connais Hamza depuis que j'ai cinq ans.

- Le sujet de la phrase ne peut pas être effacé. Si on l'efface, la phrase n'est plus correcte et n'a plus de sens.

  Dans ce quartier, les parcs sont rares.

  Effacement ⊘ *Dans ce quartier, sont rares.*

2.2 Le deuxième constituant obligatoire de la phrase est le prédicat.

CHAPITRE 14

1. *Notre ville achètera de nouveaux autobus cette année.*
2. *Dans ce quartier, les parcs sont rares .*
3. *Je connais Hamza depuis que j'ai cinq ans.*

- La fonction de **prédicat de la phrase** est toujours remplie par un **groupe du verbe**: *achètera de nouveaux autobus* (phrase 1), *sont rares* (phrase 2) et *connais Hamza* (phrase 3). C'est pourquoi on parle le plus souvent de groupe du verbe plutôt que de prédicat pour nommer le deuxième constituant obligatoire de la phrase.

Prédicat

- Le groupe du verbe indique généralement ce qu'on dit du sujet de la phrase.

  Dans ce quartier, les parcs sont rares .

  Dans cette phrase, ce qu'on dit des parcs, c'est qu'ils sont rares.

- Le groupe du verbe suit habituellement le sujet.

  Notre ville achètera de nouveaux autobus cette année.

- Le groupe du verbe ne peut pas être effacé. Si on l'efface, la phrase n'est plus correcte et n'a plus de sens.

  Je connais Hamza depuis que j'ai cinq ans.

Effacement ⊘ *Je depuis que j'ai cinq ans.*

CHAPITRE 14

3 Le constituant facultatif de la phrase : le complément de phrase

1. *Notre ville achètera de nouveaux autobus* *cette année* .
2. *Dans ce quartier* , *les parcs sont rares.*
3. *Je connais Hamza* *depuis que j'ai cinq ans* .

- En plus de ses deux constituants obligatoires, une phrase peut aussi comporter un ou plusieurs **constituants facultatifs** dont la fonction est **complément de phrase**. Cette fonction est parfois appelée complément circonstanciel.

Complément de phrase

- La fonction de complément de phrase peut être remplie par différents groupes : *cette année* (phrase 1), *Dans ce quartier* (phrase 2), ou par une phrase subordonnée : *depuis que j'ai cinq ans* (phrase 3).

- Le complément de phrase est facultatif, c'est-à-dire qu'il n'est pas obligatoire pour former une phrase. Si on l'efface, la phrase demeure correcte.

Notre ville achètera de nouveaux autobus *cette année* .
Effacement *Notre ville achètera de nouveaux autobus.*

Dans ce quartier , *les parcs sont rares.*
Effacement *Les parcs sont rares.*

Je connais Hamza *depuis que j'ai cinq ans* .
Effacement *Je connais Hamza.*

- Le complément de phrase est mobile, c'est-à-dire qu'il n'a pas de place fixe dans la phrase. On peut le placer à plus d'un endroit.

Notre ville a acheté de nouveaux autobus *cette année* .
Déplacement *Cette année* , *notre ville a acheté de nouveaux autobus.*
Déplacement *Notre ville,* *cette année* , *a acheté de nouveaux autobus.*

- Le complément de phrase apporte une précision à la phrase.

À cinq heures, Stéphane s'entraîne au centre sportif pour le championnat.

Dans la phrase ci-dessus, le constituant À *cinq heures* apporte une précision de temps : il dit quand Stéphane s'entraîne. Le constituant *au centre sportif* apporte une précision de lieu : il dit où Stéphane s'entraîne. Le constituant *pour le championnat* apporte une précision de but : il dit pourquoi Stéphane s'entraîne.

- Lorsque le complément de phrase est placé au début ou au milieu de la phrase, on l'isole du reste de la phrase par une ou deux virgules selon le cas.

Dans ce quartier, les parcs sont rares.

Depuis que j'ai cinq ans, je connais Hamza.

Notre ville, cette année, a acheté de nouveaux autobus.

CHAPITRE 14

4 Les quatre types de phrase

On distingue quatre types de phrase : la phrase déclarative, la phrase interrogative, la phrase exclamative et la phrase impérative. Les phrases de ces types prennent toutes la forme positive ou la forme négative.

4.1 La phrase déclarative

La **phrase déclarative** sert à constater ou à déclarer quelque chose. Elle se termine par un point (.) à l'écrit.

L'eau bout à 100 °C.

Depuis son déménagement, Alice semblait heureuse.

Cet été, je ferai du sport avec mes amis.

La phrase déclarative est la phrase la plus courante. Elle sert de base à la construction des autres types de phrase.

CHAPITRE 14

4.2 La phrase interrogative

Pourquoi Vincent avait-il coupé la communication?
[...] *La jeune fille voulait en avoir le cœur net.*

Francine Pelletier, *Télé-rencontre.*

La **phrase interrogative** sert à poser une question. Elle se termine par un point d'interrogation (?) à l'écrit.

A. Comment est construite une phrase interrogative?

Une phrase interrogative est construite à partir d'une phrase déclarative. Compare ces couples de phrases.

Phrases déclaratives		Phrases interrogatives
Le repas est prêt .	→	***Est-ce que** le repas est prêt **?***
Tu vas faire tes devoirs .	→	*Vas - **tu** faire tes devoirs **?***
Tes parents travaillent .	→	*Tes parents travaillent **-ils?***

Une phrase interrogative peut se construire de quatre façons à l'écrit.

1. On emploie l'expression interrogative *est-ce que*, qu'on place au début de la phrase, et on met un point d'interrogation à la fin.

   Est-ce que** tu m'aimes**?
   Est-ce que** le repas est prêt**?

2. Quand on n'utilise pas l'expression *est-ce que* et que le sujet est un pronom, on place le pronom après le verbe et on met un point d'interrogation à la fin.

   *Vas - **tu** faire tes devoirs **?***

   *Connaissez - **vous** ce jeu **?***

3. Quand on n'utilise pas l'expression *est-ce que* et que le sujet est un groupe du nom, on ajoute après le verbe un pronom qui a la même personne et le même nombre que le nom, et on met un point d'interrogation à la fin.

Tes parents travaillent ***-ils*** *?* (*Tes parents* = *ils*)

Cette émission t'a ***-t-elle*** *plu* **?** (*Cette émission* = *elle*)

CHAPITRE 14

4. On emploie un **mot interrogatif** qu'on place au début de la phrase, on met le sujet après le verbe et on ajoute un point d'interrogation à la fin. Voici les principaux mots interrogatifs et des exemples de leur emploi.

Principaux mots interrogatifs	Exemples
quel / quelle / quels / quelles	***Quelle*** *carte veux-tu ?* ***Quels*** *amis voulez-vous inviter ?*
qui *que* *quoi* *lequel / laquelle / lesquels / lesquelles*	***Qui*** *as-tu invité ?* ***Que*** *veut-elle ?* *À* ***quoi*** *penses-tu ?* ***Laquelle*** *préfères-tu ?*
combien *comment* *où* *pourquoi* *quand*	***Combien*** *coûtent-elles ?* ***Comment*** *allez-vous ?* ***Où*** *sont-ils cachés ?* ***Pourquoi*** *rit-il ?* ***Quand*** *viendras-tu nous voir ?*

REM. 1. Le mot interrogatif peut être précédé d'une préposition (*à*, *de*, etc.) :

À quoi penses-tu ?

2. On peut aussi poser une question en utilisant une phrase déclarative suivie d'un point d'interrogation :

Tu as fini tes devoirs ?

Le point d'interrogation indique qu'il s'agit d'une question. C'est l'équivalent d'une intonation montante à l'oral.

B. Quelques emplois particuliers dans la phrase interrogative

1. Quand un pronom sujet suit le verbe, il doit se rattacher au verbe par un trait d'union.

   Avez-vous *déjà vu la mer ?*

2. Quand le verbe se termine par les lettres *e* ou *a* et que le pronom sujet est *il*, *elle* ou *on*, il faut insérer entre le verbe et le pronom la lettre *t* précédée et suivie d'un trait d'union.

   Trouve-t-il *ce qu'il cherche ?*
   Nagera-t-elle *encore chaque jour ?*

REM. Il faut éviter les formes incorrectes suivantes.

Formes incorrectes	Formes correctes
⦸ *C'est quoi que tu dis ?*	*Qu'est-ce que tu dis ?*
⦸ *Quand c'est que tu reviendras ?*	*Quand reviendras-tu ?*
⦸ *Vous sortez-tu ce soir ?*	*Sortez-vous ce soir ?*
⦸ *Tu veux-tu ?*	*Veux-tu ?*

4.3 La phrase exclamative

« Eh bien ! se dit Alice, après une pareille chute, je n'aurai plus peur de tomber dans l'escalier ! ***Comme on va me trouver courageuse, à la maison !*** *»*

Lewis Carroll, *Alice au pays des merveilles.*

La **phrase exclamative** sert à exprimer un sentiment ou un jugement. Elle se termine par un point d'exclamation (!) à l'écrit.

Une phrase exclamative est construite à partir d'une phrase déclarative. Compare ces couples de phrases.

Phrases déclaratives		Phrases exclamatives
Il fait beau .	→	***Comme** il fait beau !*
Vous avez de la chance .	→	***Quelle** chance vous avez !*
On est bien .	→	***Qu'** on est bien !*
Je suis distrait .	→	***Que** je suis distrait !*

Une phrase exclamative commence par un **mot exclamatif** et se termine par un point d'exclamation à l'écrit. Voici les principaux mots exclamatifs.

Principaux mots exclamatifs	Exemples
quel / quelle / quels / quelles	***Quels** progrès il a faits!*
comme	***Comme** tu as grandi!*
que / qu'	***Qu'**elle est drôle!*

REM. On peut aussi exprimer un sentiment ou un jugement avec une phrase déclarative suivie d'un point d'exclamation comme dans l'extrait de la page précédente :

« Eh bien ! se dit Alice, après une pareille chute, je n'aurai plus peur de tomber dans l'escalier ! »

4.4 La phrase impérative

Le petit tailleur passa une corde au cou de la bête et la ramena au roi.
– Donne-moi ce que tu m'as promis.
Mais une fois de plus, le roi ne voulut pas tenir sa promesse.

Jacob et Wilhelm Grimm, *Le vaillant petit tailleur.*

CHAPITRE 14

La **phrase impérative** sert à donner un ordre ou un conseil. Elle se termine par un point ou un point d'exclamation à l'écrit.

Une phrase impérative est construite à partir d'une phrase déclarative. Compare ces couples de phrases.

Phrases déclaratives		Phrases impératives
Nous restons ici .	→	***Restons** ici .*
Tu fais attention à toi .	→	***Fais** attention à toi !*
Vous partez demain.	→	***Partez** demain.*

Une phrase impérative a un verbe à l'impératif et n'a jamais de sujet.

REM. On peut aussi exprimer un ordre avec un verbe à l'infinitif:

***Remettre** les chaises en place à la fin du cours.*

5 La phrase de forme négative

***Au début du monde, il n'y avait pas de plantes, pas d'animaux.** La vie est apparue il y a environ trois milliards d'années.*

Des forêts et des arbres, Gallimard jeunesse.

La **phrase** de forme **négative** sert à nier un fait ou à exprimer une opinion négative. C'est le contraire d'une phrase de forme positive.

Pour construire une phrase négative, on ajoute des **mots de négation** à une phrase positive, qu'elle soit déclarative, interrogative ou impérative.

CHAPITRE 14

La phrase négative contient généralement deux mots de négation, dont *ne/n'* qui est avant le verbe. Observe les exemples suivants.

Phrase déclarative positive		Phrase déclarative négative
Kim gagnera le match .	→	*Kim* ***ne*** *gagnera* ***pas*** *le match .*
Phrase interrogative positive		Phrase interrogative négative
Es - tu de mon avis ?	→	***N'****es - tu* ***pas*** *de mon avis ?*
Phrase impérative positive		Phrase impérative négative
Viens ici .	→	***Ne*** *viens* ***pas*** *ici .*

Voici les principaux mots de négation.

Principaux mots de négation	Exemples
ne/n'... pas	*Je* ***n'****aime* ***pas*** *le poisson.*
ne/n'... plus	*Claude* ***ne*** *sort* ***plus*** *le soir.*
ne/n'... jamais *jamais ... ne/n'*	*Mes parents* ***n'****ont* ***jamais*** *fumé.* ***Jamais*** *il* ***ne*** *dira du mal de son copain.*
ne/n'... personne *personne ... ne/n'*	*Je* ***n'****ai vu* ***personne****.* *Que* ***personne ne*** *bouge!*
ne/n'... aucun *aucun ... ne/n'*	*L'inspecteur* ***n'****a* ***aucun*** *indice.* ***Aucun*** *vaccin* ***n'****a été découvert contre cette maladie.*
ni ... ni ... ne/n' *ne/n'... ni ... ni ...*	***Ni*** *Clara* ***ni*** *Stéphanie* ***ne*** *sont venues.* *Il* ***n'****a dit* ***ni*** *oui* ***ni*** *non.*

+ 6 Les phrases à construction particulière

Il existe des phrases qui ne sont pas construites comme celles que nous venons de voir, car elles ne contiennent pas les deux constituants obligatoires. Ce sont des **phrases à construction particulière**. Il s'agit quand même de phrases, car ce sont des suites de mots bien ordonnées qui forment un tout.

6.1 Les phrases infinitives

Il existe des phrases qui ont un verbe à l'infinitif et qui n'ont pas de sujet : ce sont des **phrases infinitives**.

Répondre *à toutes les questions.*
Colorier *en bleu le ciel, en vert le gazon et en rouge la maison.*

6.2 Les phrases nominales

Il existe des phrases qui sont formées seulement d'un groupe du nom. On les appelle des **phrases nominales** ou des phrases non verbales.

Bonnes vacances !
Baignade interdite.

6.3 Les phrases à présentatif

Il existe des phrases qui sont construites à partir d'expressions figées qu'on appelle des **présentatifs**.

Il y a *beaucoup de monde ce soir au parc.*
Voici *mon professeur de piano.*
C'est *enfin les vacances !*
Il était une fois *un roi devenu fou.*

Je fais attention aux difficultés suivantes.

CHAPITRE 14

A. L'emploi des mots de négation

Il faut toujours employer l'adverbe *ne / n'* dans une phrase négative écrite, même si, à l'oral, il est souvent absent.

Oral familier	Écrit
Elle viendra ***pas****.*	*Elle* ***ne*** *viendra* ***pas****.*
Parle ***pas*** *comme ça.*	***Ne*** *parle* ***pas*** *comme ça.*
Il y a ***plus*** *de billets.*	*Il* ***n'****y a* ***plus*** *de billets.*

B. Les formes négatives incorrectes

Il faut également éviter les formes incorrectes suivantes.

Formes incorrectes	Formes correctes
⃠ *Je* ***n'****ai* ***pas*** *vu* ***personne****.*	*Je* ***n'****ai vu* ***personne****.*
⃠ ***Pas personne*** *est venu.*	***Personne n'****est venu*

CHAPITRE 14

J'utilise mes connaissances pour réviser la construction et la ponctuation des phrases.

Voici le texte d'un élève de 4e année. L'orthographe a été corrigée, mais ce texte contient encore des erreurs dans la construction et la ponctuation des phrases.

Cher Jean-Denis,

Je vais te raconter ce qui m'est arrivé hier.
Je me lève mon père allume la radio
et j'entends que les cours sont suspendus
à cause du verglas. J'étais fou de joie.
Je m'attendais pas à cela j'étais surpris
de ce beau congé.
Je te souhaite de vivre la même chose.

Salut,
Charles

Pour corriger les phrases d'un texte, je procède ainsi.

CHAPITRE 14

1° Je vérifie si la phrase possède les deux constituants obligatoires, c'est-à-dire un sujet et un prédicat.

2° Je vérifie si la phrase commence par une lettre majuscule et se termine par un point.

- La première phrase est bien construite. Elle possède les deux constituants obligatoires.

  Je vais te raconter ce qui m'est arrivé hier .

  Sujet

  Prédicat

  Elle commence par une lettre majuscule et se termine par un point.

- La suite de mots *Je me lève mon père allume la radio* contient deux phrases et non une seule. Chacune possède les deux constituants obligatoires.

  Je me lève . Mon père allume la radio .

  On doit mettre un point entre les deux phrases et une lettre majuscule au début de la deuxième.

- La suite de mots *et j'entends que les cours sont suspendus à cause du verglas* contient les deux constituants obligatoires.

  et *j' entends que les cours sont suspendus à cause du verglas .*

  Cette phrase est rattachée à la précédente par *et*, ce qui est correct. Charles aurait pu aussi mettre un point à la place du *et* et un *J'* majuscule.

  J' entends que les cours sont suspendus à cause du verglas .

CHAPITRE 14

- La phrase *J'étais fou de joie.* est construite correctement, car elle possède les deux constituants obligatoires.

  J' étais fou de joie .

  Elle commence par une lettre majuscule et se termine par un point.

- La suite *Je m'attendais pas à cela j'étais surpris de ce beau congé* contient deux phrases et non une seule. Chacune possède les deux constituants obligatoires.

  Je m'attendais pas à cela . J' étais surpris de ce beau congé .

  On doit mettre un point entre les deux phrases et une lettre majuscule au début de la deuxième.

- La dernière phrase est bien formée, car elle possède les deux constituants obligatoires.

  Je te souhaite de vivre la même chose .

  Elle commence par une lettre majuscule et se termine par un point.

3° Si la phrase contient un mot de négation comme *pas, plus, jamais, personne, aucun,* je vérifie s'il y a aussi le mot de négation *ne*.

Je trouve une phrase négative qui contient le mot *pas*, mais il manque l'autre mot de négation *ne*. Je dois l'ajouter.

*Je **ne** m'attendais **pas** à cela.*

Voici le texte révisé.

Cher Jean-Denis,

Je vais te raconter ce qui m'est arrivé hier.
Je me lève. Mon père allume la radio
et j'entends que les cours sont suspendus
à cause du verglas. J'étais fou de joie.
Je ne m'attendais pas à cela. J'étais surpris
de ce beau congé.
Je te souhaite de vivre la même chose.

Salut,
Charles

CHAPITRE 15+

Les phrases subordonnées

Le texte qui suit contient des phrases dans lesquelles il y a des phrases subordonnées, qui sont surlignées.

Mon père voulait que je sois chevalier. J'ai suivi son conseil. Il n'y a pas de sot métier.

Après des années de travail au cours desquelles j'ai appris à revêtir mon armure, à monter à cheval et à chanter en faisant de beaux gestes, j'étais prêt à m'engager auprès du roi.

Un jour, tandis que je jouais du luth, je reçus un message. On m'appelait au château.

Devant la cour, j'ai récité un poème qui chantait le courage du roi. L'assemblée, et même la reine, ont applaudi. Ensuite, on m'a préparé pour le tournoi. Tout s'est très bien passé. Mais lorsque j'ai enlevé mon casque, mes cheveux que j'avais longuement coiffés étaient tout aplatis. Quelle honte!

1 Qu'est-ce qu'une phrase subordonnée ?

CHAPITRE +15

Une **phrase subordonnée** est une phrase qui est formée des deux constituants obligatoires, mais qui ne peut exister seule. Elle a besoin d'être insérée dans une autre phrase ou dans un groupe qu'elle complète. C'est parce qu'elle dépend de quelque chose d'autre qu'on dit qu'elle est subordonnée.

Voici trois phrases subordonnées tirées du texte :

que	*je*	*sois chevalier*
tandis que	*je*	*jouais du luth*
que	*j'*	*avais longuement coiffés*

Toutes ces phrases subordonnées contiennent les deux constituants obligatoires d'une phrase, mais elles ne peuvent pas être employées seules. Elles doivent être enchâssées, c'est-à-dire insérées dans une phrase ou dans un groupe.

Dans ces exemples, ce sont les conjonctions *que* et *tandis que* qui permettent d'enchâsser les phrases subordonnées. Ces conjonctions, qui sont placées au début de la subordonnée, jouent le rôle de **subordonnants**.

2 Les différentes sortes de phrases subordonnées

On distingue différentes sortes de subordonnées selon la fonction qu'elles remplissent dans la phrase où elles sont insérées.

2.1 La subordonnée relative

La **subordonnée relative** est appelée ainsi parce que son subordonnant est un pronom relatif (consulte le chapitre 10, à la page 94).

Elle remplit généralement la fonction de complément du nom et pourrait être remplacée par un autre complément du nom.

CHAPITRE 15+

complément du nom

*J' ai récité un poème **qui chantait le courage du roi** .*

Substitution *J' ai récité un poème **d'amour** .*

Substitution *J' ai récité un poème **farfelu** .*

La subordonnée relative *qui chantait le courage du roi* est complément du nom *poème*, et son subordonnant est le pronom relatif *qui*. Comme tout complément du nom, elle peut être effacée.

*J'ai récité un poème **qui chantait le courage du roi.***

Effacement *J'ai récité un poème.*

A. La subordonnée avec le pronom relatif *qui*

Le pronom relatif *qui* remplit toujours la fonction de sujet dans la subordonnée relative. Observe la phrase suivante.

*L'acteur **qui joue le héros** est un Italien.*

Cette phrase est la réunion de deux phrases :

1. ***L'acteur** est un Italien .*
2. ***L'acteur** joue le héros .*

Comme il y a deux fois le même nom (*acteur*), on peut remplacer le deuxième nom, qui est sujet, par le pronom relatif sujet *qui*. Cela donne la subordonnée relative ***qui** joue le héros*.

On insère la subordonnée relative dans la première phrase et on obtient *L'acteur* ***qui joue le héros*** *est un Italien*.

B. La subordonnée avec le pronom relatif *que*

Le pronom relatif *que* remplit la fonction de complément du verbe de la phrase subordonnée. Observe la phrase suivante.

L'acteur ***que je préfère*** *joue le second rôle.*

Cette phrase est la réunion de deux phrases :

1. *L'**acteur** joue le second rôle.*
2. *Je préfère cet **acteur**.*

Comme il y a deux fois le même nom (*acteur*), on peut remplacer le deuxième nom, qui est complément du verbe, par le pronom relatif *que*, qui est aussi complément du verbe. Cela donne la subordonnée relative ***que*** *je préfère.*

On insère la subordonnée relative dans la première phrase et on obtient *L'acteur* ***que je préfère*** *joue le second rôle.*

2.2 La subordonnée complétive

La **subordonnée complétive** est généralement complément du verbe (consulte le chapitre 11, à la page 110) et son subordonnant est la conjonction *que*.

Mon père voulait ***que je sois chevalier****.*

La subordonnée *que je sois chevalier* remplit la fonction de complément du verbe *voulait* et son subordonnant est *que*.

attention!

Le subordonnant *que* de la subordonnée complétive n'est pas le pronom relatif *que*, mais la conjonction *que*.

Pour savoir les distinguer, tu dois identifier la fonction de la subordonnée dans la phrase. Si elle est complément du verbe, c'est une subordonnée complétive et le *que* est une conjonction. Si elle est complément du nom, le mot *que* est un pronom relatif qui remplace un groupe du nom (consulte la section, 2.1 B, ci-dessus).

CHAPITRE 15+

2.3 La subordonnée complément de phrase

La subordonnée **complément de phrase** remplit la fonction de complément de phrase. Elle est facultative et mobile comme tout complément de phrase (consulte le chapitre 14, à la page 162).

Je reçus un message , ***tandis que je jouais du luth*** .

Effacement *Je reçus un message* .

Je reçus un message , ***tandis que je jouais du luth*** .

Déplacement ***Tandis que je jouais du luth*** , *je reçus un message* .

La subordonnée *tandis que je jouais du luth* commence par le subordonnant *tandis que*, qui indique le temps.

Voici les principaux subordonnants des subordonnées compléments de phrase.

Subordonnants	Exemples
Temps : *tandis que, lorsque, quand*	***Quand** il y aura de la neige, nous ferons de la luge.*
Cause : *comme, parce que / qu'*	*Il ne peut pas sortir **parce qu'**il est grippé.*
Comparaison ou manière : *comme*	*Je t'aime **comme** tu m'aimes.*
Opposition : *tandis que, alors que*	*J'aimerais avoir un chien **alors que** ma sœur voudrait un chat.*
Hypothèse : *si / s'*	***S'**il faisait beau, nous irions à la plage.*

Les genres de textes

CHAPITRE +16

 Qu'est-ce qu'un texte ?

L'écrit suivant est difficile à comprendre. Peux-tu dire ce qui ne va pas ?

Les volcans

Au centre de la Terre, la température est très élevée. La chaleur est très grande et les roches fondent. La Terre est composée de matières solides à sa surface et de matières en fusion au centre. La surface de la Terre est dure mais mince. Elle est fragile et se casse. Le magma qui sort par les volcans est très chaud. Les volcans sont des montagnes qui communiquent avec le centre de la Terre.

Même si chaque phrase est bien construite et bien orthographiée, l'écrit de la page 181 est difficile à comprendre, car les informations ne sont ni bien ordonnées ni rattachées les unes aux autres. Voici une version améliorée.

Les volcans

La Terre n'est pas une immense boule formée complètement de matières solides. Seule sa surface est dure et recouverte d'une croûte de pierre appelée l'« écorce terrestre ». Sous cette écorce relativement mince et fragile, la chaleur augmente à mesure qu'on s'enfonce vers le centre de la planète. La température devient tellement grande que les roches fondent et se transforment en magma. Ce magma très chaud fait pression sur l'écorce terrestre. Celle-ci ne peut résister à la pression. Elle se soulève, se casse et laisse s'échapper le magma. Les montagnes formées par l'explosion du magma provenant de l'intérieur de la Terre sont des volcans.

Cette seconde version est un véritable **texte**. Voici les principales caractéristiques d'un texte.

1. Un texte est un message écrit pour soi-même ou pour d'autres personnes : ce texte a été rédigé pour des jeunes qui veulent mieux connaître les phénomènes de la nature.
2. Un texte contient un ensemble de phrases qui sont liées les unes aux autres et qui forment un tout compréhensible : ce texte est rédigé de telle façon qu'il permet de comprendre l'origine des volcans.
3. Un texte a un début et une fin : la première phrase de ce texte met d'abord en garde le lecteur contre une idée fausse ; la dernière phrase sert de conclusion à l'explication.

CHAPITRE +16

2 Les différents genres de textes

Il existe plusieurs **genres** de textes : des affiches, des messages publicitaires, des articles de journaux, des cartes d'anniversaire, des comptes rendus de sciences, des contes, des dépliants touristiques, des lettres, des poèmes, des problèmes de mathématique, des recettes, des règles de jeu, des romans, etc.

Tous ces genres de textes peuvent être classés en six grandes catégories :

- les textes narratifs ;
- les textes poétiques ;
- les textes descriptifs ;
- les textes explicatifs ;
- les textes prescriptifs ;
- les textes argumentatifs.

2.1 Les textes narratifs : des textes qui racontent des histoires

Les **textes narratifs** sont des récits. Ils racontent des évènements vécus par un ou plusieurs personnages et contiennent souvent des dialogues.

A. Les récits de fiction

Les récits de fiction racontent des histoires imaginaires. Voici les principaux genres de récits de fiction :

- les bandes dessinées
- les contes
- les fables
- les légendes
- les mythes
- les pièces de théâtre
- les romans

CHAPITRE 16+

Le texte suivant est un conte.

L'histoire la plus courte du monde

Grand-mère Queue de Bison nous raconta un jour l'histoire de la grenouille et de la tortue.
— Parions, dit-elle, que c'est l'histoire la plus courte du monde.
Keha la tortue et Gnasko la grenouille étaient deux vieilles amies.
Un jour qu'elles discutaient, installées sur une pierre, un orage éclata et il se mit à pleuvoir. La tortue regarda le ciel d'un air préoccupé et dit :
— J'ai peur d'attraper froid si je reste sous la pluie !
— Tu as raison, dit la grenouille. Mieux vaut éviter de se faire mouiller. Viens vite !
Et elles plongèrent toutes les deux dans l'étang. Voilà, c'est tout...

Axel Scheffler et Lame Deer, dans *Le grand livre de contes de l'Unicef.*

CHAPITRE +16

B. Les récits de vie

Les récits de vie racontent des évènements qui sont réellement arrivés. Voici les principaux genres de récits de vie :

- les journaux intimes
- les biographies
- les récits d'expériences vécues
- les récits historiques

Le texte suivant est un bref récit d'expérience vécue.

Laura

L'autre jour, je ne voulais pas regarder le film d'horreur qui jouait à la télévision. Mais, en passant pour aller à la salle de bain, j'en ai vu des extraits. Dans la nuit, je me suis réveillée. J'entendais de petits bruits, croyant que c'étaient des pas de voleurs. Je voyais la lueur du foyer et j'imaginais que c'était une lampe de poche. J'entendais ma respiration et les battements de mon cœur. Je me suis cachée sous les couvertures en tremblant.

Vidéo-Presse.

2.2 Les textes poétiques : des textes qui exploitent les moyens de création de la langue

Parmi les **textes poétiques**, on trouve principalement les poèmes. Ils mettent au premier plan le rythme, la musique et les images qu'on peut créer avec les mots.

CHAPITRE 16+

Un poème est généralement disposé en lignes plus étroites et peut être rimé ou non. Il peut évoquer un être aimé ou détesté, une chose admirée ou redoutée, un monde ordinaire ou insolite. Il peut exprimer des sentiments comme l'amour, l'amitié, le plaisir, la solitude, la tristesse, la colère, la peur, la joie...

Voici deux poèmes.

LE LAC ENDORMI

Un sapin, la nuit,
Quand nul ne le voit,
Devient une barque
Sans rames ni bras.
On entend parfois
Quelque clapotis,
Et l'eau s'effarouche
Tout autour de lui.

Jules Supervielle, dans *L'eau en poésie*.

La fourmi

Une fourmi de dix-huit mètres
Avec un chapeau sur la tête,
Ça n'existe pas, ça n'existe pas.
Une fourmi traînant un char
Plein de pingouins et de canards,
Ça n'existe pas, ça n'existe pas.
Une fourmi parlant français,
Parlant latin et javanais,
Ça n'existe pas, ça n'existe pas.
Eh! pourquoi pas?

Robert Desnos, *Chantefables et Chantefleurs*.

2.3 Les textes descriptifs : des textes qui décrivent des êtres, des choses ou des actions

Un **texte descriptif** présente les caractéristiques d'un être, d'une chose ou d'une action. Par exemple, un texte décrivant un animal donnera des informations sur son physique, ses habitudes, son alimentation, son mode de reproduction. Un texte décrivant une chose traitera de sa forme, de ses parties, de son mode de fonctionnement, de son utilité.

Voici les principaux genres de textes descriptifs :

- les articles de dictionnaire
- les comptes rendus d'évènements sportifs ou politiques
- les fiches techniques de produits ou d'appareils
- les petites annonces dans les journaux

Le texte qui suit décrit un élément de la nature.

L'atmosphère

La plus légère des enveloppes matérielles de la planète constitue une couche gazeuse qui pèse malgré tout... 5 millions de milliards de tonnes. L'atmosphère concentre l'essentiel de sa masse dans les 10 premiers kilomètres de son épaisseur. C'est dans cette couche, composée essentiellement d'azote et d'oxygène, que se déplacent les masses d'air, plus ou moins froides et chargées de nuages, qui font la pluie ou le beau temps.

Mémo junior Larousse.

CHAPITRE 16+

Les récits contiennent souvent des descriptions qui présentent les personnages. Ces descriptions sont appelées des portraits.

> [Tommy l'Indien] était grand, droit; ses gestes étaient vifs, son visage agréable sans barbe, il avait toujours un chapeau de feutre sur ses cheveux noirs. Je me demandais quel âge il pouvait avoir, 18, 20 ans? Je ne le voyais pas souvent sourire, mais la plupart du temps son regard et son attitude décidée prouvaient qu'une force l'habitait qui faisait de lui un meneur [...].
>
> Cécile Gagnon, *C'est ici, mon pays.*

2.4 Les textes explicatifs : des textes qui expliquent les causes d'un phénomène

Les **textes explicatifs** font comprendre pourquoi les choses existent ou arrivent de telle façon. On les rencontre surtout dans les livres de sciences et de sciences humaines, les revues et les encyclopédies.

Le texte sur les volcans présenté au début de ce chapitre est un texte explicatif. En voici un autre.

Pourquoi ne voit-on pas les odeurs ?

RÉPONSE Les odeurs sont dues à des molécules qui flottent dans l'air. Ces dernières sont si petites qu'on ne les voit pas. Mais elles stimulent le nez, qui envoie un message au cerveau et nous fait sentir les choses.

Les enfants découvrent la science, Time-Life.

2.5 Les textes prescriptifs : des textes qui disent comment faire ou comment agir

Les **textes prescriptifs** indiquent comment il faut faire quelque chose ou comment il faut agir. Ils énumèrent très précisément les actions à exécuter. Ils sont souvent écrits à l'impératif ou à l'infinitif et peuvent être accompagnés d'illustrations ou de schémas.

Voici les principaux genres de textes prescriptifs :

- les recettes
- les notices de montage
- les modes d'emploi
- les règles de jeu
- les règlements

Le texte qui suit indique comment fabriquer un tambour.

Matériel

- 1 grosse boîte de conserve (de tomates ou de café), dessus et dessous enlevés
- Plastique autoadhésif (en rouleau)
- 1 ballon adapté au format de la boîte de conserve
- 1 élastique large
- Ruban adhésif de couleur
- Ciseaux
- 1 règle ou mètre à ruban
- 1 crayon

Mode de fabrication

1. Mesure la hauteur et la circonférence de la boîte, puis coupe une bande de plastique aux dimensions de la boîte.

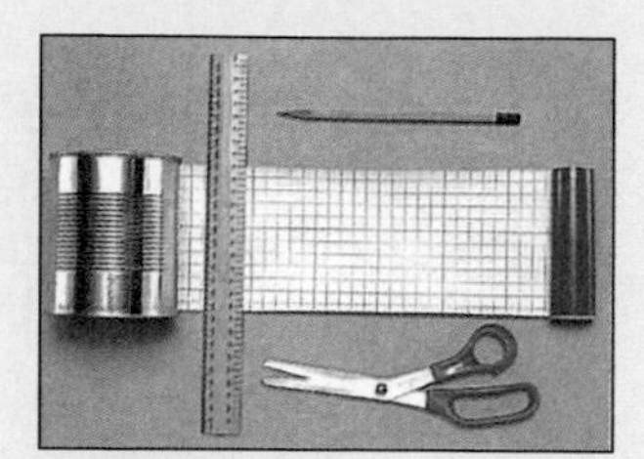

2. Enlève la pellicule protectrice du plastique, puis recouvre la boîte avec celui-ci.

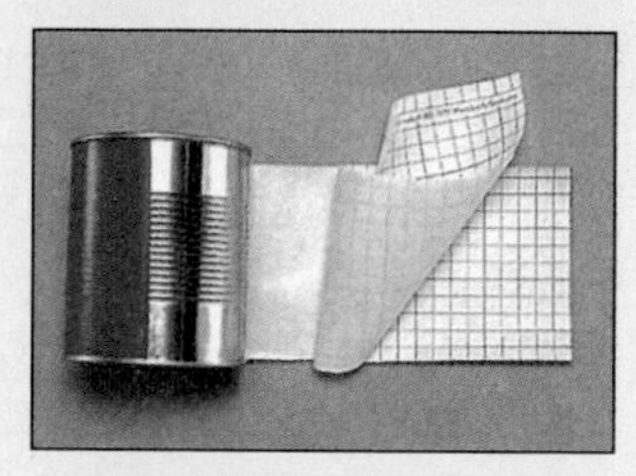

3. Coupe l'extrémité du ballon et étire le ballon sur une des ouvertures; fixe le bord du ballon avec l'élastique.

4. Pose du ruban adhésif par-dessus l'élastique et le bord du ballon pour bien les faire tenir.

2.6 Les textes argumentatifs : des textes qui cherchent à influencer le lecteur

Les **textes argumentatifs** cherchent à influencer le lecteur pour qu'il pense ou agisse d'une certaine façon. À l'aide d'arguments, ils font la promotion d'un produit, défendent ou combattent un projet, une idée, une opinion.

Voici les principaux genres de textes argumentatifs :

- les messages publicitaires
- les lettres d'opinion dans les journaux
- les critiques de livres, de films ou de spectacles
- les discours politiques

Dans le texte suivant, l'auteur incite le lecteur à accepter les personnes différentes. Pour lui, seule l'ouverture aux autres peut assurer la paix entre les humains.

Préface

N'ayez pas peur des autres.
La peur de l'homme, c'est l'ignorance de l'autre.
Drôle d'ignorance...
On nous l'enseigne depuis toujours.
« L'autre est différent! Méfiez-vous des différences de l'autre! Ces gens-là n'ont pas la même couleur, pas la même religion, pas les mêmes coutumes, pas les mêmes mœurs, pas les mêmes opinions, pas les mêmes goûts, pas la même sensibilité que nous... Ils sont différents! tellement différents! Pas du même pays, pas de la même région, pas de la même ville, pas du même quartier, pas de la même rue, pas du même immeuble, pas de la même famille... »
Cette volonté d'ignorance...
Qui nous bouche les yeux et le cœur...
Qui nous fait si peureux...
Si orgueilleux...
Si solitaires...
Et donc si dangereux les uns pour les autres.
Quelle misère!
Ouvrez vos yeux, vos oreilles, vos esprits, vos cœurs! Soyez curieux de l'autre! Grandissez avec cette curiosité! Car ce qui sauvera l'homme de l'homme, c'est la connaissance de l'homme!
Cet homme si différent, et si pareil à moi.

Pennac

Daniel Pennac, dans Anabel Kindersley,
Des enfants comme moi.

3 Les textes littéraires et les textes courants

Une autre façon de classer les textes est de distinguer les **textes littéraires** des **textes courants**. Les deux textes qui suivent portent sur le même sujet, mais le premier est un texte littéraire et le second est un texte courant.

Les loups

C'était un beau soir de tempête,
Tant de loups assemblés
étaient bons pour mon âme.
J'appelais par-delà la neige de la mort
des êtres bien-aimés
encore chauds de fourrure.
C'était un beau soir de tempête.
Les arbres criaient,
le ciel balayé ne pouvait les suivre.
Mon âme ouverte
ressemblait à la gueule du loup.
Je marchais avec la tempête,
très vite, par-delà mes horizons vivants
et je mordais comme les loups
la chair blessée des vieux chagrins.

Andrée Sodenkamp, *C'est au feu que je pardonne.*

LE LOUP *(WOLF)*

CANIS LUPUS
de la famille des CANIDÉS.
Longueur : de 140 à 190 cm

Depuis des siècles, il hante une foule de contes et de légendes où il n'a pas souvent le beau rôle. Assez semblable à un berger allemand ou à un chien husky, le loup est imposant avec sa grosse tête aux oreilles arrondies et bien droites, sa large poitrine, ses longues pattes et ses yeux pleins de mystère. Il pèse entre 22 et 50 kg. Le record enregistré est de 79 kg. Sa hauteur au garrot est de 65 à 90 cm. Il utilise sa longue queue touffue, terminée par un pinceau de poils noirs, comme moyen de communication : une queue relevée veut dire que l'animal domine dans la meute tandis qu'une queue entre les pattes signifie soumission au chef. Son magnifique pelage peut avoir différentes couleurs : dans les régions nordiques, il est blanc, la plupart du temps; plus au sud, sa robe peut être beige, brune, jaunâtre, le plus souvent gris cendré. [...]

Angèle Delaunois, *Les mammifères de chez nous.*

Voici un tableau qui compare les textes littéraires et les textes courants.

Textes littéraires	Textes courants
Exemples de genres de textes littéraires : • les chansons • les contes • les fables • les journaux intimes d'écrivains • les légendes • les pièces de théâtre • les poèmes • les romans, etc.	Exemples de genres de textes courants : • les articles de journaux • les articles d'encyclopédie • les cartes postales • les contrats • les dépliants touristiques • les lettres • les manuels scolaires • les recettes, etc.
Ils appartiennent au monde des arts. Les peintres créent avec des couleurs et des formes ; les écrivains, eux, créent avec les mots.	Ils répondent à des besoins pratiques de la communication : • transmettre de l'information, • exprimer une opinion, • donner des nouvelles à des proches, • conclure une entente, • échanger des marchandises, etc.
On leur accorde généralement une plus grande valeur qu'aux textes courants en raison de leur caractère artistique.	Ils ont une valeur avant tout utilitaire.

Textes littéraires	Textes courants
Ils sont le produit de l'imagination et renvoient le plus souvent à un monde fictif.	Ils font référence à la réalité.
Ils manifestent un souci d'invention et d'originalité en utilisant toutes les ressources de la langue.	Ils correspondent à un emploi plus ordinaire de la langue.

4 La division d'un texte en paragraphes

Un **paragraphe** correspond à une partie de texte qui porte sur une même idée. Il peut s'étendre sur quelques lignes seulement ou sur plusieurs. En poésie, un paragraphe s'appelle une strophe.

Il y a deux façons de marquer un paragraphe :

1. on laisse quelques espaces au début de la première ligne du bloc de texte (comme dans le premier exemple, à la page 196) ;
2. on sépare les blocs de texte par un blanc (comme dans le second exemple, à la page 197).

La division d'un texte en paragraphes dépend de son contenu, c'est-à-dire des idées qu'il développe.

Il est important de bien diviser un texte en paragraphes, car ceux-ci aident le lecteur à suivre en lui signalant le passage d'une partie à une autre.

Voici deux exemples différents.

Le début de légende qui suit est formé de trois paragraphes. Chacun d'entre eux sert à décrire une caractéristique du héros.

ALEXIS-LE-TROTTEUR

ALEXIS Lapointe n'était pas tellement beau. Mais la beauté, on le sait, est une chose relative, de sorte que, les lumières éteintes, Alexis n'était pas trop mal.

On ne pouvait pas dire non plus qu'il était très intelligent bien qu'il parlât beaucoup. C'était un véritable moulin à paroles mais qui donnait, somme toute, peu de farine.

Il y avait cependant une chose qui faisait d'Alexis Lapointe une personne admirable : c'était l'homme le plus rapide du monde. [...]

Charles Le Blanc, *Contes et légendes du Québec.*

Dans le texte documentaire de la page suivante, le premier paragraphe donne l'exemple du trampoline pour illustrer la force de la pesanteur. Les trois autres paragraphes présentent chacun un savant qui, dans l'histoire, a étudié ce phénomène ; chacun de ces paragraphes commence par un complément de phrase exprimant le temps. Le dernier paragraphe résume l'effet d'attraction créé par la pesanteur.

Gardons les pieds sur terre

Bien sûr, avec un trampoline, on peut monter plus haut que ceux qui se traînent au ras du sol, sans aucun ressort... mais cette supériorité est de courte durée. Une force invisible, mais bien réelle, nous ramène toujours sur le bon vieux plancher des vaches.

Au 17e siècle, l'astronome allemand Kepler avait déjà décrit avec précision les trajectoires des planètes en mouvement. C'est ainsi qu'il avait remarqué que la vitesse des corps célestes était en relation directe avec la distance par rapport au Soleil. Mais on ne comprenait toujours pas la cause de ces changements de vitesse.

À la même époque, l'Italien Galilée avait démontré que la gravité crée une accélération constante (de 9,81 mètres par seconde carrée): en lâchant deux boules de masses différentes du haut de la tour penchée de Pise, il avait constaté qu'elles arrivaient ensemble en bas!

Un peu plus tard, le physicien et astronome anglais Newton a eu le culot d'affirmer ce que personne ne s'était permis de dire avant lui: que la loi qui explique la chute d'un fruit est la même que celle qui fait tourner la Terre autour du Soleil. À l'époque, ça paraissait parfaitement inimaginable!

On pourrait dire que la pesanteur agit comme un aimant, bien que la comparaison ne soit pas parfaite. Les masses ont donc tendance à se rejoindre, avec une attirance d'autant plus forte qu'elles sont imposantes et proches l'une de l'autre.

Catherine de Lannoy, *La découverte de l'espace.*

Les paragraphes constituent les parties de l'ensemble organisé qu'est un texte.

Annexes

Voici les annexes contenues dans les pages qui suivent.

Tableau des sons et des graphies

Ce tableau présente les différents sons du français et les manières de les écrire, c'est-à-dire leurs graphies.

On lit le tableau en se guidant sur la colonne du centre, celle des graphies, qui suit l'ordre alphabétique. Les graphies les plus fréquentes sont en rouge.

À gauche de la colonne des graphies, on trouve les sons. Ils sont indiqués à l'aide de signes phonétiques mis entre crochets [ ].

À droite de la colonne des graphies, il y a des exemples de mots qui illustrent chaque graphie.

ANNEXE 1

Les voyelles		
Sons	**Graphies**	**Exemples**
[a]	***a***	*l**a**c*
	à	***à***
	ha	***ha**bit*
[ɑ]	*â*	*p**â**te*
	a	*p**a**sser*
[ɑ̃]	***an***	*div**an***
	am	*j**am**be*
	en	*g**en**til*
	em	*r**em**plir*
	han	***han**té*
[ə]	**e**	*l**e**çon*
[e]	**é**	***é**gal*
	er	*dans**er***
	ai	*j'aur**ai***
	ez	*ch**ez***
	hé	***hé**las*

Les consonnes		
Sons	**Graphies**	**Exemples**
[b]	***b***	*a**b**ri*
[k]	**c**	***c**afé*
	cc	*o**cc**upé*
	qu	***qu**and*
	k	***k**ilo*
	ch	***ch**orale*
[ʃ]	***ch***	*a**ch**at*
[d]	***d***	***d**on*
	dd	*a**dd**ition*
[f]	***f***	***f**ort*
	ff	*si**ff**ler*
	ph	***ph**rase*

→

(suite)

Les voyelles

Sons	Graphies	Exemples
[ɛ]	è	*sève*
	e	*espoir*
	ai	*j'aime*
	ei	*neige*
	ê	*crêpe*
	he	*herbe*
[ø]	eu	*jeu*
	œu	*voeu*
[œ]	eu	*seul*
	heu	*heure*
	œu	*œuf*
[i]	i	*fourmi*
	y	*cygne*
	ï	*haïr*
	hi	*hiver*
[ɛ̃]	in	*singe*
	im	*impoli*
	en	*chien*
	ain	*train*
	ein	*frein*
[o]	o	*rose*
	au	*autour*
	eau	*peau*
	hau	*hauteur*
	ô	*drôle*
[ɔ]	o	*note*
	au	*mauvais*
	ho	*homme*
[ɔ̃]	on	*carton*
	om	*pompier*
	hon	*honte*

Les consonnes

Sons	Graphies	Exemples
[g]	g	*globe*
	gu	*déguisé*
[ɲ]	gn	*saigner*
[ʒ]	j	*jeu*
	g	*agile*
	ge	*plongeon*
[l]	l	*lune*
	ll	*ballon*
[m]	m	*amour*
	mm	*commande*
[n]	n	*nature*
	nn	*personne*
[p]	p	*pouce*
	pp	*appeler*
[ʀ]	r	*rond*
	rr	*guerre*
	rh	*rhume*

Les voyelles

Sons	Graphies	Exemples
[u]	***ou***	*s**ou**pe*
	où	***où***
	oû	*g**oû**t*
[y]	***u***	*têt**u***
	û	*b**û**che*
	hu	***hu**mide*
[œ̃]	***un***	*l**un**di*
	um	*parf**um***

Les semi-voyelles

Sons	Graphies	Exemples
[j]	***i***	*p**i**ed*
	ll	*bi**ll**et*
	il	*trava**il***
	ill	*rou**ill**e*
	y	***y**ogourt*
[w]	***oi*** [wa]	***loi***
	oin [wɛ̃]	***soin***
	ou	***oui***
	w	*Hallo**w**een*
[ɥ]	***u***	***lui***
	hu	***hu**it*

Les consonnes

Sons	Graphies	Exemples
[s]	***s***	***s**el*
	ss	tou**ss**er
	c	***c**inéma*
	ç	*gar**ç**on*
	t	*inven**t**ion*
	x	*si**x***
[z]	***s***	*rai**s**on*
	z	***z**éro*
[t]	***t***	***t**rès*
	tt	*a**tt**ache*
	th	***th**é*
[v]	***v***	***v**ite*
[ks]	***x***	*ta**x**i*
	cc	*a**cc**ident*
	xc	*e**xc**ité*
[gz]	***x***	*e**x**amen*

ANNEXE 1

Tableaux des préfixes et des suffixes

Les principaux préfixes et leur sens

Préfixes	Sens	Exemples
aéro-	signifie « air »	***aéro****glisseur*: véhicule qui se déplace sur un coussin d'air ***aéro****port*: lieu aménagé pour le transport par air, par avion
anti-	signifie « contre »	***anti****gel*: produit qui empêche l'eau de geler ***anti****pollution*: contre la pollution
archi-	signifie « extrêmement, très »	***archi****faux*: totalement faux ***archi****plein*: très plein
auto-	signifie « soi-même »	***auto****collant*: qui se colle par lui-même ***auto****critique*: critique de ses propres actions
bi-	signifie « deux »	***bi****cyclette*: véhicule à pédales à deux roues ***bi****moteur*: avion à deux moteurs
centi-	indique la centième partie d'une unité de mesure	***centi****litre*: centième partie d'un litre (cent centilitres = un litre) ***centi****mètre*: centième partie d'un mètre (cent centimètres = un mètre)
co-	signifie « avec, ensemble »	***co****auteur*: personne qui a écrit un livre avec une autre ***co****habiter*: habiter avec quelqu'un
dé-, dés-	indique l'inverse de quelque chose	***dé****boucher*: enlever ce qui bouche ***dés****accord*: absence d'accord
déci-	indique la dixième partie d'une unité de mesure	***déci****gramme*: dixième partie d'un gramme (dix décigrammes = un gramme) ***déci****mètre*: dixième partie d'un mètre (dix décimètres = un mètre)
en-, em-	signifie « dans »	***en****terrer*: mettre dans la terre ***em****prisonner*: mettre en prison
ex-	signifie « en dehors de, à l'extérieur de » indique aussi ce qu'une personne a été	***ex****porter*: vendre des marchandises en dehors du pays, à l'étranger ***ex****-directeur*: ancien directeur

➞

Les principaux préfixes et leur sens

Préfixes	Sens	Exemples
extra-	signifie « en dehors de »	***extra****terrestre*: qui vient d'un monde en dehors de la Terre ***extra****ordinaire*: en dehors de l'ordinaire
hydr-, hydro-	signifie « eau »	***hydr****avion*: avion qui peut décoller et se poser sur l'eau ***hydro****électricité*: électricité produite par l'énergie de l'eau
hyper-	signifie « au-dessus de la normale, extrêmement »	***hyper****nerveux*: qui est extrêmement nerveux ***hyper****sensible*: qui est extrêmement sensible
in-, im-, il-, ir-	indique la négation, le contraire	***in****certain*: qui n'est pas certain ***im****précis*: qui n'est pas précis ***il****logique*: qui n'est pas logique ***ir****réel*: qui n'est pas réel
inter-	signifie « entre »	***inter****ligne*: espace entre deux lignes ***inter****national*: entre plusieurs nations
kilo-	signifie « mille » dans une unité de mesure	***kilo****gramme*: mille grammes ***kilo****mètre*: mille mètres
mal-	exprime le contraire, le défaut, le manque ou l'absence de quelque chose	***mal****honnête*: qui n'est pas honnête ***mal****chance*: manque de chance
mi-	signifie « à moitié, au milieu »	***mi-****juin*: au milieu de juin *à* ***mi-****chemin*: à la moitié du chemin
milli-	indique la millième partie d'une unité de mesure	***milli****gramme*: millième partie d'un gramme (mille milligrammes = un gramme) ***milli****mètre*: millième partie d'un mètre (mille millimètres = un mètre)
mini-	indique la petitesse	***mini****bus*: petit bus ***mini****jupe*: jupe très courte
mono-	signifie « un seul »	***mono****logue*: paroles dites par une seule personne ***mono****place*: qui a une seule place

→

(*suite*)

Les principaux préfixes et leur sens

Préfixes	Sens	Exemples
multi-	signifie « plusieurs »	***multi****colore* : qui présente plusieurs couleurs ***multi****millionnaire* : qui a plusieurs millions
poly-	signifie « plusieurs »	***poly****copie* : reproduction d'un document en plusieurs copies ***poly****gone* : figure géométrique ayant plusieurs côtés
pré-	signifie « d'avance »	***pré****dire* : annoncer à l'avance ***pré****fabriqué* : fabriqué d'avance
re-, ré-, r-	indique la répétition	***re****commencer* : commencer une nouvelle fois ***ré****élire* : élire une autre fois ***r****allumer* : allumer de nouveau
sous-	indique un niveau plus bas ou insuffisant	***sous****-titre* : titre qui vient après le titre principal ***sous****-alimenté* : insuffisamment alimenté
super-	indique une grande importance	***super****champion* : très grand champion ***super****intéressant* : très intéressant
sur-	signifie « trop, au-delà de »	***sur****chauffer* : trop chauffer ***sur****humain* : qui semble au-dessus des capacités humaines
télé-	signifie « à distance »	***télé****commande* : commande à distance ***télé****communication* : moyen de communication à distance
	signifie aussi « télévision »	***télé****spectateur* : spectateur de la télévision
tri-	signifie « trois »	***tri****angle* : figure géométrique à trois côtés ***tri****cycle* : vélo à trois roues
uni-	signifie « un seul »	***uni****jambiste* : qui a une seule jambe ***uni****lingue* : qui parle une seule langue

Les principaux suffixes et leur sens

Suffixes	Sens	Exemples
-able (dans des adjectifs)	signifie « qui peut être »	*aim**able***: qui peut être aimé *vend**able***: qui peut être vendu
-ade (dans des noms féminins)	indique une action ou le résultat d'une action	*promen**ade***: action de se promener *noy**ade***: le fait de se noyer
-age (dans des noms masculins)	indique une action ou le résultat d'une action indique aussi un état	*abatt**age***: action d'abattre *esclav**age***: état d'un esclave
-ain / -aine (dans des adjectifs et des noms masculins ou féminins)	signifie « de tel lieu »	*afric**ain***, *afric**aine***: d'Afrique *un Rom**ain**, une Rom**aine***: homme ou femme qui habite Rome
-ais / -aise (dans des adjectifs et des noms masculins ou féminins)	signifie « de tel lieu »	*montréal**ais***, *montréal**aise***: de Montréal *un Portug**ais**, une Portug**aise***: citoyen ou citoyenne du Portugal
-al / -ale ***-ial / -iale*** (dans des adjectifs)	signifie « qui a rapport à »	*music**al***: qui a rapport à la musique *commerc**ial***: qui a rapport au commerce
-ance (dans des noms féminins)	indique une action ou le résultat d'une action indique aussi une qualité ou un défaut	*souffr**ance***: action de souffrir *élég**ance***: qualité d'une personne élégante
-ant / -ante (dans des adjectifs et des noms masculins ou féminins)	signifie « qui fait quelque chose »	*brill**ant***: qui brille *un particip**ant**, une particip**ante***: homme ou femme qui participe à quelque chose
-ée (dans des noms féminins)	indique une action ou un fait indique aussi une quantité contenue dans quelque chose	*travers**ée***: action de traverser *assiett**ée***: quantité contenue dans une assiette
-el / -elle ***-iel / -ielle*** (surtout dans des adjectifs)	signifie « qui a rapport à »	*passionn**el***: qui a rapport aux passions *président**iel***: qui a rapport au président, à la présidente

➔

(*suite*)

Les principaux suffixes et leur sens

Suffixes	Sens	Exemples
-ence (dans des noms féminins)	indique une qualité ou un défaut	*évid**ence***: ce qui semble évident *néglig**ence***: défaut de quelqu'un de négligent
-ent*/*-ente (dans des adjectifs et des noms masculins ou féminins)	indique une qualité ou un défaut signifie aussi « qui fait ou peut faire quelque chose »	*différ**ent***: qui présente une différence *un concurr**ent**, une concurr**ente***: homme ou femme entrant en concurrence avec d'autres personnes
-er*/*-ère ***-ier*/*-ière*** (dans des adjectifs et des noms masculins ou féminins)	indique une qualité ou un défaut indique aussi le nom d'une personne exerçant un métier, une profession	*mensong**er***: qui tient du mensonge, faux *un poissonn**ier**, une poissonn**ière***: homme ou femme qui vend du poisson
-erie (dans des noms féminins)	indique une action, une qualité ou un défaut indique aussi un lieu de fabrication, un commerce	*bizarr**erie***: ce qui semble bizarre *chocolat**erie***: fabrique de chocolat
-esse (dans des noms féminins)	indique une qualité ou un défaut	*gentill**esse***: qualité d'une personne gentille *rud**esse***: défaut de quelqu'un ou de quelque chose de rude
-et*/*-ette (surtout dans des noms masculins ou féminins)	signifie « petit, un peu »	*bâtonn**et***: objet en forme de petit bâton *camionn**ette***: petit camion
-eur (dans des noms féminins)	indique une qualité ou un défaut, une caractéristique	*douc**eur***: qualité d'un être doux ou d'une chose douce *pâl**eur***: aspect de ce qui est pâle
-eur*/*-euse (dans des adjectifs et des noms masculins ou féminins)	signifie « qui fait telle action »	*tromp**eur***: qui trompe *un nag**eur**, une nag**euse***: homme ou femme qui nage

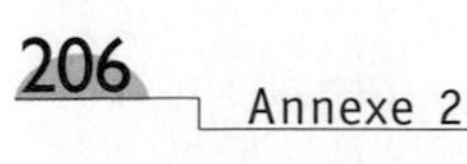

Les principaux suffixes et leur sens

Suffixes	Sens	Exemples
-eux/-euse ***-ieux/-ieuse*** (dans des adjectifs et des noms masculins ou féminins)	indique une qualité ou un défaut, une caractéristique	*un paresse**ux**, une paresse**use***: homme ou femme qui montre de la paresse *mystér**ieux***: qui tient du mystère
-ible (dans des adjectifs)	signifie « qui peut être »	*divis**ible***: qui peut être divisé *compréhens**ible***: qui peut être compris
-ie (dans des noms féminins)	indique une qualité ou un défaut indique aussi un art ou une science	*idiot**ie***: défaut d'une personne idiote, chose idiote *géograph**ie***: science qui étudie la surface de la Terre, son relief, ses habitants, etc.
-ien/-ienne (dans des adjectifs et des noms masculins ou féminins)	signifie « de tel lieu » indique aussi le nom d'une personne exerçant un métier, une profession	*paris**ien**, paris**ienne***: de Paris *un informatic**ien**, une informatic**ienne***: homme ou femme spécialiste de l'informatique
-ier (dans des noms masculins)	indique le nom d'un arbre, d'une plante	*pomm**ier***: arbre dont le fruit est la pomme *frais**ier***: plante qui produit les fraises
-if/-ive (dans des adjectifs et des noms masculins ou féminins)	signifie « qui fait ou qui peut faire telle action » indique aussi une qualité ou un défaut	*un explos**if***: produit qui peut exploser *une étudiante attent**ive***: une étudiante qui montre de l'attention
-ique (dans des adjectifs et des noms féminins)	signifie « qui a rapport à » indique aussi le nom d'une science	*volcan**ique***: qui a rapport aux volcans *astronaut**ique***: science de la navigation dans l'espace
-ise (dans des noms féminins)	indique une qualité ou un défaut	*franch**ise***: qualité d'une personne franche *gourmand**ise***: défaut de quelqu'un de gourmand
-isme (dans des noms masculins)	indique un phénomène social ou culturel	*catholic**isme***: religion catholique *fémin**isme***: mouvement visant à améliorer la condition des femmes dans la société

→

(*suite*)

Les principaux suffixes et leur sens		
Suffixes	**Sens**	**Exemples**
-iste (dans des adjectifs et des noms masculins ou féminins)	signifie « partisan de » indique aussi le nom d'une personne exerçant un métier, une profession, un art	*indépendant**iste***: qui défend l'indépendance politique de son pays *harp**iste***: personne qui joue de la harpe
-ment (dans des noms masculins)	indique une action ou le résultat d'une action	*change**ment***: action de changer *tremble**ment***: action de trembler
-oir, -oire (dans des adjectifs et des noms masculins ou féminins)	signifie « qui fait ou qui sert à faire quelque chose » indique aussi un instrument, un objet servant à faire quelque chose	*éliminat**oire***: qui sert à éliminer *un arros**oir***: instrument servant à arroser *une bouill**oire***: récipient servant à faire bouillir de l'eau
-ois/-oise (dans des adjectifs et des noms masculins ou féminins)	signifie « de tel lieu »	*québéc**ois**, québéc**ois**e*: du Québec *un Suéd**ois**, une Suéd**oise***: citoyen ou citoyenne de Suède
-té, -ité (dans des noms féminins)	indique une qualité ou un défaut, une caractéristique	*beau**té***: qualité de quelqu'un ou de quelque chose de beau *égal**ité***: état de ce qui est égal
-teur/-trice ***-ateur/-atrice*** ***-iteur/-itrice*** (dans des adjectifs et des noms masculins ou féminins)	signifie « qui fait telle action »	*distribu**teur***: qui distribue *un éduc**ateur**, une éduc**atrice***: homme ou femme qui s'occupe de l'éducation *un compos**iteur**, une compos**itrice***: homme ou femme qui compose de la musique
-tion, -ation, -ition (dans des noms féminins)	indique une action ou le résultat d'une action	*évolu**tion***: action d'évoluer *amélior**ation***: action d'améliorer *expos**ition***: action d'exposer

La formation du féminin et du pluriel des noms à l'écrit

1 La formation d'un nom féminin à partir d'un nom masculin

ANNEXE 3

A. Règle générale : Pour former un nom féminin, on ajoute un *-e* au nom masculin.

Sans changement de prononciation :	Avec changement de prononciation :
*un ami → une ami**e***	*un client → une client**e***
*André → André**e***	*un cousin → une cousin**e***
*un ennemi → une ennemi**e***	*un marchand → une marchand**e***
	*un Québécois → une Québécois**e***

B. Principaux cas particuliers de formation d'un nom féminin

1. Quand un nom masculin est terminé par la lettre *e*, il n'y a aucun changement pour le nom féminin.

Sans changement de prononciation :

*un arbitr**e** → une arbitr**e***	*un jeun**e** → une jeun**e***
*un artist**e** → une artist**e***	*un locatair**e** → une locatair**e***
*un élèv**e** → une élèv**e***	*un Russ**e** → une Russ**e***

Exceptions : Pour certains noms terminés par la lettre ***e*** au masculin, on ajoute ***-sse*** au féminin, ce qui entraîne un changement de prononciation :

*un ân**e** → une âne**sse***	*un ogr**e** → une ogre**sse***
*un mair**e** → une maire**sse***	*un princ**e** → une prince**sse***
*un maîtr**e** → une maître**sse***	*un tigr**e** → une tigre**sse***

2. **Quand un nom masculin est terminé par *-an*, *-en*, *-on*, *-el*, *-at*, *-et* ou *-ot* :**
   - **on double la consonne finale ;**
   - **et on ajoute un *-e* pour former un nom féminin.**

Sans changement de prononciation :

-el → -elle : *un crimi**nel** → une crimi**nelle***

Avec changement de prononciation :

-an → -anne : *J**ean** → J**eanne***
*un pays**an** → une pays**anne***

-en → -enne : *un gardi**en** → une gardi**enne***
*un Itali**en** → une Itali**enne***

-on → -onne : *un li**on** → une li**onne***

-at → -atte : *un ch**at** → une ch**atte***

-et → -ette : *un cad**et** → une cad**ette***

-ot → -otte : *un s**ot** → une s**otte***

Exceptions : Pour certains noms, on ne double pas la consonne finale au féminin.

*un artis**an** → une artis**ane***
*un avoc**at** → une avoc**ate***
*un candid**at** → une candid**ate***
*un idi**ot** → une idi**ote***
*un r**at** → une r**ate***

3. **Quand un nom masculin est terminé par la lettre *f* ou *c* :**
   - **on remplace la consonne finale ;**
   - **et on ajoute un *-e* pour former un nom féminin.**

Avec changement de prononciation :

*un Jui**f** → une Jui**ve***
*un veu**f** → une veu**ve***

Sans changement de prononciation :

*Frédéri**c** → Frédéri**que***
*un Tur**c** → une Tur**que***

Exception :
*un Gre**c** → une Gre**cque***

4. **Quand un nom masculin est terminé par *-er*, *-eux*, *-eur* ou *-teur*, la terminaison change au féminin de la façon suivante.**

   Avec changement de prononciation :

-er → **-ère** :	*un berg**er** → une berg**ère*** *un infirmi**er** → une infirmi**ère***
-eux → **-euse** :	*un amour**eux** → une amour**euse***
-eur → **-euse** :	*un dans**eur** → une dans**euse*** *un jou**eur** → une jou**euse*** *un vend**eur** → une vend**euse***
-teur → **-teuse** :	*un con**teur** → une con**teuse*** *un visi**teur** → une visi**teuse***
-teur → **-trice** :	*un ac**teur** → une ac**trice*** *un direc**teur** → une direc**trice***

   Exceptions : Pour quelques noms terminés par ***-eur*** ou ***-teur*** au masculin, on ajoute ***-e*** au féminin, ce qui n'entraîne aucun changement de prononciation :

   *le meill**eur** → la meill**eure***
   *un min**eur** → une min**eure***
   *un profess**eur** → une profess**eure***
   *un au**teur** → une au**teure***
   *un doc**teur** → une doc**teure***

5. **Autres cas**

   Avec changement de prononciation :

   *un compagn**on** → une compag**ne***
   *un cop**ain** → une cop**ine***
   *un dind**on** → une dind**e***
   *le favori → la favori**te***
   *un hér**os** → une hér**oïne***
   *un jum**eau** → une jum**elle***
   *un lou**p** → une lou**ve***
   *un po**ète** → une po**étesse***
   *un servi**teur** → une serv**ante***
   *un vi**eux** → une vi**eille***

6. **Certains noms de personnes ou d'animaux sont totalement différents au masculin et au féminin. Voici les plus courants.**

Noms de personnes		**Noms d'animaux**	
un frère	*une sœur*	*un bélier*	*une brebis*
un garçon	*une fille*	*un bouc*	*une chèvre*
un homme	*une femme*	*un canard*	*une cane*
un mâle	*une femelle*	*un coq*	*une poule*
un neveu	*une nièce*	*un étalon*	*une jument*
un oncle	*une tante*	*un matou*	*une chatte*
un père	*une mère*	*un singe*	*une guenon*
un roi	*une reine*	*un taureau*	*une vache*
monsieur	*madame*	*un verrat*	*une truie*

ANNEXE 3

2 La formation d'un nom pluriel à partir d'un nom singulier

A. Règle générale : Pour former un nom pluriel, on ajoute un *-s* au nom singulier.

Sans changement de prononciation :

*une artisane → des artisane**s***
*un canard → des canard**s***
*un clou → des clou**s***
*un cœur → des cœur**s***
*un coq → des coq**s***
*une crainte → des crainte**s***
*une création → des création**s***
*un détail → des détail**s***
*un écrivain → des écrivain**s***
*un enfant → des enfant**s***
*une fille → des fille**s***
*un livre → des livre**s***
*une louve → des louve**s***
*un mur → des mur**s***
*une oie → des oie**s***
*une peur → des peur**s***
*une sœur → des sœur**s***
*un sou → des sou**s***
*un trottoir → des trottoir**s***
*un voyou → des voyou**s***

B. Cas particuliers de formation d'un nom pluriel

1. **Les noms terminés par *-au, -eau* ou *-eu* au singulier prennent un *-x* au pluriel.**

   Sans changement de prononciation :

   *un boy**au** → des boy**aux***
   *un tuy**au** → des tuy**aux***
   *un jum**eau** → des jum**eaux***
   *un mant**eau** → des mant**eaux***
   *un chev**eu** → des chev**eux***
   *un li**eu** → des li**eux***

   Exceptions : *un bl**eu** → des bl**eus***
   *un pn**eu** → des pn**eus***

2. **Sept noms terminés par *-ou* au singulier ne prennent pas un *-s* mais un *-x* au pluriel.**

   Sans changement de prononciation :

   *un bij**ou** → des bij**oux***
   *un caill**ou** → des caill**oux***
   *un ch**ou** → des ch**oux***
   *un gen**ou** → des gen**oux***
   *un hib**ou** → des hib**oux***
   *un jouj**ou** → des jouj**oux***
   *un p**ou** → des p**oux***

3. **Les noms terminés par *-s, -x* ou *-z* au singulier ne changent pas au pluriel.**

   Sans changement de prononciation :

   *un puit**s** → des puit**s***
   *un refu**s** → des refu**s***
   *une croi**x** → des croi**x***
   *un pri**x** → des pri**x***
   *un ne**z** → des ne**z***
   *un ga**z** → des ga**z***

4. **Quelques noms terminés par *-ail* au singulier se terminent par *-aux* au pluriel.**

   Avec changement de prononciation :

   *un b**ail** → des b**aux***
   *un cor**ail** → des cor**aux***
   *un ém**ail** → des ém**aux***
   *un trav**ail** → des trav**aux***
   *un vitr**ail** → des vitr**aux***

ANNEXE 3

5. **La plupart des noms terminés par *-al* au singulier se terminent par *-aux* au pluriel.**

Avec changement de prononciation :

*un anim**al** → des anim**aux***
*un boc**al** → des boc**aux***
*un can**al** → des can**aux***
*un chev**al** → des chev**aux***
*un hôpit**al** → des hôpit**aux***
*un journ**al** → des journ**aux***
*un m**al** → des m**aux***
*un riv**al** → des riv**aux***

Exceptions : Pour certains noms terminés par ***-al*** au singulier, on ajoute un ***-s*** au pluriel, ce qui n'entraîne aucun changement de prononciation :

*un b**al** → des b**als***
*un carnav**al** → des carnav**als***
*un chac**al** → des chac**als***
*un festiv**al** → des festiv**als***
*un récit**al** → des récit**als***
*un rég**al** → des rég**als***

6. **Pluriels irréguliers**

Avec changement de prononciation :

*un bonhomme → des **bonshommes***
*madame → **mesdames***
*mademoiselle → **mesdemoiselles***
*monsieur → **messieurs***
*un aïeul → des **aïeux***
*un ciel → des **cieux***
*un œil → des **yeux***

attention!

Dans les deux mots suivants, la prononciation change au pluriel. La consonne [f] ne s'entend plus : *un bœuf / des **bœufs*** [bø] et *un œuf / des **œufs*** [ø].

La formation du féminin et du pluriel des adjectifs à l'écrit

ANNEXE 4

1 La formation d'un adjectif féminin à partir d'un adjectif masculin

A. Règle générale : Pour former un adjectif féminin, on ajoute un *-e* à l'adjectif masculin.

Sans changement de prononciation :

*amical → une relation amical***e**
*bleu → une auto bleu***e**
*joli → une joli***e** *figure*
*municipal → une piscine municipal***e**
*têtu → une mule têtu***e**
*usé → une planche usé***e**

Avec changement de prononciation :

*compris → une idée compris***e**
*grand → une grand***e** *amie*
*lointain → une terre lointain***e**
*ouvert → une fenêtre ouvert***e**
*petit → une petit***e** *collation*
*chinois → une ville chinois***e**

B. Principaux cas particuliers de formation d'un adjectif féminin

1. **Quand un adjectif masculin est terminé par la lettre *e*, il n'y a aucun changement pour l'adjectif féminin.**

   Sans changement de prononciation :

   *calm***e** *→ une eau calm***e**
   *drôl***e** *→ une histoire drôl***e**
   *jeun***e** *→ une jeun***e** *chatte*
   *pauvr***e** *→ une région pauvr***e**
   *scolair***e** *→ l'année scolair***e**
   *troisièm***e** *→ la troisièm***e** *rangée*

2. **Quand un adjectif masculin est terminé par la consonne *l*, *n*, *t* ou *s*:**
   - **on double la consonne finale;**
   - **et on ajoute un *-e* pour former un adjectif féminin.**

Sans changement de prononciation:

-el* → *-elle*:** *crimin**el** → une action crimin**elle
*cru**el** → une personne cru**elle***
*natur**el** → une boisson natur**elle***

-eil* → *-eille*:** *par**eil** → une voiture par**eille
*verm**eil** → une teinte verm**eille***

-ul* → *-ulle*:** *n**ul** → une partie n**ulle

Avec changement de prononciation:

***-il* → *-ille*:** *gent**il** → une gent**ille** dame*

-en* → *-enne*:** *anci**en** → une histoire anci**enne
*canadi**en** → une ville canadi**enne***
*europé**en** → une ville europé**enne***

***-on* → *-onne*:** ***bon** → une **bonne** soupe*
*mign**on** → une cousine mign**onne***

-et* → *-ette*:** *cad**et** → une sœur cad**ette
*coqu**et** → une fille coqu**ette***

Exceptions:

1. Sans changement de prononciation:

   ***net** → **nette**.*

2. Pour quelques adjectifs, la terminaison en ***-et*** change en ***-ète***:

*compl**et** → compl**ète***	*discr**et** → discr**ète***
*incompl**et** → incompl**ète***	*indiscr**et** → indiscr**ète***
*concr**et** → concr**ète***	*inqui**et** → inqui**ète***
	*secr**et** → secr**ète***

-ot → -otte: *s**o**t → une blague s**otte***
*vieill**ot** → une coutume vieill**otte***

Exception :

*idi**ot** → une réponse idi**ote***

-s → -sse: *ba**s** → une table ba**sse***
*épai**s** → une tranche épai**sse***
*gro**s** → une gro**sse** auto*

3. **Quand un adjectif masculin est terminé par l'une des terminaisons suivantes, la terminaison change au féminin.**

Avec changement de prononciation :

-er → -ère: *étrang**er** → une langue étrang**ère***
*lég**er** → une soie lég**ère***
*derni**er** → la derni**ère** année*

-eur → -euse: *moqu**eur** → une voix moqu**euse***

Exceptions : Pour quelques adjectifs terminés par ***-eur*** au masculin, on ajoute ***-e*** au féminin.

Sans changement de prononciation :

*extéri**eur** → une partie extéri**eure***
*inféri**eur** → une rangée inféri**eure***
*intéri**eur** → une cour intéri**eure***
*meill**eur** → une meill**eure** note*
*min**eur** → une affaire min**eure***
*supéri**eur** → une qualité supéri**eure***

-eux → -euse: *curi**eux** → une personne curi**euse***
*joy**eux** → une chanson joy**euse***
*merveill**eux** → une histoire merveill**euse***

-teur → -teuse: *promet**teur** → une affaire promet**teuse***
*men**teur** → une enfant men**teuse***

-teur → -trice: *créa**teur** → une imagination créa**trice***
*protec**teur** → une couche protec**trice***

ANNEXE 4

-c → -che:	*blan**c** → la neige blan**che***
	*fran**c** → une élève fran**che***
-f → -ve:	*crainti**f** → une personne crainti**ve***
	*neu**f** → une robe neu**ve***
	*vi**f** → une couleur vi**ve***
-x → -sse:	*fau**x** → une fau**sse** adresse*
	*rou**x** → une chevelure rou**sse***
→ -se:	*jalou**x** → une camarade jalou**se***
→ -ce:	*dou**x** → une chienne dou**ce***
-in → -igne:	*bén**in** → une maladie bén**igne***
	*mal**in** → une tumeur mal**igne***

ANNEXE 4

4. **Autres cas**

Avec changement de prononciation:

*frais → une laitue fra**îche***
*long → une chaise lon**gue***
*beau → une **belle** fille*
*favori → une actrice favori**te***
*jumeau → la sœur jum**elle***
*nouveau → la nouv**elle** année*

*bref → une br**ève** promenade*
*sec → une peau s**èche***
*rigolo → une chanson rigolo**te***
*vieux → la **vieille** maison*
*fou → une **folle** dépense*
*mou → une balle m**olle***

REM. Les adjectifs *beau, fou, nouveau* et *vieux* font *bel, fol, nouvel* et *vieil* devant un nom masculin commençant par une voyelle ou un *h* muet:

un bel enfant
un fol amour
le nouvel an
le vieil homme

Sans changement de prononciation:

*aigu → une note ai**guë***
*publi**c** → une piscine publi**que***
*tur**c** → la langue tur**que***
*gre**c** → une salade gre**cque***

2 La formation d'un adjectif pluriel à partir d'un adjectif singulier

A. Règle générale : Pour former un adjectif pluriel, on ajoute un *-s* à l'adjectif singulier.

Sans changement de prononciation :

*une nappe bleue → des nappes bleue***s**
*un bon fromage → de bon***s** *fromages*
*un chien fou → des chiens fou***s**
*une jolie fleur → de jolie***s** *fleurs*
*une revue médicale → des revues médicale***s**
*un melon mou → des melons mou***s**
*un peintre naïf → des peintres naïf***s**
*un ours polaire → des ours polaire***s**
*un globe terrestre → des globes terrestre***s**

B. Cas particuliers de formation d'un adjectif pluriel

1. Les adjectifs terminés par la lettre *s* ou *x* au singulier ne changent pas au pluriel.

Sans changement de prononciation :

*épai***s** *→ des livres épai***s**
*frai***s** *→ des fruits frai***s**
*gri***s** *→ des rats gri***s**
*préci***s** *→ des signes préci***s**

*ambitieu***x** *→ des projets ambitieu***x**
*fau***x** *→ des fau***x** *papiers*
*peureu***x** *→ des gens peureu***x**
*rou***x** *→ des cheveux rou***x**

2. Les adjectifs terminés par *-eau* au singulier prennent un *-x* au pluriel.

Sans changement de prononciation :

*beau → de beau***x** *jouets*
*jumeau → des frères jumeau***x**

*nouveau → des jours nouveau***x**

REM. Deux adjectifs terminés par *-u* au singulier prennent un *-x* au pluriel :

*hébreu → des chants hébreu***x**
*esquimau → des sculpteurs esquimau***x**

3. **La plupart des adjectifs terminés par *-al* au singulier se terminent par *-aux* au pluriel.**

Avec changement de prononciation :

*géni**al** → des projets géni**aux***
*loc**al** → des centres loc**aux***
*médic**al** → des centres médic**aux***
*nation**al** → des parcs nation**aux***
*norm**al** → des gens norm**aux***
*origin**al** → des dessins origin**aux***

Exceptions : Pour certains adjectifs terminés par ***-al*** au singulier, on ajoute ***-s*** au pluriel.

Sans changement de prononciation :

*ban**al** → des dessins ban**als***
*fat**al** → des accidents fat**als***
*nat**al** → des villages nat**als***
*nav**al** → des combats nav**als***

Les trois adjectifs suivants ont deux formes au pluriel :

*idé**al** → des exercices idé**als*** (ou *idé**aux***)
*fin**al** → des concours fin**als*** (ou *fin**aux***)
*glaci**al** → des vents glaci**als*** (ou *glaci**aux***)

Les homophones courants

1. *a/à*

***À** l'aéroport, ma mère se rend compte qu'elle **a** oublié son billet d'avion. Catastrophe ! Elle cherche **à** gauche, elle cherche **à** droite. Elle **a** chaud, elle **a** froid dans le dos. Enfin, elle l'**a** trouvé, et tout s'est arrangé. Son beau voyage **à** Rome **a** bien failli tomber **à** l'eau.*

ANNEXE
5

- ***a***: verbe ou auxiliaire *avoir* conjugué à la troisième personne du singulier du présent. Il peut être remplacé par *avait*, qui est le verbe *avoir* à l'imparfait :

  *Elle **a** (avait) oublié.* (verbe *oublier* au passé composé)
  *Elle **a** (avait) chaud.* (verbe *avoir chaud* au présent)
  *Elle **a** (avait) froid.* (verbe *avoir froid* au présent)
  *Elle l'**a** (avait) trouvé.* (verbe *trouver* au passé composé)
  *Son voyage **a** (avait) failli tomber à l'eau.* (verbe *faillir* au passé composé)

  Comme tous les verbes, le verbe *avoir* peut être employé avec *ne...pas* :

  *Elle **a** chaud.*
  Ajout *Elle **n'a pas** chaud.*

- ***à***: mot invariable, appelé **préposition**, qui peut exprimer un lieu :

  ***à** l'aéroport, **à** gauche, **à** droite, **à** Rome, **à** l'eau.*

  Il peut aussi exprimer d'autres sens, comme le temps : ***à** cinq heures.*

2. *ça/sa*

*« **Ça** me brûle ! **Ça** me pique ! **Ça** me démange ! » se lamente Marie en gesticulant.*
***Sa** mère essaie de comprendre : « Qu'est-ce qui te démange, ma chérie ? »*
*Mais Marie reprend : « **Ça** me démange ! **Ça** me démange ! »*
***Sa** sœur l'interroge à son tour : rien. La voisine accourt et découvre la terrible maladie de Marie : **sa** camisole neuve lui irrite la peau !*

ANNEXE
5

- ***ça*** : pronom démonstratif employé avant ou après un verbe. Il peut souvent être remplacé par *cela* :

  ***Ça** (cela) m'est égal.*
  *J'aime beaucoup **ça** (cela).*

- ***sa*** : déterminant possessif qui introduit un nom féminin singulier. Ce nom est en relation avec un autre nom singulier :

  Nom (f. s.)
  ***sa** mère* (la mère de Marie)

  Nom (f. s.)
  ***sa** sœur* (la sœur de Marie)

  Nom (f. s.)
  ***sa** camisole* (la camisole de Marie)

3. *ce/se*

> *« Il **se** passe quelque chose de louche dans **ce** groupe d'élèves », **se** disait le vieux professeur. « **Ce** n'est pas normal, ils sont trop silencieux, trop sages. **Ce** soir, je vais leur préparer quelque chose qui va les surprendre. »*

- ***ce*** : déterminant démonstratif qui introduit un nom masculin singulier :

  Nom (m. s.)
  ***ce** groupe d'élèves*

  Nom (m. s.)
  ***ce** soir*

- ***ce*** : pronom démonstratif employé devant le verbe *être*. Il peut souvent être remplacé par *cela* :

  ***Ce** (cela) n'est pas normal.*

- ***se***: pronom personnel qui sert à former un verbe pronominal (c'est-à-dire un verbe qui s'emploie avec un pronom de la même personne que le sujet : *je me lave, tu te regardes, il se lève*).
  Le pronom *se* est placé devant le verbe, et il n'est jamais sujet :

  *Il **se** passe quelque chose.*
  *Le vieux professeur **se** disait quelque chose.*

4. *ces/ses*
+ *c'est/s'est*

> *Éric a eu un accident de vélo, et il **s'est** cassé une jambe. Avec tous **ces** trous dans la rue, les pires accidents peuvent arriver ! **C'est** dur pour lui, parce qu'il devra passer l'été avec une jambe dans le plâtre. Heureusement que **ses** copains l'aident à se déplacer avec **ses** béquilles !*

- ***ces*** : déterminant démonstratif qui introduit un nom féminin ou masculin pluriel :

  Nom (m. pl.)

  ces *trous* (ces trous-là)

- ***ses*** : déterminant possessif qui introduit un nom féminin ou masculin pluriel. Ce nom est en relation avec un autre nom singulier :

  Nom (m. pl.)

  ses *copains* (les copains d'Éric)

  Nom (f. pl.)

  ses *béquilles* (les béquilles d'Éric)

ANNEXE 5

- ***c'est*** : pronom démonstratif *ce* (qu'on peut remplacer par *cela*) suivi du verbe *être* à la 3e personne du singulier (*est*) :

  C'est *dur.* (*Cela est dur.*)

Si on met *c'est* à la forme négative, on place le *n'* avant le *est* :

C'est *dur.*

Ajout *Ce* ***n'****est* ***pas*** *dur.*

- ***s'est*** : pronom personnel *se* suivi de l'auxiliaire *être* à la 3e personne du singulier (*est*). Le pronom et l'auxiliaire servent à former un verbe pronominal au passé composé. On peut mettre le verbe au présent pour voir si c'est un verbe pronominal :

  Il ***s'est cassé*** *la jambe.*

Substitution *Il* ***se casse*** *la jambe.*

Si on met *s'est* à la forme négative, on place le *ne* avant *s'est*:

Il ***s'est*** *cassé la jambe.*

Ajout *Il* ***ne*** *s'est* ***pas*** *cassé la jambe.*

5. *leur/leurs*

L'équipe des Ailes-de-feu mène trois à deux contre les Boules-de-neige. Encore une minute de jeu et la victoire ***leur*** *appartient!* ***Leur*** *première victoire de la saison! Mais voilà qu'un joueur des Boules-de-neige* ***leur*** *prend le ballon, déjoue* ***leurs*** *défenseurs et monte au but. Les spectateurs sont debout, ils hurlent, ils encouragent* ***leur*** *équipe préférée. Un but! Puis un autre!*

- ***leur/leurs***: déterminant possessif *leur*, au singulier, et déterminant possessif *leurs*, au pluriel. Ils introduisent un nom masculin ou féminin. Ce nom est en relation avec un autre nom pluriel:

  Nom (f. s.)

  leur *première victoire* (la victoire des Ailes-de-feu)

  Nom (m. pl.)

  leurs *défenseurs* (les défenseurs des Ailes-de-feu)

  Nom (f. s.)

  leur *équipe préférée* (l'équipe préférée des spectateurs)

- ***leur***: pronom personnel de la 3e personne du pluriel, qui ne se termine jamais par un *-s*. Il est toujours placé devant un verbe:

  La victoire ***leur*** *appartient.*
  Un joueur ***leur*** *prend le ballon.*

6. *mes/mais*

Mes *parents préfèrent écouter leur musique.*
Mais *parfois ils écoutent la mienne.*
Mes *sœurs adorent le jazz.*
Mais *moi, Amélie, je préfère le rap.*

- ***mes*** : déterminant possessif qui introduit un nom masculin ou féminin pluriel. Ce nom est en relation avec un autre nom singulier :

  Nom (m. pl.)

  mes *parents* (les parents de *je*, qui désigne Amélie)

  Nom (f. pl.)

  mes *sœurs* (les sœurs de *je*, qui désigne Amélie)

- ***mais*** : marqueur de relation qui exprime une opposition :

  Nos parents préfèrent la musique classique, ***mais*** *mon frère et moi préférons le jazz.*
  J'aime les légumes crus, ***mais*** *je n'aime pas les légumes cuits.*

7. *on/ont*

On *connaît la chanson :*
Les Bretons ***ont*** *des chapeaux ronds, vive les Bretons !*
Les Québécois ***ont*** *des bonnets de soie, vive les Québécois !*
Dans les comptines,
pour distraire les enfants,
on *dit n'importe quoi.*

- ***on*** : pronom de la 3e personne du singulier qui se place devant un verbe. Il peut être remplacé par *tout le monde* :

  On *(tout le monde) connaît la chanson.*
  On *(tout le monde) dit n'importe quoi.*

- ***ont*** : verbe ou auxiliaire *avoir* conjugué à la 3e personne du pluriel du présent. Il peut être remplacé par *avaient*, qui est le verbe *avoir* à l'imparfait :

  Les Bretons ***ont*** *(avaient) des chapeaux ronds.*
  Les Québécois ***ont*** *(avaient) des bonnets de soie.*

+ 8. on/on n'

> ***On*** *a ce qu'****on*** *a.*
> ***On n'****a pas ce qu'****on n'****a pas.*
> *La vie, c'est comme ça.*
> ***On*** *est ce qu'****on*** *est.*
> ***On n'****est pas ce qu'****on n'****est pas.*
> *Qu'****on*** *aime ça ou qu'****on n'****aime pas ça.*
> *La vie, c'est aussi ça.*

ANNEXE 5

- ***on*** : pronom de la 3e personne du singulier qui se place devant un verbe :

  On *aime ce qu'****on*** *aime.*

attention!

C'est la liaison qui peut faire croire qu'il y a un *n*. Si on remplace *on* par *tout le monde*, le son [n] disparaît : *Tout le monde aime ça.*

- ***on n'*** : pronom *on*, de la 3e personne du singulier, suivi du mot de négation *n'* (*ne*) devant un verbe. Le *n'* est employé quand il y a, dans la phrase, un autre mot de négation, le plus souvent *pas* :

  Dans la vie, ***on n'a pas*** *tout.*
  On n'a pas *mangé.*

  Si on remplace *on* par *tout le monde*, le son [n] demeure :

  Tout le monde ***n'a*** *pas mangé.*

9. *ou/où*

***Où** vivent les grands troupeaux de rennes? En Russie **ou** en Laponie? Et **où** est-ce que c'est, la Laponie? Comment savoir? Mon frère le sait, lui. **Ou** je l'attends, **ou** je regarde dans l'encyclopédie.*

- ***ou***: marqueur de relation qui exprime un choix entre deux possibilités et qui a le sens de *ou bien*:

  *En Russie **ou** (ou bien) en Laponie?*
  ***Ou** (ou bien) je l'attends, **ou** (ou bien) je regarde dans l'encyclopédie.*

- ***où***: mot interrogatif ou pronom relatif qui exprime un lieu:

  ***Où** vivent les grands troupeaux de rennes?*
  *Les Lapons habitent une région **où** le froid est intense.*

ANNEXE 5

10. *son/sont*

*Avant de partir en expédition, Christian jette un dernier coup d'œil dans **son** coffre à pêche: les appâts, la ligne, les plombs **sont** là, entortillés comme dans un coffre au trésor. Il y a surtout **son** couteau de poche qui lui permet de sculpter, quand les poissons **sont** endormis.*

- ***son***: déterminant possessif qui introduit un nom masculin singulier. Ce nom est en relation avec un autre nom singulier:

  Nom (m. s.)

  ***son** coffre à pêche* (le coffre de Christian)

  Nom (m. s.)

  ***son** couteau de poche* (le couteau de Christian)

REM. On emploie *son* devant un nom féminin commençant par une voyelle ou un *h* muet: *son amie, son habitude.*

- ***sont*** : verbe ou auxiliaire *être* conjugué à la troisième personne du pluriel du présent. Il peut être remplacé par *étaient*, qui est le verbe *être* à l'imparfait.

  *Les plombs **sont** (étaient) là.*
  *Les poissons **sont** (étaient) endormis.*

+ **11.** *quel/quelle/quels/quelles* et *qu'elle/qu'elles*

> *« Comment t'appelles-tu ? demande le directeur à Bérénice.*
> *— Manche de pelle, **qu'elle** répond, avec un petit air insolent.*
> *— **Quel** drôle de nom ! » s'exclame le directeur, un peu choqué.*
> *Et qu'est-ce **qu'elle** réplique au directeur, la Bérénice ?*
> *« Et quand mon manche est cassé, je ne m'appelle plus. »*

ANNEXE **5**

- ***quel/quelle/quels/quelles***: déterminants interrogatifs ou exclamatifs qui introduisent un nom :

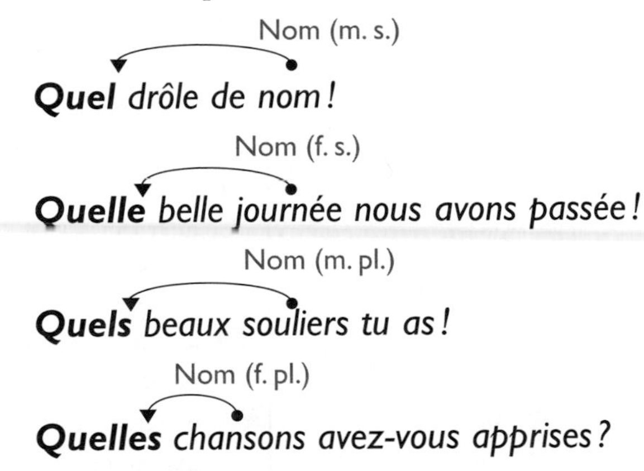

- ***qu'elle/qu'elles***: mot invariable *que* suivi du pronom sujet *elle*, au singulier, ou *elles*, au pluriel. Les pronoms *elle* et *elles* sont alors placés devant le verbe et peuvent être remplacés par un nom féminin :

	*Et qu'est-ce **qu' elle** réplique au directeur ?*
Substitution	*Et qu'est-ce **que Bérénice** réplique au directeur ?*
	*Je ne pense pas **qu' elles** viendront ce soir.*
Substitution	*Je ne pense pas **que tes amies** viendront ce soir.*

Liste orthographique

Abréviations

adj.	adjectif	m.	masculin	pron.	pronom
dét.	déterminant	n.	nom	s.	singulier
f.	féminin	pl.	pluriel	v.	verbe
inv.	invariable				

REMARQUES

- Le numéro en couleur devant chaque verbe renvoie au verbe modèle dans les tableaux de conjugaison de l'annexe 7.
- Le numéro après chaque mot suggère l'année scolaire où le mot devrait être appris.
- La mention (*être*) signale un verbe qui se conjugue toujours avec l'auxiliaire *être* aux temps composés.

A

	à	inv.	1
2	abandonner	v.	6
7	abattre	v.	5
	abeille	n. f.	3
	abondance	n. f.	5
2	aborder	v.	5
	abri	n. m.	4
2	abriter	v.	4
	absence	n. f.	5
	absent / absente	adj.	5
	absolument	inv.	5
2	abuser	v.	4
	accent	n. m.	5
2	accepter	v.	4
	accident	n. m.	5
2	accompagner	v.	6
	accord	n. m.	5
2	accrocher	v.	6
	accueil	n. m.	6
2	accuser	v.	5
	achat	n. m.	5
1	acheter	v.	5
31	achever	v.	6
	à côté	inv.	4
	acte	n. m.	3
	acteur n. m. / actrice n. f.		3
	actif / active	adj.	3
	action	n. f.	3
	activité	n. f.	3
	actuel / actuelle	adj.	5
	actuellement	inv.	5
	addition	n. f.	3
2	additionner	v.	3
	adieu	inv.	4
	adjectif	n. m.	3
34	admettre	v.	6
	admirable	adj.	4
	admiration	n. f.	4
2	admirer	v.	4
2	adopter	v.	5
2	adorer	v.	5
	adresse	n. f.	4
	adroit / adroite	adj.	3
	à droite	inv.	3
	adulte	n. m. ou f.	4
	adversaire	n. m. ou f.	5
	aéroport	n. m.	6
26	affaiblir	v.	4
	affaire	n. f.	5
	affection	n. f.	5
	affectueux / affectueuse	adj.	5
	affiche	n. f.	5
2	afficher	v.	5

	Mot	Classe	Niveau
2	affirmer	v.	5
	affreux affreuse	adj.	5
	afin de	inv.	5
	afin que	inv.	5
	agaçant agaçante	adj.	6
10	agacer	v.	6
	à gauche	inv.	3
	âge	n. m.	4
	âgé âgée	adj.	4
	agent agente	n. m. n. f.	3
	agile	adj.	4
	agilité	n. f.	4
26	agir	v.	4
	agitation	n. f.	4
	agneau	n. m.	5
	agréable	adj.	3
	agréablement	inv.	3
	agricole	adj.	4
	agriculteur agricultrice	n. m. n. f.	4
	ah	inv.	4
	aide	n. f.	4
2	aider	v.	4
	aigu aiguë	adj.	6
	aiguille	n. f.	5
2	aiguiser	v.	6
	ail	n. m.	5
	aile	n. f.	3
	ailleurs	inv.	6
	aimable	adj.	3
2	aimer	v.	3
	ainsi	inv.	3
	air	n. m.	3
	aire	n. f.	3
2	ajouter	v.	4
	à l'aise	inv.	4
	alarme	n. f.	4
	album	n. m.	4
	alcool	n. m.	6
	aliment	n. m.	4
	alimentaire	adj.	4
	alimentation	n. f.	4
	allée	n. f.	4
	allemand allemande	adj.	6
3	aller (*être*)	v.	3
	allergie	n. f.	5
	allergique	adj.	5
33	allonger	v.	4
2	allumer	v.	5
	allumette	n. f.	5
	allure	n. f.	5
	alors	inv.	3
	alphabet	n. m.	3
	ambulance	n. f.	6
	âme	n. f.	3
31	amener	v.	6
	américain américaine	adj.	6
	ami amie	n. m. n. f.	3
	amical amicale	adj.	3
	amicalement	inv.	3
	amitié	n. f.	3
	amour	n. m.	3
	amoureux amoureuse	adj. ou n.	3
	ampoule	n. f.	4
	amusant amusante	adj.	4
	amusement	n. m.	4
2	amuser	v.	4
	an	n. m.	2
	ancien ancienne	adj.	5
	âne ânesse	n. m. n. f.	3
	ange	n. m.	3
	anglais anglaise	adj.	5
	angle	n. m.	4
	animal animale	adj. ou n. m. adj.	2
	animateur animatrice	n. m. n. f.	4
	animation	n. f.	4
2	animer	v.	4
	anneau	n. m.	6
	année	n. f.	2
	anniversaire	n. m.	6
	annonce	n. f.	4
10	annoncer	v.	4
	annuaire	n. m.	4
	août	n. m.	3
45	apercevoir	v.	6
	à peu près	inv.	4
	apeuré apeurée	adj.	2
11	apparaître	v.	6
	appareil	n. m.	6
	appartement	n. m.	5
55	appartenir	v.	5
	appel	n. m.	5
4	appeler	v.	5
	appétit	n. m.	6
26	applaudir	v.	6
2	apporter	v.	5
43	apprendre	v.	5
2	approcher	v.	4
	après	inv.	3
	après-demain	inv.	3

après-midi n. m. ou f. inv. 3
arachide n. f. 4
araignée n. f. 5
arbitre n. m. ou f. 4
arbre n. m. 2
arbuste n. m. 4
arc n. m. 4
arc-en-ciel n. m. 4
architecte n. m. ou f. 4
aréna n. m. 4
argent n. m. 4
arme n. f. 3
armée n. f. 3
armoire n. f. 2
2 arracher v. 4
33 arranger v. 6
arrêt n. m. 4
2 arrêter v. 4
arrière inv. ou n. m. 4
arrivée n. f. 4
2 arriver (*être*) v. 4
2 arroser v. 5
arrosoir n. m. 5
art n. m. 5
article n. m. 2
artificiel
artificielle adj. 5
artiste n. m. ou f. 5
artistique adj. 5
ascenseur n. m. 6
aspect n. m. 5
asphalte n. m. 6
aspirateur n. m. 5
5 asseoir (s') (*être*) v. 6
assez inv. 3
assiette n. f. 6
2 assister v. 5
2 assommer v. 6
2 assurer v. 5
astre n. m. 2
astronaute n. m. ou f. 2
athlète n. m. ou f. 5
atmosphère n. f. 6
atoca n. m. 5
à travers inv. 6
2 attacher v. 6
attaque n. f. 4
2 attaquer v. 4
54 atteindre v. 6
46 attendre v. 5
attentif
attentive adj. 5
attention n. f. 5
26 atterrir v. 5
2 attirer v. 4
attitude n. f. 6
2 attraper v. 6
aube n. f. 4
aucun
aucune dét. ou pron. 3
au-dessous inv. 4
au-dessus inv. 4
augmentation n. f. 6
2 augmenter v. 6
aujourd'hui inv. 4
au milieu inv. 4
auparavant inv. 6
auprès de inv. 5
aussi inv. 3
aussitôt inv. 4
autant inv. 4
auteur n. m.
auteure n. f. 5
auto n. f. 4
autobus n. m. 4
automatique adj. 4
automne n. m. 3
automobile n. f. 4
autorité n. f. 5
autoroute n. f. 4
autour inv. 4
autre dét. ou pron. 2
autrefois inv. 3
autrement inv. 3
autruche n. f. 4
2 avaler v. 5
10 avancer v. 4
avant inv. 3
avantage n. m. 4
avantageux
avantageuse adj. 4
avant-hier inv. 3
avant-midi n. m. ou f. inv. 3
avec inv. 2
avenir n. m. 2
aventure n. f. 4
avenue n. f. 4
averse n. f. 4
26 avertir v. 3
avertissement n. m. 3
aveugle adj. 3
aviateur n. m.
aviatrice n. f. 2
aviation n. f. 2
avion n. m. 2
avis n. m. 4
avocat n. m.
avocate n. f. 5
avoine n. f. 4
6 avoir v. 2
2 avouer v. 4
avril n. m. 3

B

bacon n. m. 6
bagage n. m. 4
bague n. f. 4
baguette n. f. 4
baie n. f. 4
baignade n. f. 3
2 baigner v. 3
baignoire n. f. 3
bain n. m. 3
2 baisser v. 5
bal n. m. 3
baladeur n. m. 5
balai n. m. 6
balance n. f. 5
balançoire n. f. 5
39 balayer v. 6
balcon n. m. 3
baleine n. f. 4
balle n. f. 2
ballet n. m. 4
banane n. f. 4
banc n. m. 3
bande n. f. 3
bandit n. m. 4
banque n. f. 3
barque n. f. 3
barrage n. m. 6
barre n. f. 5
barreau n. m. 5
2 barrer v. 5
barrière n. f. 5
bas n. m. 3
bas / basse adj. 3
base n. f. 5
base-ball ou baseball n. m. 6
basket-ball n. m. 6
bassin n. m. 3
bataille n. f. 3
batailleur / batailleuse adj. 3
bateau n. m. 5
bâtiment n. m. 4
26 bâtir v. 4
bâton n. m. 4
7 battre v. 5
beau, bel / belle adj. 3
beaucoup inv. 3
beauté n. f. 3
bébé n. m. 1
beigne n. m. 4
26 bénir v. 4
berçante n. f. 4
berceau n. m. 4
10 bercer v. 4
berceuse n. f. 4
berger n. m. / bergère n. f. 4
besoin n. m. 4
bête n. f. 4
bêtise n. f. 4
beurre n. m. 4
bibliothèque n. f. 6
bicyclette n. f. 6
bien inv. 3
bientôt inv. 4
bijou n. m. 5
bille n. f. 3
billet n. m. 3
biscuit n. m. 4
bizarre adj. 6
blague n. f. 4
blanc / blanche adj. 3
blancheur n. f. 3
26 blanchir v. 3
blé n. m. 2
blé d'Inde n. m. 4
2 blesser v. 5
blessure n. f. 5
bleu / bleue adj. 3
bleuet n. m. 3
bloc n. m. 4
blond / blonde adj. 4
2 bloquer v. 5
blouse n. f. 3
bocal n. m. 4
bœuf n. m. 4
8 boire v. 5
bois n. m. 2
boisson n. f. 4
boîte n. f. 6
bol n. m. 3
bon / bonne adj. 2
bonheur n. m. 3
bonhomme n. m. 5
bonjour n. m. 2
bonsoir n. m. 2
bonté n. f. 2
bord n. m. 2
bordure n. f. 2
bosse n. f. 5
botte n. f. 3
bouc n. m. 5
bouche n. f. 2
2 boucher v. 4
boucher n. m. / bouchère n. f. 4
bouchon n. m. 4

ANNEXE 6

	Mot	Classe	Niveau
	boucle	n. f.	3
2	bouder	v.	4
	boue	n. f.	3
33	bouger	v.	5
	bougie	n. f.	5
9	bouillir	v.	6
	bouillon	n. m.	6
	boulanger boulangère	n. m. n. f.	3
	boulangerie	n. f.	3
	boule	n. f.	3
	boulevard	n. m.	6
	bouquet	n. m.	3
	bourgeon	n. m.	5
	bourse	n. f.	3
	bout	n. m.	4
	bouteille	n. f.	4
	boutique	n. f.	3
	boxe	n. f.	5
2	brailler	v.	5
	branche	n. f.	1
	bras	n. m.	3
2	brasser	v.	5
	brave	adj.	2
	bravo	inv.	3
	brebis	n. f.	4
	bref brève	adj.	4
	bricolage	n. m.	4
2	bricoler	v.	4
	bricoleur bricoleuse	n. m. n. f.	4
	brigadier brigadière	n. m. n. f.	4
	brillant brillante	adj.	6
2	briller	v.	6
	brique	n. f.	1
	brisé brisée	adj.	4
2	briser	v.	4
	broche	n. f.	3
	brosse	n. f.	4
2	brosser	v.	4
	bruit	n. m.	4
	brûlant brûlante	adj.	6
2	brûler	v.	6
	brume	n. f.	3
	brun brune	adj.	3
	brusque	adj.	3
	brusquement	inv.	3
	brutal brutale	adj.	4
	bûche	n. f.	6
	bûcheron bûcheronne	n. m. n. f.	6
	bulletin	n. m.	5
	bureau	n. m.	3
	but	n. m.	4

C

	Mot	Classe	Niveau
	ça	pron.	3
	cabane	n. f.	4
	caché cachée	adj.	4
2	cacher	v.	4
	cadavre	n. m.	3
	cadeau	n. m.	4
	cadran	n. m.	5
	cadre	n. m.	3
	café	n. m.	2
	cage	n. f.	2
	cahier	n. m.	2
	caillou	n. m.	6
	caisse	n. f.	4
	caissier caissière	n. m. n. f.	4
	calculatrice	n. f.	3
2	calculer	v.	3
	calendrier	n. m.	5
	calme	adj.	4
2	calmer	v.	4
	camarade	n. m. ou f.	4
	caméra	n. f.	6
	camion	n. m.	3
	camionneur camionneuse	n. m. n. f.	3
	camp	n. m.	4
	campagne	n. f.	4
2	camper	v.	4
	campeur campeuse	n. m. n. f.	4
	camping	n. m.	4
	canadien canadienne	adj.	4
	canal	n. m.	3
	canard	n. m.	3
	cane	n. f.	3
	canette ou cannette	n. f.	5
	canif	n. m.	4
	canne	n. f.	5
	canon	n. m.	3
	canot	n. m.	6
	cap	n. m.	3
	capable	adj.	4
	capitaine	n. m. ou f.	3
	capitale	n. f.	4
	caprice	n. m.	5
	car	inv.	6
	carabine	n. f.	3
	caractère	n. m.	4
	caractéristique	n. f.	4
	caribou	n. m.	5

carie n. f. 4	celui-là celle-là pron. 5	championnat n. m. 5
carnaval n. m. 4	cent dét. 4	chance n. f. 4
carnivore adj. 5	centaine n. f. 4	chanceux chanceuse adj. 4
carotte n. f. 4	centimètre n. m. 3	chandail n. m. 5
carré n. m. 4	centre n. m. 4	chandelle n. f. 5
carré carrée adj. 4	cependant inv. 6	changement n. m. 4
carreau n. m. 4	cercle n. m. 4	33 changer v. 4
cartable n. m. 4	céréale n. f. 4	chanson n. f. 3
carte n. f. 2	certain certaine adj. ou dét. 4	chant n. m. 3
carton n. m. 2	certainement inv. 4	2 chanter v. 3
cas n. m. 5	cerveau n. m. 5	chanteur n. m. chanteuse n. f. 3
casque n. m. 4	ces dét. 3	chantier n. m. 4
casquette n. f. 4	2 cesser v. 4	chapeau n. m. 3
cassé cassée adj. 5	c'est-à-dire inv. 5	chapelle n. f. 3
2 casser v. 5	cet cette dét. 3	chapitre n. m. 4
casserole n. f. 5	ceux celles pron. 5	chaque dét. 3
cassette n. f. 5	ceux-ci celles-ci pron. 5	charge n. f. 4
cassonade n. f. 6	ceux-là celles-là pron. 5	33 charger v. 4
castor n. m. 4	chacun chacune pron. 3	charitable adj. 3
cause n. f. 4	chagrin n. m. 4	charité n. f. 3
2 causer v. 4	chaîne n. f. 6	charmant charmante adj. 4
cave n. f. 2	chair n. f. 5	charme n. m. 4
caverne n. f. 3	chaise n. f. 4	2 charmer v. 4
ceci pron. 5	chalet n. m. 4	chasse n. f. 3
cédérom ou CD-ROM n. m. 6	chaleur n. f. 3	2 chasser v. 3
cèdre n. m. 4	chaloupe n. f. 4	chasseur n. m. chasseuse n. f. 3
cégep n. m. 6	chambre n. f. 2	chat n. m. chatte n. f. 1
ceinture n. f. 6	chameau n. m. 4	château n. m. 4
cela pron. 5	champ n. m. 5	2 chatouiller v. 6
célèbre adj. 6	champignon n. m. 5	chaud chaude adj. 3
céleri n. m. 4	champion n. m. championne n. f. 5	chaudement inv. 3
celui celle pron. 5		chauffage n. m. 5
celui-ci celle-ci pron. 5		2 chauffer v. 5

- chauffeur n. m. / chauffeuse n. f. 5
- chaussée n. f. 4
- 2 chausser v. 4
- chaussure n. f. 4
- chauve adj. 5
- chef n. m. ou f. 3
- chemin n. m. 2
- cheminée n. f. 1
- chemise n. f. 2
- chêne n. m. 5
- chenille n. f. 5
- chèque n. m. 4
- cher / chère adj. 4
- 2 chercher v. 3
- cheval n. m. 3
- chevalier n. m. 3
- cheveu n. m. 4
- cheville n. f. 4
- chèvre n. f. 5
- chevreuil n. m. 5
- chez inv. 3
- chien n. m. / chienne n. f. 2
- chiffre n. m. 4
- chinois / chinoise adj. 4
- choc n. m. 4
- chocolat n. m. 3
- 26 choisir v. 4
- choix n. m. 4
- chômage n. m. 6
- 2 choquer v. 5
- chose n. f. 3
- chou n. m. 4
- chrétien / chrétienne adj. ou n. 6
- chute n. f. 4
- cicatrice n. f. 6
- ciel n. m. 3
- cigarette n. f. 6
- ciment n. m. 5
- cimetière n. m. 5
- cinéma n. m. 5
- ciné-parc ou cinéparc n. m. 5
- cinq dét. 3
- cinquante dét. 4
- cinquième adj. 3
- circulation n. f. 4
- 2 circuler v. 4
- cirque n. m. 3
- ciseau n. m. 6
- citrouille n. f. 4
- clair / claire adj. 4
- clarté n. f. 4
- classe n. f. 3
- 2 classer v. 3
- clavier n. m. 4
- clé ou clef n. f. 4
- client n. m. / cliente n. f. 4
- climat n. m. 5
- clinique n. f. 5
- cloche n. f. 3
- clocher n. m. 3
- clochette n. f. 3
- clôture n. f. 6
- clou n. m. 3
- 2 clouer v. 3
- clown n. m. 6
- club n. m. 6
- cochon n. m. 3
- cœur n. m. 2
- coffre n. m. 5
- 2 coiffer v. 4
- coiffeur n. m. / coiffeuse n. f. 4
- coiffure n. f. 4
- coin n. m. 2
- col n. m. 3
- colère n. f. 5
- collant n. m. 6
- collant / collante adj. 6
- collation n. f. 5
- colle n. f. 6
- collection n. f. 5
- collège n. m. 6
- 2 coller v. 6
- collet n. m. 3
- collier n. m. 3
- colline n. f. 5
- colonne n. f. 6
- 2 colorer v. 3
- 2 colorier v. 3
- combat n. m. 5
- 7 combattre v. 5
- combien inv. 3
- comique adj. ou n. 4
- commande n. f. 5
- 2 commander v. 5
- comme inv. 3
- commencement n. m. 4
- 10 commencer v. 4
- comment inv. 3
- commerçant n. m. / commerçante n. f. 4
- commerce n. m. 4
- commercial / commerciale adj. 4
- 34 commettre v. 6

commun
commune adj. 3
compagnie n. f. 3
compagnon n. m.
compagne n. f. 3
comparaison n. f. 3
2 comparer v. 3
compétition n. f. 6
complet
complète adj. 4
complètement inv. 4
2 composer v. 5
composition n. f. 5
43 comprendre v. 5
compte n. m. 4
2 compter v. 4
comptoir n. m. 6
2 concerner v. 6
conclusion n. f. 4
concombre n. m. 4
concours n. m. 6
condition n. f. 6
conducteur n. m.
conductrice n. f. 5
44 conduire v. 6
conduite n. f. 5
confiance n. f. 5
2 confier v. 5
confiture n. f. 2
congé n. m. 4
congélateur n. m. 6
31 congeler v. 6
conifère n. m. 5
connaissance n. f. 6
11 connaître v. 6
conscience n. f. 6
conseil n. m. 5
2 conseiller v. 5
conseiller n. m.
conseillère n. f. 5
conséquence n. f. 6
2 conserver v. 5
considérable adj. 6
22 considérer v. 6
consolation n. f. 4
2 consoler v. 4
construction n. f. 6
44 construire v. 6
contact n. m. 6
conte n. m. 4
55 contenir v. 5
content
contente adj. 4
contenu n. m. 3
2 conter v. 4
2 continuer v. 4
contraire adj. ou n. m. 4
contre inv. 3
convenable adj. 4
57 convenir v. 4
conversation n. f. 4
copain n. m.
copine n. f. 5
copie n. f. 4
2 copier v. 4
coq n. m. 3
coquillage n. m. 5
coquille n. f. 5
corbeau n. m. 3
corbeille n. f. 3
corde n. f. 3
cordonnier n. m.
cordonnière n. f. 5
corne n. f. 3
corneille n. f. 4
cornichon n. m. 4
corps n. m. 5
correct
correcte adj. 5
correctement inv. 5
correction n. f. 5
correspondance n. f. 6
correspondant n. m.
correspondante n. f. 6
47 correspondre v. 6
corridor n. m. 5
33 corriger v. 5
costume n. m. 2
côte n. f. 4
côté n. m. 4
coton n. m. 3
cou n. m. 3
couche n. f. 3
2 coucher v. 3
coude n. m. 2
2 couler v. 4
couleur n. f. 2
couleuvre n. f. 4
coup n. m. 4
coupable adj. ou n. m. ou f. 4
2 couper v. 4
couple n. m. 4
cour n. f. 3
courage n. m. 4
courageusement inv. 4
courageux
courageuse adj. 4
courant n. m. 5
courbe n. f. 4
coureur n. m.
coureuse n. f. 5
12 courir v. 5
couronne n. f. 5
cours n. m. 5

	Mot	Classe	Niveau
	course	n. f.	4
	court courte	adj.	4
	cousin cousine	n. m. n. f.	3
	coussin	n. m.	5
	couteau	n. m.	4
2	coûter	v.	6
	coutume	n. f.	3
	couturier couturière	n. m. n. f.	5
	couvercle	n. m.	5
	couvert couverte	adj.	5
	couverture	n. f.	5
37	couvrir	v.	5
	craie	n. f.	5
13	craindre	v.	6
	crainte	n. f.	6
	craintif craintive	adj.	6
2	craquer	v.	5
	crayon	n. m.	4
	créateur créatrice	n. m. n. f.	4
	création	n. f.	4
	créature	n. f.	4
2	créer	v.	4
	crème	n. f.	6
	crêpe	n. f.	6
2	creuser	v.	5
	creux creuse	adj.	5
	cri	n. m.	5
14	crier	v.	5
	crime	n. m.	3
	crise	n. f.	4
	critique	n. f.	5
	crochet	n. m.	6
	crocodile	n. m.	5
15	croire	v.	5
	croix	n. f.	2
2	croquer	v.	6
	cru crue	adj.	5
	cube	n. m.	4
	cueillette	n. f.	6
	cuiller ou cuillère	n. f.	6
	cuir	n. m.	5
44	cuire	v.	6
	cuisine	n. f.	3
	cuisinier cuisinière	n. m. n. f.	3
	cuisse	n. f.	4
	cuit cuite	adj.	6
	culbute	n. f.	4
	culotte	n. f.	4
	cultivateur cultivatrice	n. m. n. f.	4
2	cultiver	v.	4
	culture	n. f.	4
	curé	n. m.	4
	cure-dent	n. m.	5
	curieux curieuse	adj.	4
	cycle	n. m.	6
	cygne	n. m.	6

D

	Mot	Classe	Niveau
	d'abord	inv.	6
	d'accord	inv.	6
	dame	n. f.	3
	danger	n. m.	4
	dangereux dangereuse	adj.	4
	dans	inv.	2
	danse	n. f.	4
2	danser	v.	4
	danseur danseuse	n. m. n. f.	4
	date	n. f.	3
	dauphin	n. m.	6
	davantage	inv.	6
	débarbouillette	n. f.	5
2	débarquer	v.	5
2	déborder	v.	4
	debout	inv.	4
	début	n. m.	4
	décembre	n. m.	3
	déchet	n. m.	5
2	déchirer	v.	5
	décidé décidée	adj.	4
2	décider	v.	4
	décimètre	n. m.	3
	décoration	n. f.	5
2	décorer	v.	5
	découragé découragée	adj.	5
33	décourager	v.	5
	découverte	n. f.	5
37	découvrir	v.	5
19	décrire	v.	5
	dedans	inv.	4
24	défaire	v.	3
	défait défaite	adj.	3
	défaite	n. f.	3
	défaut	n. m.	4
46	défendre	v.	5
	défense	n. f.	5
	défilé	n. m.	6
33	dégager	v.	5
	degré	n. m.	4

	Mot	Classe	Niveau
	déguisé déguisée	adj.	5
	déguisement	n. m.	5
2	déguiser	v.	5
	dehors	inv.	4
	déjà	inv.	4
	déjeuner	n. m.	5
2	déjeuner	v.	5
	délicat délicate	adj.	4
	délicieux délicieuse	adj.	5
2	délivrer	v.	4
	demain	inv.	3
	demande	n. f.	3
2	demander	v.	3
	démarche	n. f.	4
33	déménager	v.	5
	demeure	n. f.	4
2	demeurer	v.	4
	demoiselle	n. f.	3
26	démolir	v.	4
	démolition	n. f.	4
	dent	n. f.	3
	dentelle	n. f.	4
	dentiste	n. m. ou f.	3
	dépanneur	n. m.	5
	départ	n. m.	5
2	dépasser	v.	6
2	dépêcher (se) (*être*)	v.	6
46	dépendre	v.	5
	dépense	n. f.	3
2	dépenser	v.	3
	déplacement	n. m.	4
10	déplacer	v.	4
40	déplaire	v.	6
14	déplier	v.	5
2	déposer	v.	5
	depuis	inv.	3
	député députée	n. m. n. f.	5
33	déranger	v.	5
	dernier dernière	adj. ou n.	3
	derrière	inv. ou n. m.	4
	désagréable	adj.	3
46	descendre	v.	5
	descente	n. f.	5
	désert	n. m.	6
2	déshabiller	v.	5
	désir	n. m.	5
2	désirer	v.	5
26	désobéir	v.	4
	désobéissant désobéissante	adj.	4
	désordre	n. m.	4
	désormais	inv.	6
	dès que	inv.	5
	dessert	n. m.	5
	dessin	n. m.	3
	dessinateur dessinatrice	n. m. n. f.	3
2	dessiner	v.	3
	dessous	inv. ou n. m.	4
	dessus	inv. ou n. m.	4
	destination	n. f.	4
2	détacher	v.	3
	détail	n. m.	4
	déterminant	n. m.	3
2	détester	v.	4
	détour	n. m.	4
44	détruire	v.	6
	dette	n. f.	4
	deuil	n. m.	5
	deux	dét.	1
	deuxième	adj.	3
	deuxièmement	inv.	3
	devant	inv. ou n. m.	3
2	développer	v.	6
57	devenir (*être*)	v.	4
2	deviner	v.	4
	devoir	n. m.	4
16	devoir	v.	4
2	dévorer	v.	5
	dévouement	n. m.	4
	diable	n. m.	2
	diamant	n. m.	6
	dictée	n. f.	2
	dictionnaire	n. m.	5
	dieu	n. m.	3
	différence	n. f.	5
	différent différente	adj.	5
	difficile	adj.	5
22	digérer	v.	5
	digestion	n. f.	5
	digne	adj.	4
	dimanche	n. m.	2
2	diminuer	v.	5
	dindon dinde	n. m. n. f.	4
	dîner	n. m.	5
2	dîner	v.	5
17	dire	v.	3
	direct directe	adj.	3
	directement	inv.	3
	directeur directrice	n. m. n. f.	4
	direction	n. f.	4
33	diriger	v.	4
	discothèque	n. f.	6
	discours	n. m.	6
2	discuter	v.	5

11	disparaître	v.	6
	disparition	n. f.	6
	disque	n. m.	5
	disque compact	n. m.	5
	disquette	n. f.	5
	distance	n. f.	6
	distinction	n. f.	6
2	distinguer	v.	6
	distraction	n. f.	4
	distrait distraite	adj.	4
2	distribuer	v.	4
	distribution	n. f.	4
	divan	n. m.	5
26	divertir	v.	5
2	diviser	v.	4
	division	n. f.	4
	divorce	n. m.	5
	divorcé divorcée	adj. ou n.	5
10	divorcer	v.	5
	dix	dét.	3
	dix-huit	dét.	4
	dix-neuf	dét.	4
	dix-sept	dét.	4
	dizaine	n. f.	4
	docteur docteure	n. m. n. f.	3
	doigt	n. m.	4
	dollar	n. m.	3
	domestique	adj. ou n. m. ou f.	4
	domicile	n. m.	4
2	dompter	v.	5
	don	n. m.	4
	donc	inv.	3
2	donner	v.	4
	dont	pron.	4
	doré dorée	adj.	6
18	dormir	v.	5
	dos	n. m.	4
	double	adj. ou n. m.	2
	doucement	inv.	4
	douceur	n. f.	4
	douche	n. f.	4
	douleur	n. f.	3
	douloureux douloureuse	adj.	3
	doute	n. m.	3
2	douter	v.	3
	doux douce	adj.	4
	douzaine	n. f.	4
	douze	dét.	4
	dragon	n. m.	4
	drap	n. m.	4
	drapeau	n. m.	4
	droit droite	adj.	3
	droite	n. f.	3
	drôle	adj.	4
	dur dure	adj.	4
	durant	inv.	3
	durée	n. f.	3
2	durer	v.	3

E

	eau	n. f.	3
	échange	n. m.	5
33	échanger	v.	5
2	échapper	v.	3
	échec	n. m.	6
	échelle	n. f.	3
	éclair	n. m.	4
26	éclaircir	v.	4
2	éclairer	v.	4
2	éclater	v.	4
	école	n. f.	1
	économie	n. f.	5
	économique	adj.	5
	écorce	n. f.	6
2	écouter	v.	4
	écran	n. m.	5
2	écraser	v.	6
14	écrier (s') (*être*)	v.	5
19	écrire	v.	5
	écriture	n. f.	5
	écrivain écrivaine	n. m. n. f.	5
	écureuil	n. m.	6
	écurie	n. f.	3
	édifice	n. m.	5
	éducation	n. f.	4
10	effacer	v.	5
	effort	n. m.	5
	effrayant effrayante	adj.	6
	égal égale	adj.	6
	également	inv.	6
	église	n. f.	2
	égoïste	adj.	6
	égratignure	n. f.	5
	eh	inv.	6
	eh bien	inv.	6
	élan	n. m.	6
	électricien électricienne	n. m. n. f.	5
	électricité	n. f.	5
	électrique	adj.	5
	électronique	adj. ou n. f.	5

élégant
élégante adj. 4
élément n. m. 6
éléphant n. m. 5
élève n. m. ou f. 2
31 élever v. 6
elle
elles pron. 1
elle-même
elles-mêmes pron. 2
2 éloigner v. 6
2 embarquer v. 6
2 embrasser v. 5
émission n. f. 5
2 emmêler v. 5
33 emménager v. 5
31 emmener v. 6
2 emmitoufler v. 6
émotion n. f. 5
2 empêcher v. 4
26 emplir v. 4
employé adj. ou n. m.
employée adj. ou n. f. 6
20 employer v. 6
2 emporter v. 5
2 emprunter v. 6
ému
émue adj. 5
en inv. 3
en arrière inv. 4
en avant inv. 3
en bas inv. 3
encore inv. 3
33 encourager v. 4
encre n. f. 3
18 endormir v. 5
endroit n. m. 4
énergie n. f. 4

enfance n. f. 3
enfant n. m. ou f. 3
2 enfermer v. 4
enfin inv. 3
27 enfuir (s') (*être*) v. 6
33 engager v. 4
en haut inv. 3
31 enlever v. 6
enneigé
enneigée adj. 2
ennemi
ennemie adj. ou n. 5
ennui n. m. 6
20 ennuyer v. 6
ennuyeux
ennuyeuse adj. 6
énorme adj. 3
énormément inv. 3
2 enregistrer v. 5
26 enrichir v. 3
enseignant n. m.
enseignante n. f. 4
2 enseigner v. 4
ensemble inv. 4
ensoleillé
ensoleillée adj. 3
ensuite inv. 3
46 entendre v. 5
2 enterrer v. 3
enthousiaste adj. 6
entier
entière adj. 3
2 entourer v. 6
2 entraîner v. 6
entre inv. 2
entrée n. f. 3
2 entrer v. 3
55 entretenir v. 5
envers inv. ou n. m. 6

envie n. f. 4
environ inv. 4
environnement n. m. 5
2 envoler (s') (*être*) v. 6
21 envoyer v. 6
épais
épaisse adj. 5
épargne n. f. 3
épaule n. f. 4
épicerie n. f. 5
épine n. f. 3
épinette n. f. 5
épingle n. f. 4
époque n. f. 4
épreuve n. f. 4
équilibre n. m. 4
équipe n. f. 3
équitation n. f. 6
érable n. m. 5
érablière n. f. 5
erreur n. f. 5
escalier n. m. 3
escargot n. m. 5
espace n. m. 5
espèce n. f. 6
22 espérer v. 6
espoir n. m. 6
esprit n. m. 3
essai n. m. 6
39 essayer v. 6
essence n. f. 4
20 essuyer v. 6
est n. m. inv. 3
est-ce que inv. 3
estomac n. m. 5
étable n. f. 2
étage n. m. 4

ANNEXE 6

étagère n. f. 4
étang n. m. 6
été n. m. 3
54 éteindre v. 6
46 étendre v. 5
éternel / éternelle adj. 4
étoile n. f. 3
2 étonner v. 5
étrange adj. 4
étranger / étrangère adj. ou n. 4
23 être v. 3
étroit / étroite adj. 4
étude n. f. 4
étudiant n. m. / étudiante n. f. 4
14 étudier v. 5
eux pron. 3
eux-mêmes pron. 3
26 évanouir (s') (*être*) v. 5
exact / exacte adj. 6
examen n. m. 6
2 examiner v. 6
excellent / excellente adj. 6
excité / excitée adj. 6
2 exciter v. 6
excursion n. f. 6
2 excuser v. 6
exemple n. m. 5
10 exercer v. 6
exercice n. m. 6
33 exiger v. 6
2 exister v. 4
expérience n. f. 5
explication n. f. 5
2 expliquer v. 5
2 exploser v. 5
explosion n. f. 5
2 exposer v. 5
exposition n. f. 5
exprès inv. 5
2 exprimer v. 4
extérieur n. m. 5
extérieur / extérieure adj. 5
extraordinaire adj. 6
extrême adj. 6
extrêmement inv. 6

F

fabrication n. f. 5
2 fabriquer v. 5
face n. f. 5
fâché / fâchée adj. 6
2 fâcher v. 6
facile adj. 4
facilement inv. 4
facilité n. f. 4
façon n. f. 4
facteur n. m. / factrice n. f. 4
facture n. f. 4
faible adj. 4
faiblesse n. f. 4
faim n. f. 5
24 faire v. 3
25 falloir v. 4
fameux / fameuse adj. 5
famille n. f. 2
fantôme n. m. 4
farce n. f. 4
farine n. f. 3
fatigue n. f. 3
fatigué / fatiguée adj. 3
2 fatiguer v. 3
faute n. f. 2
fauteuil n. m. 5
faux / fausse adj. 4
faveur n. f. 5
favorable adj. 5
favori / favorite adj. ou n. 5
fée n. f. 3
femelle n. f. 5
féminin / féminine adj. 3
femme n. f. 1
46 fendre v. 5
fenêtre n. f. 3
fer n. m. 3
ferme n. f. 2
fermé / fermée adj. 4
2 fermer v. 4
fermier n. m. / fermière n. f. 2
féroce adj. 5
festival n. m. 5
fête n. f. 2
2 fêter v. 2
feu n. m. 1
feuillage n. m. 4
feuille n. f. 4
février n. m. 3
fidèle adj. 3
14 fier (se) (*être*) v. 5

	Mot	Classe	Niveau
	fier fière	adj.	4
	fièvre	n. f.	5
	figure	n. f.	2
	fil	n. m.	5
	file	n. f.	5
	filet	n. m.	4
	fille	n. f.	1
	filleul filleule	n. m. n. f.	6
	film	n. m.	5
	fils	n. m.	1
	fin	n. f.	3
	finalement	inv.	3
	fin de semaine	n. f.	3
26	finir	v.	3
2	fixer	v.	5
	flamme	n. f.	5
2	flatter	v.	6
	flèche	n. f.	5
	fleur	n. f.	3
	fleuve	n. m.	2
	flocon	n. m.	5
2	flotter	v.	5
	flûte	n. f.	6
	fol	n. f.	5
	foie	n. m.	5
	foin	n. m.	3
	fois	n. f.	5
	folie	n. f.	3
	foncé foncée	adj.	6
2	fonctionner	v.	5
	fond	n. m.	5
47	fondre	v.	5
	fontaine	n. f.	3
	football	n. m.	6
	force	n. f.	4
10	forcer	v.	4
	forêt	n. f.	5
	forme	n. f.	3
2	former	v.	3
	formidable	adj.	3
	fort forte	adj.	3
	fortement	inv.	3
	fou, fol folle	adj.	3
	fou folle	n. m. n. f.	3
	fouet	n. m.	4
2	fouetter	v.	4
	fougère	n. f.	5
	foule	n. f.	3
	four	n. m.	3
	fourchette	n. f.	4
	fourmi	n. f.	5
	fourneau	n. m.	4
26	fournir	v.	3
	fourrure	n. f.	5
	foyer	n. m.	5
	fraction	n. f.	5
	fracture	n. f.	5
	fragile	adj.	4
	fraîcheur	n. f.	5
	frais fraîche	adj.	5
	fraise	n. f.	5
	framboise	n. f.	5
	franc franche	adj.	3
	français française	adj.	4
2	frapper	v.	5
	frein	n. m.	5
	frère	n. m.	3
	frigo	n. m.	5
	frisé frisée	adj.	4
	frite	n. f.	3
	froid	n. m.	2
	froid froide	adj.	2
	fromage	n. m.	2
	front	n. m.	5
2	frotter	v.	5
	fruit	n. m.	3
27	fuir	v.	6
	fuite	n. f.	6
	fumée	n. f.	3
2	fumer	v.	3
	furieux furieuse	adj.	5
	fusée	n. f.	5
	fusil	n. m.	4
	futur	n. m.	3

G

	Mot	Classe	Niveau
	gagnant gagnante	adj. ou n.	5
2	gagner	v.	5
	gai gaie	adj.	6
	galerie	n. f.	4
	gant	n. m.	5
	garage	n. m.	5
	garagiste	n. m. ou f.	5
26	garantir	v.	5
	garçon	n. m.	1
2	garder	v.	4
	garderie	n. f.	4
	garde-robe	n. f.	4
	gardien gardienne	n. m. n. f.	4
	gare	n. f.	3
	gâté gâtée	adj.	6

ANNEXE 6

gâteau n. m. 5
2 gâter v. 6
gauche adj. ou n. f. 3
gazon n. m. 4
géant / géante adj. ou n. 5
gelé / gelée adj. 5
gelée n. f. 5
28 geler v. 5
gêné / gênée adj. 6
général / générale adj. ou n. 5
généralement inv. 5
généreux / généreuse adj. 4
genou n. m. 6
genre n. m. 3
gens n. m. ou f. pl. 4
gentil / gentille adj. 5
gentiment inv. 5
géographie n. f. 4
geste n. m. 5
gibier n. m. 3
gilet n. m. 5
girafe n. f. 5
glace n. f. 4
glissade n. f. 5
glissant / glissante adj. 5
2 glisser v. 5
glissoire n. f. 5
globe n. m. 5
gloire n. f. 3
goéland n. m. 5
golfe n. m. 5
gomme n. f. 4
gorge n. f. 4
gourmand / gourmande adj. 5
goût n. m. 5
2 goûter v. 5
goutte n. f. 6
gouvernement n. m. 6
grâce n. f. 5
gracieux / gracieuse adj. 5
grain n. m. 4
graine n. f. 4
grammaire n. f. 3
gramme n. m. 4
grand / grande adj. 3
grandeur n. f. 3
26 grandir v. 3
grand-mère n. f. 3
grand-père n. m. 3
grange n. f. 4
gras / grasse adj. 3
2 gratter v. 6
gratuit / gratuite adj. 5
grave adj. 3
grec / grecque adj. 5
2 grelotter v. 6
grenier n. m. 3
grenouille n. f. 3
grève n. f. 5
griffe n. f. 4
grille-pain n. m. inv. 5
grimace n. f. 5
2 grimper v. 5
grippe n. f. 5
gris / grise adj. 3
gros / grosse adj. 2
grosseur n. f. 2
26 grossir v. 2
groupe n. m. 3
26 guérir v. 5
guerre n. f. 4
2 guetter v. 6
gueule n. f. 5
guide n. m. ou f. 4
guimauve n. f. 5
guirlande n. f. 5
guitare n. f. 5
gymnase n. m. 6
gymnastique n. f. 6

H

habile adj. 6
habileté n. f. 6
2 habiller v. 5
habit n. m. 5
habitat n. m. 5
habitation n. f. 5
2 habiter v. 5
habitude n. f. 5
2 habituer (s') (*être*) v. 5
hache n. f. 4
haine n. f. 6
29 haïr v. 6
haleine n. f. 6
hamburger n. m. 5
hamster n. m. 5
hanté / hantée adj. 5
hasard n. m. 6
hâte n. f. 4

haut
haute adj. 3
hauteur n. f. 3
hein inv. 5
hélas inv. 5
hélicoptère n. m. 5
herbe n. f. 3
héros n. m.
héroïne n. f. 6
2 hésiter v. 6
heure n. f. 3
heureusement inv. 4
heureux
heureuse adj. 4
hibou n. m. 5
hier inv. 3
hirondelle n. f. 4
histoire n. f. 4
hiver n. m. 3
hockey n. m. 5
homard n. m. 5
homme n. m. 1
honnête adj. 5
honneur n. m. 5
honte n. f. 4
honteux
honteuse adj. 4
hôpital n. m. 6
horloge n. f. 4
horreur n. f. 6
hot dog ou
hot-dog n. m. 5
hôtel n. m. 6
huile n. f. 4
huit dét. 3
huître n. f. 5
humain
humaine adj. ou n. 4
humeur n. f. 4
humide adj. 4
humour n. m. 4

I

ici inv. 3
idée n. f. 3
il
ils pron. 1
île n. f. 5
illustre adj. 4
il y a inv. 3
image n. f. 2
imagination n. f. 4
2 imaginer v. 4
immédiatement inv. 6
immense adj. 6
impatient
impatiente adj. 6
important
importante adj. 4
2 imposer v. 4
impossible adj. ou n. m. 4
imprimante n. f. 5
2 imprimer v. 5
incapable adj. 4
incendie n. m. 5
inconnu
inconnue adj. ou n. 6
industrie n. f. 3
inférieur
inférieure adj. 4
infirmier n. m.
infirmière n. f. 4
informaticien n. m.
informaticienne n. f. 5
information n. f. 5
informatique adj. ou n. f. 5
2 informer v. 5
inforoute n. f. 5
injure n. f. 4
inquiet
inquiète adj. 5
19 inscrire v. 5
insecte n. m. 3
2 installer v. 6
instant n. m. 4
instructif
instructive adj. 6
instruction n. f. 6
44 instruire v. 6
instrument n. m. 3
intelligent
intelligente adj. 5
intéressant
intéressante adj. 4
2 intéresser v. 4
intérieur n. m. 5
intérieur
intérieure adj. 5
internaute n. m. ou f. 5
Internet n. m. 5
33 interroger v. 5
57 intervenir (*être*) v. 4
intime adj. 4
intrigue n. f. 6
introduction n. f. 4
inutile adj. 3
invariable adj. 3
2 inventer v. 5
invention n. f. 5
invisible adj. 3
invitation n. f. 5
2 inviter v. 5
italien
italienne adj. 5

J

jadis inv. 5
jaloux / jalouse adj. 6
jamais inv. 3
jambe n. f. 3
jambon n. m. 4
janvier n. m. 3
jardin n. m. 3
jardinage n. m. 3
jardinier n. m. / jardinière n. f. 3
jaune adj. 3
je pron. 1
jean ou jeans n. m. 5
jeep n. f. 5
30 jeter v. 5
jeu n. m. 4
jeudi n. m. 2
jeune adj. ou n. m. ou f. 3
jeunesse n. f. 3
joie n. f. 4
joli / jolie adj. 3
joue n. f. 3
2 jouer v. 3
jouet n. m. 3
joueur n. m. / joueuse n. f. 3
jour n. m. 2
journal n. m. 3
journaliste n. m. ou f. 3
journée n. f. 3
joyeux / joyeuse adj. 4
juge n. m. ou f. 4
jugement n. m. 4
33 juger v. 4
juillet n. m. 3
juin n. m. 3
jumeau n. m. / jumelle n. f. 5
jument n. f. 3
jungle n. f. 6
jupe n. f. 3
jus n. m. 3
jusqu'à inv. 3
jusque inv. 3
juste adj. 3
justement inv. 3
justice n. f. 3

K

kangourou n. m. 6
karaté n. m. 6
kayak n. m. 6
ketchup n. m. 5
kilogramme n. m. 3
kilomètre n. m. 3

L

là inv. 3
là-bas inv. 3
lac n. m. 3
2 lâcher v. 6
laid / laide adj. 4
laine n. f. 3
2 laisser v. 4
lait n. m. 3
laiterie n. f. 3
laitier n. m. / laitière n. f. 3
laitue n. f. 4
lampe n. f. 3
10 lancer v. 5
langue n. f. 3
lapin n. m. / lapine n. f. 1
large adj. 2
larme n. f. 3
laser n. m. 6
lavabo n. m. 5
2 laver v. 3
lécher v. 4
leçon n. f. 3
lecture n. f. 2
léger / légère adj. 5
légèrement inv. 5
légume n. m. 3
lendemain n. m. 4
lent / lente adj. 4
lentement inv. 4
lenteur n. f. 4
lequel / laquelle pron. 5
lettre n. f. 3
leur dét. ou pron. 3
31 lever v. 6
lèvre n. f. 4
lézard n. m. 5
22 libérer v. 6
liberté n. f. 6
librairie n. f. 5
libre adj. 6
libre-service n. m. 6
lien n. m. 4
lieu n. m. 3
lièvre n. m. 3
ligne n. f. 2
lilas n. m. 4

limite n. f. 3
linge n. m. 3
lion n. m.
lionne n. f. 1
liquide adj. ou n. m. 3
32 lire v. 5
lis ou lys n. m. 3
liste n. f. 2
lit n. m. 2
litre n. m. 3
livre n. m. 1
local n. m. 4
localité n. f. 4
locomotive n. f. 3
logement n. m. 4
logiciel n. m. 5
loi n. f. 4
loin inv. 3
loisir n. m. 4
long
longue adj. 4
longtemps inv. 4
longueur n. f. 4
lorsque inv. 4
loterie n. f. 4
2 louer v. 4
loup n. m.
louve n. f. 3
lourd
lourde adj. 4
lui pron. 2
lui-même pron. 2
luisant
luisante adj. 4
lumière n. f. 3
lundi n. m. 2
lune n. f. 3
lunette n. f. 3
lutin n. m. 4
lutte n. f. 3

M

2 mâcher v. 5
machine n. f. 3
madame n. f. 3
mademoiselle n. f. 3
magasin n. m. 4
2 magasiner v. 4
magicien n. m.
magicienne n. f. 3
magie n. f. 3
magique adj. 3
magnétoscope n. m. 6
magnifique adj. 3
mai n. m. 3
maigre adj. 4
main n. f. 2
maintenant inv. 4
55 maintenir v. 5
maire n. m.
mairesse n. f. 6
mais inv. 3
maison n. f. 1
maître n. m.
maîtresse n. f. 3
mal inv. ou n. m. 1
malade adj. ou n. m. ou f. 2
maladie n. f. 2
malchanceux
malchanceuse adj. 4
mâle n. m. 5
malgré inv. 4
malheur n. m. 5
malheureusement inv. 5
malheureux
malheureuse adj. 5
maman n. f. 1
mammifère n. m. 6
manche n. m. ou f. 4
mangeoire n. f. 4
33 manger v. 4
manière n. f. 4
manque n. m. 4
2 manquer v. 4
manteau n. m. 4
marchand
marchande adj. ou n. 4
marchandise n. f. 4
marche n. f. 3
marché n. m. 3
2 marcher v. 3
mardi n. m. 2
mare n. f. 4
marée n. f. 5
marguerite n. f. 5
mari n. m. 5
mariage n. m. 5
14 marier v. 5
marmite n. f. 4
marque n. f. 3
2 marquer v. 3
marraine n. f. 6
mars n. m. 3
marteau n. m. 4
masculin
masculine adj. 3
masque n. m. 5
masse n. f. 5
matelas n. m. 5
matelot n. m. 6
mathématique adj. ou n. f. 4
matière n. f. 2
matin n. m. 1

ANNEXE 6

	matinal / matinale	adj. 1
	mauvais / mauvaise	adj. 3
	mauve	adj. 3
	mécanicien n. m. / mécanicienne n. f.	4
	mécanique	adj. ou n. f. 4
	méchant / méchante	adj. 4
	médecin	n. m. ou f. 4
	médicament	n. m. 4
	meilleur / meilleure	adj. 5
	mélange	n. m. 4
33	mélanger	v. 4
2	mêler	v. 6
	mélodie	n. f. 4
	melon	n. m. 4
	membre	n. m. 5
	même	dét. ou pron. 2
	mémoire	n. f. 3
	menace	n. f. 6
	ménage	n. m. 4
31	mener	v. 6
	mensonge	n. m. 5
	menteur / menteuse	adj. ou n. 5
50	mentir	v. 5
	menuisier n. m. / menuisière n. f.	4
	mer	n. f. 3
	merci	n. m. 3
	mercredi	n. m. 2
	mère	n. f. 2
2	mériter	v. 5
	merle	n. m. 3
	merveille	n. f. 4
	merveilleux / merveilleuse	adj. 4
	mesdames	n. f. pl. 3
	messe	n. f. 3
	messieurs	n. m. pl. 3
	mesure	n. f. 4
2	mesurer	v. 4
	métal	n. m. 4
	méthode	n. f. 6
	métier	n. m. 3
	mètre	n. m. 3
	métro	n. m. 5
	mets	n. m. 5
34	mettre	v. 6
	meuble	n. m. 2
2	miauler	v. 5
	microbe	n. m. 5
	micro-ondes	n. m. inv. 5
	microphone	n. m. 5
	microscope	n. m. 6
	midi	n. m. 2
	miel	n. m. 3
	mien (le) / mienne (la)	pron. 4
	miette	n. f. 3
	mieux	inv. 4
	milieu	n. m. 4
	mille	dét. 4
	milliard	n. m. 5
	millier	n. m. 5
	million	n. m. 5
	mince	adj. 5
	mine	n. f. 3
	mineur / mineure	adj. ou n. 3
	mineur n. m. / mineuse n. f.	3
	ministre	n. m. ou f. 3
	minuit	n. m. 3
	minute	n. f. 3
	miroir	n. m. 5
	misère	n. f. 4
	mission	n. f. 4
	mitaine	n. f. 4
	mode	n. f. 3
	modèle	n. m. 4
	moderne	adj. 3
	moi	pron. 2
	moi-même	pron. 2
	moineau	n. m. 3
	moins	inv. 2
	mois	n. m. 3
	moisson	n. f. 4
	moitié	n. f. 5
	moment	n. m. 3
	monde	n. m. 2
	moniteur n. m. / monitrice n. f.	5
	monsieur	n. m. 3
	mont	n. m. 4
	montagne	n. f. 4
	montant	n. m. 4
2	monter	v. 4
	montre	n. f. 3
	montréalais / montréalaise	adj. 6
2	montrer	v. 4
	monument	n. m. 4
2	moquer (se) (*être*)	v. 5
	morale	n. f. 4
	morceau	n. m. 4
46	mordre	v. 5
	mort / morte	adj. ou n. 2
	morue	n. f. 5
	mot	n. m. 3

ANNEXE 6

	moteur n. m. 3	
	moto n. f. 4	
	motoneige n. f. 4	
	mou, mol / molle adj. 4	
	mouche n. f. 3	
	mouchoir n. m. 3	
2	mouiller v. 6	
35	mourir (*être*) v. 6	
	mousse n. f. 4	
	moustache n. f. 2	
	mouton n. m. 4	
	mouvement n. m. 3	
	moyen n. m. 4	
	muet / muette adj. 4	
	multiple adj. ou n. m. 5	
	multiplication n. f. 5	
14	multiplier v. 5	
	municipal / municipale adj. 5	
	mur n. m. 3	
	murmure n. m. 3	
	muscle n. m. 4	
	musée n. m. 4	
	musicien n. m. / musicienne n. f. 5	
	musique n. f. 5	
	mystère n. m. 6	
	mystérieux / mystérieuse adj. 6	

N

	nageoire n. f. 4	
33	nager v. 4	
	nageur n. m. / nageuse n. f. 4	
	naissance n. f. 6	
36	naître (*être*) v. 6	
	nappe n. f. 3	
	natal / natale adj. 6	
	natation n. f. 4	
	national / nationale adj. 6	
	nature n. f. 3	
	naturel / naturelle adj. 3	
	naturellement inv. 3	
	navet n. m. 5	
	navette n. f. 5	
2	naviguer v. 5	
	navire n. m. 5	
	nécessaire adj. 6	
	neige n. f. 4	
33	neiger v. 4	
	nerveux / nerveuse adj. 6	
	net / nette adj. 6	
20	nettoyer v. 6	
	neuf dét. 3	
	neuf / neuve adj. 3	
	neveu n. m. 6	
	nez n. m. 3	
	ni inv. 4	
	niaiserie n. f. 5	
	niaiseux / niaiseuse adj. 5	
	niche n. f. 2	
	nid n. m. 3	
	nièce n. f. 6	
	noble adj. ou n. m. ou f. 3	
	nœud n. m. 6	
	noir / noire adj. 3	
	noisette n. f. 5	
	noix n. f. 5	
	nom n. m. 3	
	nombre n. m. 3	
	nombreux / nombreuse adj. 3	
2	nommer v. 3	
	non inv. 3	
	nord n. m. inv. 3	
	normal / normale adj. 4	
	normale n. f. 4	
	note n. f. 4	
2	noter v. 4	
	notre dét. 3	
	nôtre (le, la) pron. 4	
	nouille n. f. 5	
26	nourrir v. 4	
	nourriture n. f. 4	
	nous pron. 1	
	nouveau, nouvel / nouvelle adj. 4	
	nouvelle n. f. 4	
	novembre n. m. 3	
20	noyer v. 6	
	nu / nue adj. 5	
	nuage n. m. 3	
	nuageux / nuageuse adj. 3	
	nuisible adj. 3	
	nuit n. f. 3	
	nul / nulle dét. ou adj. 3	
	numéro n. m. 4	

O

26	obéir v. 4	
	obéissant / obéissante adj. 4	

ANNEXE 6

objet n. m. 3
obligation n. f. 4
33 obliger v. 4
observation n. f. 5
2 observer v. 5
55 obtenir v. 5
occasion n. f. 6
2 occuper v. 5
océan n. m. 5
octobre n. m. 3
odeur n. f. 3
œil n. m. 3
œuf n. m. 2
œuvre n. f. 5
offre n. f. 5
37 offrir v. 5
ogre n. m. / ogresse n. f. 5
oh inv. 4
oie n. f. 4
oignon n. m. 6
oiseau n. m. 3
olympiade n. f. 6
olympique adj. 6
ombre n. f. 4
oncle n. m. 3
ongle n. m. 4
onze dét. 4
opération n. f. 6
22 opérer v. 6
opinion n. f. 6
or n. m. 3
or inv. 5
orage n. m. 3
orange n. f. 2
orange adj. inv. 2
ordinaire adj. 4
ordinateur n. m. 5
ordre n. m. 2
oreille n. f. 3
oreiller n. m. 3
2 organiser v. 5
orgueil n. m. 6
original / originale adj. 5
orignal n. m. 5
orteil n. m. 4
os n. m. 2
2 oser v. 6
2 ôter v. 6
ou inv. 3
où inv. ou pron. 4
ouate n. f. 5
14 oublier v. 5
ouest n. m. inv. 3
oui inv. 3
ours n. m. / ourse n. f. 4
outarde n. f. 5
outil n. m. 5
ouvert / ouverte adj. 3
ouverture n. f. 3
ouvrage n. m. 4
ouvrier n. m. / ouvrière n. f. 4
37 ouvrir v. 5

P

page n. f. 3
paie ou paye n. f. 6
paille n. f. 3
pain n. m. 4
paire n. f. 3
paisible adj. 5
paix n. f. 5
palais n. m. 4
pâle adj. 4
pamplemousse n. m. 6
panier n. m. 3
pantalon n. m. 4
pantoufle n. f. 5
papa n. m. 1
papier n. m. 3
papillon n. m. 4
paquet n. m. 4
par inv. 3
parachute n. m. 6
parachutiste n. m. ou f. 6
parade n. f. 5
11 paraître v. 6
parapluie n. m. 3
parc n. m. 4
parce que inv. 3
pardon n. m. 3
2 pardonner v. 3
pareil / pareille adj. 6
parent / parente adj. ou n. 2
parenté n. f. 2
paresse n. f. 6
paresseux / paresseuse adj. 6
parfait / parfaite adj. 3
parfaitement inv. 3
parfois inv. 4
parfum n. m. 4
parlement n. m. 6
2 parler v. 4
parmi inv. 5
paroisse n. f. 5

ANNEXE 6

parole n. f. 3
parrain n. m. 6
part n. f. 4
33 partager v. 4
parti n. m. 5
participation n. f. 5
2 participer v. 5
partie n. f. 5
38 partir (*être*) v. 6
partout inv. 3
57 parvenir v. 4
pas n. m. 4
passage n. m. 5
passager n. m. / passagère n. f. 5
passé n. m. 3
2 passer v. 3
passion n. f. 5
patate n. f. 5
pâte n. f. 3
pâté n. m. 3
patin n. m. 4
patinage n. m. 4
2 patiner v. 4
patinoire n. f. 4
pâtisserie n. f. 6
pâtissier n. m. / pâtissière n. f. 6
patron n. m. / patronne n. f. 3
patrouille n. f. 6
patte n. f. 3
pauvre adj. 2
pauvreté n. f. 2
39 payer v. 6
pays n. m. 4
paysage n. m. 4
paysan n. m. / paysanne n. f. 4
peau n. f. 3
pêche n. f. 4
2 pêcher v. 4
2 pédaler v. 4
peigne n. m. 5
2 peigner v. 5
54 peindre v. 6
peine n. f. 6
peintre n. m. ou f. 6
peinture n. f. 6
pelle n. f. 5
30 pelleter v. 5
pelouse n. f. 4
pelure n. f. 5
2 pencher v. 5
pendant inv. 3
46 pendre v. 5
pénible adj. 2
pensée n. f. 4
2 penser v. 4
pente n. f. 5
10 percer v. 6
perche n. f. 3
46 perdre v. 5
perdrix n. f. 6
père n. m. 2
perfection n. f. 4
période n. f. 5
34 permettre v. 6
permis n. m. 6
permis / permise adj. 6
permission n. f. 6
perroquet n. m. 6
perruche n. f. 6
personnage n. m. 4
personne n. f. 3
personne pron. 3
personnel / personnelle adj. 3
perte n. f. 3
pesant / pesante adj. 6
31 peser v. 6
pétale n. m. 5
petit / petite adj. 3
peu inv. 3
peuple n. m. 3
peuplier n. m. 4
peur n. f. 2
peureux / peureuse adj. 2
peut-être inv. 6
pharmacie n. f. 6
phoque n. m. 6
photo n. f. 6
photographie n. f. 6
14 photographier v. 6
phrase n. f. 3
physique adj. 6
piano n. m. 4
pie n. f. 3
pièce n. f. 4
pied n. m. 3
pierre n. f. 4
pigeon n. m. 4
pile n. f. 4
pilote n. m. 5
pilule n. f. 5
pin n. m. 5
pince n. f. 6
pinceau n. m. 6
pinson n. m. 4

pipe n. f. 1	plongeon n. m. 4	pollution n. f. 5
piquant piquante adj. 4	33 plonger v. 4	polyvalente n. f. 6
pique-nique n. m. 5	pluie n. f. 3	pomme n. f. 2
2 piquer v. 4	plume n. f. 2	pompe n. f. 5
piqûre n. f. 4	plupart (la) dét. 5	pompier n. m. pompière n. f. 5
piscine n. f. 5	pluriel n. m. 3	47 pondre v. 5
piste n. f. 2	plus inv. ou n. m. 2	pont n. m. 4
pitié n. f. 3	plusieurs dét. 3	population n. f. 6
pizza n. f. 5	plutôt inv. 5	porc n. m. 5
place n. f. 4	pneu n. m. 5	port n. m. 4
10 placer v. 4	poche n. f. 2	porte n. f. 1
plafond n. m. 6	poêle n. m. ou f. 6	portée n. f. 4
plage n. f. 3	poème n. m. 5	2 porter v. 4
plaie n. f. 4	poésie n. f. 5	portrait n. m. 5
13 plaindre v. 6	poète n. m. 5	2 poser v. 4
plaine n. f. 4	poids n. m. 6	position n. f. 4
40 plaire v. 6	poignée n. f. 4	22 posséder v. 6
plaisir n. m. 6	poignet n. m. 4	possible adj. ou n. m. 4
plan n. m. 5	poil n. m. 5	poste n. f. 3
planche n. f. 5	poing n. m. 6	2 poster v. 3
plancher n. m. 5	point n. m. 3	pot n. m. 3
planète n. f. 6	pointe n. f. 3	poteau n. m. 5
plante n. f. 1	pointu pointue adj. 3	poubelle n. f. 5
2 planter v. 1	poire n. f. 1	pouce n. m. 4
plaque n. f. 3	pois n. m. 6	pouding ou pudding n. m. 6
plastique adj. ou n. m. 5	poisson n. m. 3	poudre n. f. 3
plat n. m. 3	poitrine n. f. 3	poule n. f. 3
plat plate adj. 3	poivre n. m. 5	poulet n. m. 3
plateau n. m. 4	pôle n. m. 6	poumon n. m. 4
plâtre n. m. 5	poli polie adj. 4	poupée n. f. 2
plein pleine adj. 5	police n. f. 4	pour inv. 1
pleur n. m. 5	policier n. m. policière n. f. 4	pourquoi inv. 3
2 pleurer v. 5	politesse n. f. 4	poursuite n. f. 6
41 pleuvoir v. 5	politique adj. ou n. f. 6	53 poursuivre v. 6
14 plier v. 5	2 polluer v. 5	pourtant inv. 5
		2 pousser v. 4

ANNEXE 6

poussière n. f. 5
poussin n. m. 4
42 pouvoir v. 3
prairie n. f. 3
pratique adj. ou n. f. 3
2 pratiquer v. 3
22 précéder v. 6
précieux / précieuse adj. 5
précis / précise adj. 4
22 préférer v. 6
préhistorique adj. 6
premier / première adj. ou n. 3
premièrement inv. 3
43 prendre v. 4
prénom n. m. 3
préparation n. f. 4
2 préparer v. 4
près de inv. 3
présent n. m. 4
présent / présente adj. 4
2 présenter v. 4
président n. m. / présidente n. f. 4
presque inv. 3
2 presser v. 5
prêt / prête adj. 5
2 prêter v. 6
prêtre n. m. 4
preuve n. f. 5
57 prévenir v. 4
59 prévoir v. 4
14 prier v. 5
prière n. f. 5
primaire adj. ou n. m. 5

prince n. m. / princesse n. f. 2
principal / principale adj. 6
principe n. m. 6
printemps n. m. 3
prise n. f. 4
prison n. f. 4
prisonnier n. m. / prisonnière n. f. 4
prix n. m. 4
problème n. m. 3
prochain / prochaine adj. 4
proche adj. 4
production n. f. 5
44 produire v. 6
produit n. m. 6
professeur n. m. / professeure n. f. 5
2 profiter v. 5
profond / profonde adj. 5
profondément inv. 5
profondeur n. f. 5
programme n. f. 5
progrès n. m. 6
projet n. m. 6
promenade n. f. 6
31 promener v. 6
promeneur n. m. / promeneuse n. f. 6
promesse n. f. 6
34 promettre v. 6
pronom n. m. 3
10 prononcer v. 5
propre adj. 3
proprement inv. 3
propreté n. f. 3

propriétaire n. m. ou f. 4
propriété n. f. 4
protecteur / protectrice adj. ou n. 6
protection n. f. 6
22 protéger v. 6
2 prouver v. 5
proverbe n. m. 3
province n. f. 5
provision n. f. 5
prudemment inv. 5
prudence n. f. 5
prudent / prudente adj. 5
public n. m. 6
public / publique adj. 6
puis inv. 3
puisque inv. 6
puissance n. f. 4
puissant / puissante adj. 4
26 punir v. 3
punition n. f. 3
pupitre n. m. 3
pur / pure adj. 3
pyjama n. m. 5

Q

quai n. m. 6
qualité n. f. 4
quand inv. 3
quantité n. f. 6
quarante dét. 4
quart n. m. 4
quartier n. m. 6
quatorze dét. 4

	quatre	dét. 3
	quatre-vingt(s)	dét. 4
	quatre-vingt-dix	dét. 4
	quatrième	adj. 3
	que	inv. 2
	québécois québécoise	adj. 5
	quel quelle	dét. ou pron. 5
	quelque chose	pron. m. s. 5
	quelquefois	inv. 5
	quelques	dét. pl. 3
	quelques-uns pron. m. pl. quelques-unes pron. f. pl.	5
	quelqu'un	pron. m. s. 5
	qu'est-ce que	inv. 3
	question	n. f. 4
	queue	n. f. 6
	qui	pron. 3
	quille	n. f. 5
	quinze	dét. 4
2	quitter	v. 4
	quoi	pron. 3
	quoique	inv. 6

R

	raccourci	n. m. 6
26	raccourcir	v. 6
	race	n. f. 5
	racine	n. f. 3
2	raconter	v. 4
	radio	n. f. 4
	radiographie	n. f. 6
	radis	n. m. 5
	rage	n. f. 2
	ragoût	n. m. 5
	raide	adj. 5
	rail	n. m. 5
	raisin	n. m. 4
	raison	n. f. 3
26	ralentir	v. 4
2	ramasser	v. 6
	rame	n. f. 3
31	ramener	v. 6
	randonnée	n. f. 6
	rang	n. m. 5
	rangée	n. f. 5
33	ranger	v. 5
	rapide	adj. 4
	rapidement	inv. 4
	rapidité	n. f. 4
4	rappeler	v. 5
	rapport	n. m. 5
2	rapporter	v. 5
	raquette	n. f. 5
	rare	adj. 3
	rarement	inv. 3
	rat n. m. rate n. f.	3
	râteau	n. m. 5
	rayon	n. m. 4
26	réagir	v. 5
	réalité	n. f. 6
45	recevoir	v. 5
2	réchauffer	v. 5
	recherche	n. f. 4
2	rechercher	v. 4
	récit	n. m. 6
	récolte	n. f. 3
10	recommencer	v. 4
	récompense	n. f. 5
44	reconduire	v. 6
11	reconnaître	v. 6
37	recouvrir	v. 5
	récréation	n. f. 4
	rectangle	n. m. 4
	recueil	n. m. 6
2	reculer	v. 4
	rédaction	n. f. 3
46	redescendre	v. 5
57	redevenir (*être*)	v. 4
17	redire	v. 3
	redoutable	adj. 3
	réel réelle	adj. 6
	réellement	inv. 6
24	refaire	v. 3
26	réfléchir	v. 4
	réfrigérateur	n. m. 6
26	refroidir	v. 3
	refuge	n. m. 4
	regard	n. m. 3
2	regarder	v. 3
	régime	n. m. 3
	région	n. f. 4
	règle	n. f. 4
	règlement	n. m. 4
2	regretter	v. 6
	régulier régulière	adj. 4
	reine	n. f. 2
26	réjouir	v. 4
31	relever	v. 6
32	relire	v. 5
	remarque	n. f. 3
2	remarquer	v. 3
	remède	n. m. 5
14	remercier	v. 5
34	remettre	v. 6
	remise	n. f. 6
2	remonter	v. 4
10	remplacer	v. 5
26	remplir	v. 4

	Mot	Classe	
	renard	n. m.	3
	rencontre	n. f.	3
2	rencontrer	v.	3
46	rendre	v.	5
	renouveau	n. m.	4
	renouvellement	n. m.	4
	renseignement	n. m.	5
	rentrée	n. f.	3
2	rentrer	v.	3
2	renverser	v.	5
21	renvoyer	v.	6
2	réparer	v.	4
38	repartir (*être*)	v.	6
	repas	n. m.	3
2	repasser	v.	5
22	répéter	v.	6
10	replacer	v.	4
14	replier	v.	6
47	répondre	v.	6
	réponse	n. f.	6
	repos	n. m.	4
2	reposer	v.	4
43	reprendre	v.	4
	représentation	n. f.	4
2	représenter	v.	4
	reprise	n. f.	4
	reproche	n. m.	3
2	réserver	v.	5
	réservoir	n. m.	5
	respect	n. m.	5
2	respecter	v.	5
	respectueux / respectueuse	adj.	5
	respiration	n. f.	4
2	respirer	v.	4
26	resplendir	v.	6
	responsable	adj. ou n. m. ou f.	5
2	ressembler	v.	6
	restaurant	n. m.	5
	reste	n. m.	3
2	rester (*être*)	v.	3
	résultat	n. m.	5
	retard	n. m.	5
55	retenir	v.	5
2	retirer	v.	5
	retour	n. m.	3
2	retourner	v.	3
	retraite	n. f.	5
2	retrouver	v.	4
	réunion	n. f.	3
26	réussir	v.	4
	rêve	n. m.	4
2	réveiller	v.	6
	réveillon	n. m.	6
22	révéler	v.	6
57	revenir (*être*)	v.	4
2	rêver	v.	4
	rêveur n. m. / rêveuse n. f.		4
2	réviser	v.	5
59	revoir	v.	4
	revue	n. f.	3
	riche	adj. ou n. m. ou f.	3
	richesse	n. f.	3
	rideau	n. m.	4
	ridicule	adj.	6
	rien	inv. ou pron.	3
	rire	n. m.	5
48	rire	v.	5
	risque	n. m.	3
	rive	n. f.	1
	rivière	n. f.	3
	riz	n. m.	4
	robe	n. f.	1
	robot	n. m.	4
	roche	n. f.	3
	rocher	n. m.	3
	roi	n. m.	2
	rôle	n. m.	5
	roman	n. m.	4
	rond / ronde	adj.	3
33	ronger	v.	4
	rose	adj. ou n. f.	2
	rosée	n. f.	3
	rossignol	n. m.	5
	roue	n. f.	3
	rouge	adj.	2
26	rougir	v.	2
	rouleau	n. m.	4
2	rouler	v.	4
	roulette	n. f.	4
	roulotte	n. f.	4
	route	n. f.	1
37	rouvrir	v.	5
	royaume	n. m.	4
	ruban	n. m.	4
	ruche	n. f.	3
	rude	adj.	2
	rue	n. f.	1
	ruine	n. f.	4
	ruisseau	n. m.	4
	rusé / rusée	adj.	5
	russe	adj.	5

S

	Mot	Classe	
	sac	n. m.	3
	sacoche	n. f.	3
	sacré / sacrée	adj.	3
	sage	adj.	2

ANNEXE 6

	sagement	inv.	2
	sagesse	n. f.	2
2	saigner	v.	6
	sain saine	adj.	5
	saint sainte	adj. ou n.	3
26	saisir	v.	4
	saison	n. f.	3
	salade	n. f.	3
	salaire	n. m.	4
	sale	adj.	4
26	salir	v.	4
	salle	n. f.	4
	salon	n. m.	4
2	saluer	v.	4
	salut	n. m.	4
	salutation	n. f.	4
	samedi	n. m.	2
	sandwich	n. m.	6
	sang	n. m.	3
	sans	inv.	3
	sans cesse	inv.	5
	santé	n. f.	4
	sapin	n. m.	3
	satisfaction	n. f.	4
24	satisfaire	v.	4
	satisfait satisfaite	adj.	4
	sauce	n. f.	5
	sauf	inv.	5
	saumon	n. m.	5
	saut	n. m.	4
2	sauter	v.	4
	sauvage	adj.	3
2	sauver	v.	4
	savant savante	adj. ou n.	4
49	savoir	v.	4
	savon	n. m.	4
	scène	n. f.	6
	scie	n. f.	6
	science	n. f.	6
	scolaire	adj.	4
	seau	n. m.	4
	sec sèche	adj.	6
22	sécher	v.	6
	secondaire	adj. ou n. m.	5
	seconde	n. f.	3
2	secouer	v.	4
12	secourir	v.	6
	secours	n. m.	6
	secret secrète	adj.	4
	secrétaire	n. m. ou f.	5
	sécuritaire	adj.	5
	seigneur	n. m.	4
	sein	n. m.	6
	seize	dét.	4
	sel	n. m.	3
	selon	inv.	5
	semaine	n. f.	2
	semblable	adj.	3
2	sembler	v.	3
31	semer	v.	6
	sens	n. m.	6
	sentier	n. m.	4
	sentiment	n. m.	5
50	sentir	v.	5
2	séparer	v.	5
	sept	dét.	3
	septembre	n. m.	3
	série	n. f.	3
	sérieux sérieuse	adj.	5
	serpent	n. m.	5
2	serrer	v.	5
	servante	n. f.	5
	serveur n. m. serveuse n. f.		5
	serviable	adj.	5
	service	n. m.	5
	serviette	n. f.	5
51	servir	v.	5
	serviteur	n. m.	5
	seul seule	adj.	3
	seulement	inv.	3
	sève	n. f.	5
	shampoing	n. m.	6
	si	inv.	3
	siècle	n. m.	5
	siège	n. m.	3
	sien (le) sienne (la)	pron.	4
2	siffler	v.	6
	signature	n. f.	3
	signe	n. m.	3
2	signer	v.	3
	silence	n. m.	4
	s'il vous plaît	inv.	5
	simple	adj.	4
	simplement	inv.	4
	singe	n. m.	2
	singulier	n. m.	3
	sinon	inv.	5
	sirop	n. m.	5
	site	n. m.	5
	situation	n. f.	5
2	situer	v.	5
	six	dét.	3
	sixième	adj.	3
	ski	n. m.	5

14 skier v. 5
soccer n. m. 5
social / sociale adj. 6
sœur n. f. 3
soi pron. 5
soie n. f. 3
soif n. f. 4
2 soigner v. 4
soin n. m. 4
soir n. m. 2
soirée n. f. 2
soixante dét. 4
soixante-dix dét. 4
sol n. m. 2
soldat n. m. / soldate n. f. 3
soleil n. m. 1
solide adj. 2
solitude n. f. 4
solution n. f. 5
sombre adj. 3
somme n. f. 4
sommeil n. m. 6
son dét.
son n. m. 3
33 songer v. 4
2 sonner v. 4
sorcier n. m. / sorcière n. f. 5
sorte n. f. 2
sortie n. f. 5
52 sortir v. 5
sot / sotte adj. 5
sou n. m. 5
souci n. m. 6
soucoupe n. f. 5

soudain inv. 4
2 souffler v. 6
souffleuse n. f. 6
37 souffrir v. 5
souhait n. m. 6
2 souhaiter v. 6
soulagement n. m. 4
33 soulager v. 4
31 soulever v. 6
soulier n. m. 4
soupe n. f. 2
souper n. m. 2
2 souper v. 2
soupir n. m. 4
souple adj. 4
source n. f. 4
sourd / sourde adj. ou n. 4
souris n. f. 4
sous inv. 3
sous-marin n. m. 6
sous-sol n. m. 6
soustraction n. f. 3
sous-vêtement n. m. 6
55 soutenir v. 5
souterrain n. m. 6
souvenir n. m. 3
souvent inv. 4
spaghetti n. m. 6
spécial / spéciale adj. 6
spectacle n. m. 4
spectateur n. m. / spectatrice n. f. 4
sport n. m. 3
sportif / sportive adj. ou n. 3
squelette n. m. 6

stade n. m. 3
station n. f. 4
statue n. f. 2
stéréo adj. inv. 6
style n. m. 6
succès n. m. 5
sucre n. m. 1
sud n. m. 3
suffisant / suffisante adj. 6
suisse adj. 5
suite n. f. 6
suivant / suivante adj. 6
53 suivre v. 6
sujet n. m. 4
superbe adj. 3
supérieur / supérieure adj. ou n. 4
supermarché n. m. 6
superstition n. f. 6
2 supporter v. 6
2 supposer v. 6
sur inv. 2
sur / sure adj. 6
sûr / sûre adj. 6
sûrement inv. 6
surface n. f. 4
43 surprendre v. 4
surprise n. f. 4
2 sursauter v. 5
surtout inv. 3
2 surveiller v. 4
sympathique adj. 6
système n. m. 6

ANNEXE 6

T

tabac n. m. 4
tabagie n. f. 4
table n. f. 1
tableau n. m. 3
tablier n. m. 3
tache n. f. 3
tâche n. f. 3
taille n. f. 3
talent n. m. 5
tambour n. m. 5
tandis que inv. 6
tant inv. 5
tante n. f. 3
tantôt inv. 5
taper v. 6
tapis n. m. 4
tard inv. 4
tarte n. f. 2
tas n. m. 4
tasse n. f. 2
2 tasser v. 5
taupe n. f. 5
taxe n. f. 6
taxi n. m. 6
technique adj. ou n. f. 6
technologie n. f. 6
54 teindre v. 6
tel / telle dét. 4
télécommande n. f. 6
télécopie n. f. 6
télécopieur n. m. 6
téléférique n. m. 6
2 téléguider v. 6
téléphone n. m. 6
télescope n. m. 6
téléspectateur n. m. / téléspectatrice n. f. 6
téléviseur n. m. 6
télévision n. f. 6
tellement inv. 4
témoin n. m. 4
température n. f. 4
tempête n. f. 4
temps n. m. 4
tendre adj. 5
46 tendre v. 5
tendrement inv. 5
55 tenir v. 5
tennis n. m. 5
tente n. f. 3
2 tenter v. 3
2 terminer v. 4
terrain n. m. 3
terre n. f. 3
terrestre adj. 3
terrible adj. 4
test n. m. 5
tête n. f. 1
texte n. m. 3
thé n. m. 5
théâtre n. m. 6
thermomètre n. m. 6
tiède adj. 5
tien (le) / tienne (la) pron. 4
tiers n. m. 4
tige n. f. 2
tigre n. m. / tigresse n. f. 3
timbre n. m. 3
timide adj. 3
tire n. f. 4
2 tirer v. 4
tiroir n. m. 5
tissu n. m. 6
titre n. m. 3
toi pron. 3
toile n. f. 3
toilette n. f. 4
toi-même pron. 2
toit n. m. 3
tomate n. f. 2
2 tomber (*être*) v. 3
tonne n. f. 4
tonnerre n. m. 6
46 tordre v. 5
tort n. m. 6
tortue n. f. 3
tôt inv. 4
2 toucher v. 3
toujours inv. 3
tour n. m. ou f. 3
2 tourner v. 3
tournesol n. m. 5
tournevis n. m. 5
tournoi n. m. 5
tourtière n. f. 5
2 tousser v. 6
tout, tous / toute, toutes dét. 3
tout à coup inv. 6
tout à l'heure inv. 6
tout de même inv. 6
tout de suite inv. 6
toux n. f. 6
trace n. f. 5
tracteur n. m. 5
train n. m. 3
traîneau n. m. 6
2 traîner v. 6

tranche n. f. 3
tranquille adj. 5
tranquillement inv. 5
transformation n. f. 5
2 transformer v. 5
transport n. m. 5
2 transporter v. 5
travail n. m. 4
2 travailler v. 4
travailleur / travailleuse adj. ou n. 4
2 traverser v. 6
traversier n. m. 6
treize dét. 4
2 trembler v. 5
trente dét. 4
très inv. 3
trésor n. m. 3
triangle n. m. 4
triste adj. 2
tristesse n. f. 2
trois dét. 2
troisième adj. 3
2 tromper (se) (*être*) v. 5
trop inv. 3
trophée n. m. 6
trottoir n. m. 6
trou n. m. 3
trouble n. m. 3
troupe n. f. 4
troupeau n. m. 4
2 trouver v. 4
truc n. m. 5
truie n. f. 5
truite n. f. 5
tu pron. 1
2 tuer v. 3
tulipe n. f. 3
tunnel n. m. 6
tuque n. f. 5
tuyau n. m. 6
type n. m. 6

U

un / une dét. 1
unique adj. 4
uniquement inv. 4
26 unir v. 4
unité n. f. 4
univers n. m. 6
urgence n. f. 5
urgent / urgente adj. 5
usage n. m. 3
usagé / usagée adj. 3
usé / usée adj. 5
usine n. f. 2
utile adj. 3
2 utiliser v. 3
utilité n. f. 3

V

vacances n. f. pl. 5
vache n. f. 1
vadrouille n. f. 6
vague adj. 4
vague n. f. 4
vaisselle n. f. 5
valeur n. f. 4
valise n. f. 3
vallée n. f. 4
56 valoir v. 5
vapeur n. f. 3
vase n. m. 3
vaste adj. 3
veau n. m. 4
végétal / végétale adj. 6
veille n. f. 6
2 veiller v. 6
vélo n. m. 5
vendeur n. m. / vendeuse n. f. 5
46 vendre v. 5
vendredi n. m. 2
33 venger v. 5
57 venir (*être*) v. 4
vent n. m. 3
vente n. f. 3
ventre n. m. 4
ver n. m. 5
verbe n. m. 3
verdure n. f. 3
verger n. m. 3
14 vérifier v. 5
véritable adj. 5
vérité n. f. 5
verre n. m. 5
vers inv. 3
vert / verte adj. 3
vêtement n. m. 5
vétérinaire n. m. ou f. 6
veuf n. m. / veuve n. f. 4
viande n. f. 4
victime n. f. 3
victoire n. f. 3
vide adj. ou n. m. 3
vidéo adj. inv. ou n. f. 6

vidéocassette n. f. 6
2 vider v. 3
vie n. f. 2
vieillard n. m. 5
26 vieillir v. 5
vieux, vieil / vieille adj. 5
vieux n. m. / vieille n. f. 5
vif / vive adj. 3
vigoureux / vigoureuse adj. 4
village n. m. 2
ville n. f. 2
vin n. m. 3
vingt dét. 4
vingtaine n. f. 4
violence n. f. 5
violent / violente adj. 5
violet / violette adj. 4
violon n. m. 4
virtuel / virtuelle adj. 6
vis n. f. 5
visage n. m. 2
visible adj. 3
visite n. f. 3
2 visiter v. 3
visiteur n. m. / visiteuse n. f. 3
vitamine n. f. 5
vite inv. 3
vitesse n. f. 3
vitre n. f. 3
vitrine n. f. 3
vivant / vivante adj. ou n. 6
vive inv. 6
58 vivre v. 6
vocabulaire n. m. 5
vœu n. m. 6
voici inv. 2
voilà inv. 2
voile n. m. ou f. 4
59 voir v. 4
voisin / voisine adj. ou n. 3
voiture n. f. 2
voix n. f. 6
vol n. m. 4
volcan n. m. 5
2 voler v. 4
voleur n. m. / voleuse n. f. 4
volonté n. f. 4
volume n. m. 3
votre dét. 3
vôtre (le, la) pron. 4
60 vouloir v. 4
vous pron. 1
voyage n. m. 4
33 voyager v. 4
voyageur n. m. / voyageuse n. f. 4
vrai / vraie adj. 5
vraiment inv. 5
vue n. f. 2

W

wagon n. m. 4

Y

yeux n. m. pl. 4
yogourt n. m. 5

Z

zèbre n. m. 4
zéro dét. ou n. m. 4
zoo n. m. 6

Tableaux de conjugaison

Comment lire un tableau de conjugaison?

En haut de chaque tableau, on voit le nom du verbe et le numéro du tableau.

Tous les tableaux sont divisés en trois colonnes. Le nom des modes est écrit en majuscules.

Le mode indicatif occupe toutes les cases en couleur. Les autres modes : impératif, subjonctif, infinitif et participe, apparaissent l'un en dessous de l'autre dans les cases blanches de la troisième colonne.

Les temps simples du mode indicatif sont dans la première colonne. Les temps composés apparaissent dans la deuxième colonne.

INDICATIF		
Temps simples	Temps composés	

Dans les temps de l'indicatif, on trouve d'abord le présent, puis les temps du passé (le passé composé, l'imparfait, le plus-que-parfait, le passé simple et le passé antérieur) et, enfin, le futur et le conditionnel.

INDICATIF		
Présent	**Passé composé**	
Imparfait	**Plus-que-parfait**	
Passé simple	**Passé antérieur**	
Futur simple	**Futur antérieur**	**Futur proche**
Conditionnel présent	**Conditionnel passé**	

La mention **Remarque** en bas du tableau signale des particularités du verbe.

Dans cette grammaire, on fournit uniquement les formes les plus courantes. Ainsi, pour le passé simple et le passé antérieur, même si ces temps se conjuguent à toutes les personnes, on ne mentionne que les personnes les plus utilisées à ces temps, soit la 1re personne du singulier et la 3e personne du singulier et du pluriel.

Liste des verbes conjugués

Voici la liste des verbes conjugués dans les tableaux qui suivent.
Le numéro en couleur correspond au numéro du tableau.

Verbe	N°	Verbe	N°	Verbe	N°	Verbe	N°
+ acheter	1	devoir	16	+ lever	31	+ rendre	46
aimer	2	dire	17	+ lire	32	+ répondre	47
aller	3	+ dormir	18	manger	33	+ rire	48
+ appeler	4	+ écrire	19	+ mettre	34	savoir	49
+ (s')asseoir	5	+ employer	20	+ mourir	35	+ sentir	50
avoir	6	+ envoyer	21	+ naître	36	+ servir	51
+ battre	7	+ espérer	22	+ offrir	37	+ sortir	52
+ boire	8	être	23	+ partir	38	+ suivre	53
+ bouillir	9	faire	24	+ payer	39	+ teindre	54
commencer	10	falloir	25	+ plaire	40	+ tenir	55
+ connaître	11	finir	26	+ pleuvoir	41	+ valoir	56
+ courir	12	+ fuir	27	pouvoir	42	venir	57
+ craindre	13	+ geler	28	prendre	43	+ vivre	58
+ crier	14	+ haïr	29	+ produire	44	voir	59
+ croire	15	+ jeter	30	+ recevoir	45	vouloir	60

acheter

INDICATIF

Temps simples		Temps composés		
Présent		**Passé composé**		
j'	achèt**e**	j'	ai	acheté
tu	achèt**es**	tu	as	acheté
il/elle	achèt**e**	il/elle	a	acheté
nous	achet**ons**	nous	avons	acheté
vous	achet**ez**	vous	avez	acheté
ils/elles	achèt**ent**	ils/elles	ont	acheté
Imparfait		**Plus-que-parfait**		
j'	achet**ais**	j'	avais	acheté
tu	achet**ais**	tu	avais	acheté
il/elle	achet**ait**	il/elle	avait	acheté
nous	achet**ions**	nous	avions	acheté
vous	achet**iez**	vous	aviez	acheté
ils/elles	achet**aient**	ils/elles	avaient	acheté
Passé simple		**Passé antérieur**		
j'	achet**ai**	j'	eus	acheté
il/elle	achet**a**	il/elle	eut	acheté
ils/elles	achet**èrent**	ils/elles	eurent	acheté
Futur simple		**Futur antérieur**		
j'	achèter**ai**	j'	aurai	acheté
tu	achèter**as**	tu	auras	acheté
il/elle	achèter**a**	il/elle	aura	acheté
nous	achèter**ons**	nous	aurons	acheté
vous	achèter**ez**	vous	aurez	acheté
ils/elles	achèter**ont**	ils/elles	auront	acheté
Conditionnel présent		**Conditionnel passé**		
j'	achèter**ais**	j'	aurais	acheté
tu	achèter**ais**	tu	aurais	acheté
il/elle	achèter**ait**	il/elle	aurait	acheté
nous	achèter**ions**	nous	aurions	acheté
vous	achèter**iez**	vous	auriez	acheté
ils/elles	achèter**aient**	ils/elles	auraient	acheté

IMPÉRATIF

achèt**e**
achet**ons**
achet**ez**

SUBJONCTIF

que j'	achèt**e**
que tu	achèt**es**
qu'il/elle	achèt**e**
que nous	achet**ions**
que vous	achet**iez**
qu'ils/elles	achèt**ent**

INFINITIF

achet**er**

PARTICIPE

Présent	Passé
achet**ant**	achet**é** achet**ée** achet**és** achet**ées**

Futur proche

je	vais	acheter
tu	vas	acheter
il/elle	va	acheter
nous	allons	acheter
vous	allez	acheter
ils/elles	vont	acheter

Remarque

Les formes des verbes *acheter* et *racheter* qui font entendre le son [ɛ] s'écrivent avec un e accent grave : *j'ach**è**te*.

ANNEXE 7

aimer (modèle pour les verbes de la 1re conjugaison en *-er*) 2

INDICATIF

Temps simples		Temps composés		
Présent		**Passé composé**		
j'	aim**e**	j'	ai	aimé
tu	aim**es**	tu	as	aimé
il/elle	aim**e**	il/elle	a	aimé
nous	aim**ons**	nous	avons	aimé
vous	aim**ez**	vous	avez	aimé
ils/elles	aim**ent**	ils/elles	ont	aimé
Imparfait		**Plus-que-parfait**		
j'	aim**ais**	j'	avais	aimé
tu	aim**ais**	tu	avais	aimé
il/elle	aim**ait**	il/elle	avait	aimé
nous	aim**ions**	nous	avions	aimé
vous	aim**iez**	vous	aviez	aimé
ils/elles	aim**aient**	ils/elles	avaient	aimé
Passé simple		**Passé antérieur**		
j'	aim**ai**	j'	eus	aimé
il/elle	aim**a**	il/elle	eut	aimé
ils/elles	aim**èrent**	ils/elles	eurent	aimé
Futur simple		**Futur antérieur**		
j'	aime**rai**	j'	aurai	aimé
tu	aime**ras**	tu	auras	aimé
il/elle	aime**ra**	il/elle	aura	aimé
nous	aime**rons**	nous	aurons	aimé
vous	aime**rez**	vous	aurez	aimé
ils/elles	aime**ront**	ils/elles	auront	aimé
Conditionnel présent		**Conditionnel passé**		
j'	aime**rais**	j'	aurais	aimé
tu	aime**rais**	tu	aurais	aimé
il/elle	aime**rait**	il/elle	aurait	aimé
nous	aime**rions**	nous	aurions	aimé
vous	aime**riez**	vous	auriez	aimé
ils/elles	aime**raient**	ils/elles	auraient	aimé

IMPÉRATIF

aim**e**
aim**ons**
aim**ez**

SUBJONCTIF

que j'	aim**e**
que tu	aim**es**
qu'il/elle	aim**e**
que nous	aim**ions**
que vous	aim**iez**
qu'ils/elles	aim**ent**

INFINITIF

aim**er**

PARTICIPE

Présent	Passé
aim**ant**	aim**é**
	aim**ée**
	aim**és**
	aim**ées**

Futur proche		
je	vais	aimer
tu	vas	aimer
il/elle	va	aimer
nous	allons	aimer
vous	allez	aimer
ils/elles	vont	aimer

INDICATIF

Temps simples		Temps composés		
Présent		**Passé composé**		
je	vais	je	suis	allé/allée
tu	vas	tu	es	allé/allée
il/elle	va	il/elle	est	allé/allée
nous	allons	nous	sommes	allés/allées
vous	allez	vous	êtes	allés/allées
ils/elles	vont	ils/elles	sont	allés/allées
Imparfait		**Plus-que-parfait**		
j'	allais	j'	étais	allé/allée
tu	allais	tu	étais	allé/allée
il/elle	allait	il/elle	était	allé/allée
nous	allions	nous	étions	allés/allées
vous	alliez	vous	étiez	allés/allées
ils/elles	allaient	ils/elles	étaient	allés/allées
Passé simple		**Passé antérieur**		
j'	allai	je	fus	allé/allée
il/elle	alla	il/elle	fut	allé/allée
ils/elles	allèrent	ils/elles	furent	allés/allées
Futur simple		**Futur antérieur**		
j'	irai	je	serai	allé/allée
tu	iras	tu	seras	allé/allée
il/elle	ira	il/elle	sera	allé/allée
nous	irons	nous	serons	allés/allées
vous	irez	vous	serez	allés/allées
ils/elles	iront	ils/elles	seront	allés/allées
Conditionnel présent		**Conditionnel passé**		
j'	irais	je	serais	allé/allée
tu	irais	tu	serais	allé/allée
il/elle	irait	il/elle	serait	allé/allée
nous	irions	nous	serions	allés/allées
vous	iriez	vous	seriez	allés/allées
ils/elles	iraient	ils/elles	seraient	allés/allées

IMPÉRATIF

va
allons
allez

SUBJONCTIF

que j'	aille
que tu	ailles
qu'il/elle	aille
que nous	allions
que vous	alliez
qu'ils/elles	aillent

INFINITIF

aller

PARTICIPE

Présent	Passé
allant	allé allée allés allées

ANNEXE 7

Futur proche

je	vais	aller
tu	vas	aller
il/elle	va	aller
nous	allons	aller
vous	allez	aller
ils/elles	vont	aller

Remarques

1. Le verbe *aller* est un verbe irrégulier qui ne fait pas partie de la 1re conjugaison en *-er*.
2. Il se conjugue avec l'auxiliaire *être* aux temps composés.
3. Il sert à former le futur proche *aller* + infinitif : *je vais aimer, je vais finir.*

+ appeler 4

INDICATIF

Temps simples		Temps composés		
Présent		**Passé composé**		
j'	appelle	j'	ai	appelé
tu	appelles	tu	as	appelé
il/elle	appelle	il/elle	a	appelé
nous	appelons	nous	avons	appelé
vous	appelez	vous	avez	appelé
ils/elles	appellent	ils/elles	ont	appelé
Imparfait		**Plus-que-parfait**		
j'	appelais	j'	avais	appelé
tu	appelais	tu	avais	appelé
il/elle	appelait	il/elle	avait	appelé
nous	appelions	nous	avions	appelé
vous	appeliez	vous	aviez	appelé
ils/elles	appelaient	ils/elles	avaient	appelé
Passé simple		**Passé antérieur**		
j'	appelai	j'	eus	appelé
il/elle	appela	il/elle	eut	appelé
ils/elles	appelèrent	ils/elles	eurent	appelé
Futur simple		**Futur antérieur**		
j'	appellerai	j'	aurai	appelé
tu	appelleras	tu	auras	appelé
il/elle	appellera	il/elle	aura	appelé
nous	appellerons	nous	aurons	appelé
vous	appellerez	vous	aurez	appelé
ils/elles	appelleront	ils/elles	auront	appelé
Conditionnel présent		**Conditionnel passé**		
j'	appellerais	j'	aurais	appelé
tu	appellerais	tu	aurais	appelé
il/elle	appellerait	il/elle	aurait	appelé
nous	appellerions	nous	aurions	appelé
vous	appelleriez	vous	auriez	appelé
ils/elles	appelleraient	ils/elles	auraient	appelé

IMPÉRATIF

appelle
appelons
appelez

SUBJONCTIF

que j'	appelle
que tu	appelles
qu'il/elle	appelle
que nous	appelions
que vous	appeliez
qu'ils/elles	appellent

INFINITIF

appeler

PARTICIPE

Présent	Passé
appelant	appelé appelée appelés appelées

Futur proche		
je	vais	appeler
tu	vas	appeler
il/elle	va	appeler
nous	allons	appeler
vous	allez	appeler
ils/elles	vont	appeler

Remarque

Les formes des verbes *appeler, épeler, rappeler, renouveler* qui font entendre le son [ɛ] s'écrivent avec la lettre e suivie de deux *l*: *j'appelle*.

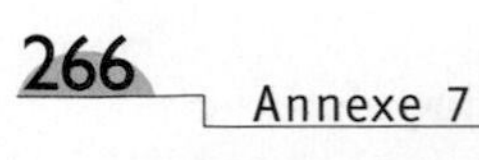

+ (s')asseoir

5

INDICATIF

Temps simples		Temps composés		
Présent		**Passé composé**		
je	m'assoi**s**	je	me suis	assis/assise
tu	t'assoi**s**	tu	t'es	assis/assise
il/elle	s'assoi**t**	il/elle	s'est	assis/assise
nous	nous assoy**ons**	nous	nous sommes	assis/assises
vous	vous assoy**ez**	vous	vous êtes	assis/assises
ils/elles	s'assoi**ent**	ils/elles	se sont	assis/assises
Imparfait		**Plus-que-parfait**		
je	m'assoy**ais**	je	m'étais	assis/assise
tu	t'assoy**ais**	tu	t'étais	assis/assise
il/elle	s'assoy**ait**	il/elle	s'était	assis/assise
nous	nous assoy**ions**	nous	nous étions	assis/assises
vous	vous assoy**iez**	vous	vous étiez	assis/assises
ils/elles	s'assoy**aient**	ils/elles	s'étaient	assis/assises
Passé simple		**Passé antérieur**		
je	m'ass**is**	je	me fus	assis/assise
il/elle	s'ass**it**	il/elle	se fut	assis/assise
ils/elles	s'ass**irent**	ils/elles	se furent	assis/assises
Futur simple		**Futur antérieur**		
je	m'assoi**rai**	je	me serai	assis/assise
tu	t'assoi**ras**	tu	te seras	assis/assise
il/elle	s'assoi**ra**	il/elle	se sera	assis/assise
nous	nous assoi**rons**	nous	nous serons	assis/assises
vous	vous assoi**rez**	vous	vous serez	assis/assises
ils/elles	s'assoi**ront**	ils/elles	se seront	assis/assises
Conditionnel présent		**Conditionnel passé**		
je	m'assoi**rais**	je	me serais	assis/assise
tu	t'assoi**rais**	tu	te serais	assis/assise
il/elle	s'assoi**rait**	il/elle	se serait	assis/assise
nous	nous assoi**rions**	nous	nous serions	assis/assises
vous	vous assoi**riez**	vous	vous seriez	assis/assises
ils/elles	s'assoi**raient**	ils/elles	se seraient	assis/assises

IMPÉRATIF

assoi**s**-toi
assoy**ons**-nous
assoy**ez**-vous

SUBJONCTIF

que je	m'assoi**e**
que tu	t'assoi**es**
qu'il/elle	s'assoi**e**
que nous	nous assoy**ions**
que vous	vous assoy**iez**
qu'ils/elles	s'assoi**ent**

INFINITIF

asse**oir**

PARTICIPE

Présent	Passé
assoy**ant**	assis assis**e** assis assis**es**

Futur proche

je	vais	m'asseoir
tu	vas	t'asseoir
il/elle	va	s'asseoir
nous	allons	nous asseoir
vous	allez	vous asseoir
ils/elles	vont	s'asseoir

Remarques

1. Attention au *i* après le *y* à l'imparfait et au subjonctif avec *nous* et *vous*.
2. Aux temps composés, *s'asseoir* se conjugue avec *être*.
3. Il ne faut pas dire ⦸ *je m'assis*, ⦸ *assis-toi*, mais *je m'assois*, *assois-toi*.

ANNEXE 7

INDICATIF

Temps simples		Temps composés		
Présent		**Passé composé**		
j'	ai	j'	ai	eu
tu	as	tu	as	eu
il/elle	a	il/elle	a	eu
nous	avons	nous	avons	eu
vous	avez	vous	avez	eu
ils/elles	ont	ils/elles	ont	eu
Imparfait		**Plus-que-parfait**		
j'	avais	j'	avais	eu
tu	avais	tu	avais	eu
il/elle	avait	il/elle	avait	eu
nous	avions	nous	avions	eu
vous	aviez	vous	aviez	eu
ils/elles	avaient	ils/elles	avaient	eu
Passé simple		**Passé antérieur**		
j'	eus	j'	eus	eu
il/elle	eut	il/elle	eut	eu
ils/elles	eurent	ils/elles	eurent	eu
Futur simple		**Futur antérieur**		
j'	aurai	j'	aurai	eu
tu	auras	tu	auras	eu
il/elle	aura	il/elle	aura	eu
nous	aurons	nous	aurons	eu
vous	aurez	vous	aurez	eu
ils/elles	auront	ils/elles	auront	eu
Conditionnel présent		**Conditionnel passé**		
j'	aurais	j'	aurais	eu
tu	aurais	tu	aurais	eu
il/elle	aurait	il/elle	aurait	eu
nous	aurions	nous	aurions	eu
vous	auriez	vous	auriez	eu
ils/elles	auraient	ils/elles	auraient	eu

IMPÉRATIF

aie
ayons
ayez

SUBJONCTIF

que j'	aie
que tu	aies
qu'il/elle	ait
que nous	ayons
que vous	ayez
qu'ils/elles	aient

INFINITIF

avoir

PARTICIPE

Présent	Passé
ayant	eu eue eus eues

Futur proche

je	vais	avoir
tu	vas	avoir
il/elle	va	avoir
nous	allons	avoir
vous	allez	avoir
ils/elles	vont	avoir

Remarque

Le verbe *avoir* est utilisé comme auxiliaire dans la formation des temps composés de la plupart des verbes.

INDICATIF

Temps simples / Temps composés

Présent		Passé composé		
je	bat**s**	j'	ai	battu
tu	bat**s**	tu	as	battu
il/elle	bat	il/elle	a	battu
nous	batt**ons**	nous	avons	battu
vous	batt**ez**	vous	avez	battu
ils/elles	batt**ent**	ils/elles	ont	battu

Imparfait		Plus-que-parfait		
je	batt**ais**	j'	avais	battu
tu	batt**ais**	tu	avais	battu
il/elle	batt**ait**	il/elle	avait	battu
nous	batt**ions**	nous	avions	battu
vous	batt**iez**	vous	aviez	battu
ils/elles	batt**aient**	ils/elles	avaient	battu

Passé simple		Passé antérieur		
je	batt**is**	j'	eus	battu
il/elle	batt**it**	il/elle	eut	battu
ils/elles	batt**irent**	ils/elles	eurent	battu

Futur simple		Futur antérieur		
je	batt**rai**	j'	aurai	battu
tu	batt**ras**	tu	auras	battu
il/elle	batt**ra**	il/elle	aura	battu
nous	batt**rons**	nous	aurons	battu
vous	batt**rez**	vous	aurez	battu
ils/elles	batt**ront**	ils/elles	auront	battu

Conditionnel présent		Conditionnel passé		
je	batt**rais**	j'	aurais	battu
tu	batt**rais**	tu	aurais	battu
il/elle	batt**rait**	il/elle	aurait	battu
nous	batt**rions**	nous	aurions	battu
vous	batt**riez**	vous	auriez	battu
ils/elles	batt**raient**	ils/elles	auraient	battu

IMPÉRATIF

bat**s**
batt**ons**
batt**ez**

SUBJONCTIF

que je	batt**e**
que tu	batt**es**
qu'il/elle	batt**e**
que nous	batt**ions**
que vous	batt**iez**
qu'ils/elles	batt**ent**

INFINITIF

batt**re**

PARTICIPE

Présent	Passé
batt**ant**	batt**u** batt**ue** batt**us** batt**ues**

Futur proche

je	vais	battre
tu	vas	battre
il/elle	va	battre
nous	allons	battre
vous	allez	battre
ils/elles	vont	battre

ANNEXE 7

+ boire

INDICATIF

Temps simples / Temps composés

Présent		Passé composé		
je	bois	j'	ai	bu
tu	bois	tu	as	bu
il/elle	boit	il/elle	a	bu
nous	buv**ons**	nous	avons	bu
vous	buv**ez**	vous	avez	bu
ils/elles	bois**ent**	ils/elles	ont	bu

Imparfait		Plus-que-parfait		
je	buv**ais**	j'	avais	bu
tu	buv**ais**	tu	avais	bu
il/elle	buv**ait**	il/elle	avait	bu
nous	buv**ions**	nous	avions	bu
vous	buv**iez**	vous	aviez	bu
ils/elles	buv**aient**	ils/elles	avaient	bu

Passé simple		Passé antérieur		
je	bu**s**	j'	eus	bu
il/elle	bu**t**	il/elle	eut	bu
ils/elles	bu**rent**	ils/elles	eurent	bu

Futur simple		Futur antérieur		
je	boir**ai**	j'	aurai	bu
tu	boir**as**	tu	auras	bu
il/elle	boir**a**	il/elle	aura	bu
nous	boir**ons**	nous	aurons	bu
vous	boir**ez**	vous	aurez	bu
ils/elles	boir**ont**	ils/elles	auront	bu

Conditionnel présent		Conditionnel passé		
je	boir**ais**	j'	aurais	bu
tu	boir**ais**	tu	aurais	bu
il/elle	boir**ait**	il/elle	aurait	bu
nous	boir**ions**	nous	aurions	bu
vous	boir**iez**	vous	auriez	bu
ils/elles	boir**aient**	ils/elles	auraient	bu

IMPÉRATIF

bois
buv**ons**
buv**ez**

SUBJONCTIF

que je	boiv**e**
que tu	boiv**es**
qu'il/elle	boiv**e**
que nous	buv**ions**
que vous	buv**iez**
qu'ils/elles	boiv**ent**

INFINITIF

boire

PARTICIPE

Présent	Passé
buv**ant**	bu bu**e** bu**s** bu**es**

Futur proche

je	vais	boire
tu	vas	boire
il/elle	va	boire
nous	allons	boire
vous	allez	boire
ils/elles	vont	boire

INDICATIF

Temps simples		Temps composés		
Présent		**Passé composé**		
je	bou**s**	j'	ai	bouilli
tu	bou**s**	tu	as	bouilli
il/elle	bou**t**	il/elle	a	bouilli
nous	bouill**ons**	nous	avons	bouilli
vous	bouill**ez**	vous	avez	bouilli
ils/elles	bouill**ent**	ils/elles	ont	bouilli
Imparfait		**Plus-que-parfait**		
je	bouill**ais**	j'	avais	bouilli
tu	bouill**ais**	tu	avais	bouilli
il/elle	bouill**ait**	il/elle	avait	bouilli
nous	bouill**ions**	nous	avions	bouilli
vous	bouill**iez**	vous	aviez	bouilli
ils/elles	bouill**aient**	ils/elles	avaient	bouilli
Passé simple		**Passé antérieur**		
je	bouill**is**	j'	eus	bouilli
il/elle	bouill**it**	il/elle	eut	bouilli
ils/elles	bouill**irent**	ils/elles	eurent	bouilli
Futur simple		**Futur antérieur**		
je	bouilli**rai**	j'	aurai	bouilli
tu	bouilli**ras**	tu	auras	bouilli
il/elle	bouilli**ra**	il/elle	aura	bouilli
nous	bouilli**rons**	nous	aurons	bouilli
vous	bouilli**rez**	vous	aurez	bouilli
ils/elles	bouilli**ront**	ils/elles	auront	bouilli
Conditionnel présent		**Conditionnel passé**		
je	bouilli**rais**	j'	aurais	bouilli
tu	bouilli**rais**	tu	aurais	bouilli
il/elle	bouilli**rait**	il/elle	aurait	bouilli
nous	bouilli**rions**	nous	aurions	bouilli
vous	bouilli**riez**	vous	auriez	bouilli
ils/elles	bouilli**raient**	ils/elles	auraient	bouilli

IMPÉRATIF

bou**s**
bouill**ons**
bouill**ez**

SUBJONCTIF

que je	bouill**e**
que tu	bouill**es**
qu'il/elle	bouill**e**
que nous	bouill**ions**
que vous	bouill**iez**
qu'ils/elles	bouill**ent**

INFINITIF

bouill**ir**

PARTICIPE

Présent	Passé
bouill**ant**	bouill**i** bouill**ie** bouill**is** bouill**ies**

Futur proche

je	vais	bouillir
tu	vas	bouillir
il/elle	va	bouillir
nous	allons	bouillir
vous	allez	bouillir
ils/elles	vont	bouillir

Remarques

1. Au présent, on ne dit pas : ⦸ *L'eau bouille*, mais : *L'eau bout.*
2. Attention au *i* des terminaisons de l'imparfait et du subjonctif avec *nous* et *vous* : *nous bouillions, vous bouilliez.*

INDICATIF

Temps simples		Temps composés		
Présent		**Passé composé**		
je	commence	j'	ai	commencé
tu	commenc**es**	tu	as	commencé
il / elle	commenc**e**	il / elle	a	commencé
nous	commenç**ons**	nous	avons	commencé
vous	commenc**ez**	vous	avez	commencé
ils / elles	commenc**ent**	ils / elles	ont	commencé
Imparfait		**Plus-que-parfait**		
je	commenç**ais**	j'	avais	commencé
tu	commenç**ais**	tu	avais	commencé
il / elle	commenç**ait**	il / elle	avait	commencé
nous	commenc**ions**	nous	avions	commencé
vous	commenc**iez**	vous	aviez	commencé
ils / elles	commenç**aient**	ils / elles	avaient	commencé
Passé simple		**Passé antérieur**		
je	commenç**ai**	j'	eus	commencé
il / elle	commenç**a**	il / elle	eut	commencé
ils / elles	commenc**èrent**	ils / elles	eurent	commencé
Futur simple		**Futur antérieur**		
je	commencer**ai**	j'	aurai	commencé
tu	commencer**as**	tu	auras	commencé
il / elle	commencer**a**	il / elle	aura	commencé
nous	commencer**ons**	nous	aurons	commencé
vous	commencer**ez**	vous	aurez	commencé
ils / elles	commencer**ont**	ils / elles	auront	commencé
Conditionnel présent		**Conditionnel passé**		
je	commencer**ais**	j'	aurais	commencé
tu	commencer**ais**	tu	aurais	commencé
il / elle	commencer**ait**	il / elle	aurait	commencé
nous	commencer**ions**	nous	aurions	commencé
vous	commencer**iez**	vous	auriez	commencé
ils / elles	commencer**aient**	ils / elles	auraient	commencé

IMPÉRATIF

commenc**e**
commenç**ons**
commenc**ez**

SUBJONCTIF

que je	commenc**e**
que tu	commenc**es**
qu'il / elle	commenc**e**
que nous	commenc**ions**
que vous	commenc**iez**
qu'ils / elles	commenc**ent**

INFINITIF

commenc**er**

PARTICIPE

Présent	Passé
commenç**ant**	commenc**é** commenc**ée** commenc**és** commenc**ées**

Futur proche

je	vais	commencer
tu	vas	commencer
il / elle	va	commencer
nous	allons	commencer
vous	allez	commencer
ils / elles	vont	commencer

REMARQUE

Attention à la cédille devant les lettres *a* et *o* : *je commen**ça**is, nous commen**ço**ns.*

INDICATIF

Temps simples		Temps composés		
Présent		**Passé composé**		
je	connai**s**	j'	ai	connu
tu	connai**s**	tu	as	connu
il/elle	conna**ît**	il/elle	a	connu
nous	connaiss**ons**	nous	avons	connu
vous	connaiss**ez**	vous	avez	connu
ils/elles	connaiss**ent**	ils/elles	ont	connu
Imparfait		**Plus-que-parfait**		
je	connaiss**ais**	j'	avais	connu
tu	connaiss**ais**	tu	avais	connu
il/elle	connaiss**ait**	il/elle	avait	connu
nous	connaiss**ions**	nous	avions	connu
vous	connaiss**iez**	vous	aviez	connu
ils/elles	connaiss**aient**	ils/elles	avaient	connu
Passé simple		**Passé antérieur**		
je	conn**us**	j'	eus	connu
il/elle	conn**ut**	il/elle	eut	connu
ils/elles	conn**urent**	ils/elles	eurent	connu
Futur simple		**Futur antérieur**		
je	connaît**rai**	j'	aurai	connu
tu	connaît**ras**	tu	auras	connu
il/elle	connaît**ra**	il/elle	aura	connu
nous	connaît**rons**	nous	aurons	connu
vous	connaît**rez**	vous	aurez	connu
ils/elles	connaît**ront**	ils/elles	auront	connu
Conditionnel présent		**Conditionnel passé**		
je	connaît**rais**	j'	aurais	connu
tu	connaît**rais**	tu	aurais	connu
il/elle	connaît**rait**	il/elle	aurait	connu
nous	connaît**rions**	nous	aurions	connu
vous	connaît**riez**	vous	auriez	connu
ils/elles	connaît**raient**	ils/elles	auraient	connu

IMPÉRATIF

connai**s**
connaiss**ons**
connaiss**ez**

SUBJONCTIF

que je	connaiss**e**
que tu	connaiss**es**
qu'il/elle	connaiss**e**
que nous	connaiss**ions**
que vous	connaiss**iez**
qu'ils/elles	connaiss**ent**

INFINITIF

connaît**re**

PARTICIPE

Présent	Passé
connaiss**ant**	conn**u** conn**ue** conn**us** conn**ues**

Futur proche

je	vais	connaître
tu	vas	connaître
il/elle	va	connaître
nous	allons	connaître
vous	allez	connaître
ils/elles	vont	connaître

REMARQUE

Tous les verbes en *-aître* prennent un accent circonflexe sur le *i* devant *t*: *il conna**î**t*.

INDICATIF

Temps simples		Temps composés		
Présent		**Passé composé**		
je	cour**s**	j'	ai	couru
tu	cour**s**	tu	as	couru
il/elle	cour**t**	il/elle	a	couru
nous	cour**ons**	nous	avons	couru
vous	cour**ez**	vous	avez	couru
ils/elles	cour**ent**	ils/elles	ont	couru
Imparfait		**Plus-que-parfait**		
je	cour**ais**	j'	avais	couru
tu	cour**ais**	tu	avais	couru
il/elle	cour**ait**	il/elle	avait	couru
nous	cour**ions**	nous	avions	couru
vous	cour**iez**	vous	aviez	couru
ils/elles	cour**aient**	ils/elles	avaient	couru
Passé simple		**Passé antérieur**		
je	cour**us**	j'	eus	couru
il/elle	cour**ut**	il/elle	eut	couru
ils/elles	cour**urent**	ils/elles	eurent	couru
Futur simple		**Futur antérieur**		
je	cour**rai**	j'	aurai	couru
tu	cour**ras**	tu	auras	couru
il/elle	cour**ra**	il/elle	aura	couru
nous	cour**rons**	nous	aurons	couru
vous	cour**rez**	vous	aurez	couru
ils/elles	cour**ront**	ils/elles	auront	couru
Conditionnel présent		**Conditionnel passé**		
je	cour**rais**	j'	aurais	couru
tu	cour**rais**	tu	aurais	couru
il/elle	cour**rait**	il/elle	aurait	couru
nous	cour**rions**	nous	aurions	couru
vous	cour**riez**	vous	auriez	couru
ils/elles	cour**raient**	ils/elles	auraient	couru

IMPÉRATIF

cour**s**
cour**ons**
cour**ez**

SUBJONCTIF

que je	cour**e**
que tu	cour**es**
qu'il/elle	cour**e**
que nous	cour**ions**
que vous	cour**iez**
qu'ils/elles	cour**ent**

INFINITIF

cour**ir**

PARTICIPE

Présent	Passé
cour**ant**	cour**u** cour**ue** cour**us** cour**ues**

Futur proche		
je	vais	courir
tu	vas	courir
il/elle	va	courir
nous	allons	courir
vous	allez	courir
ils/elles	vont	courir

Remarque

Attention aux deux *r* du futur simple et du conditionnel présent : *je courrai, je courrais.*

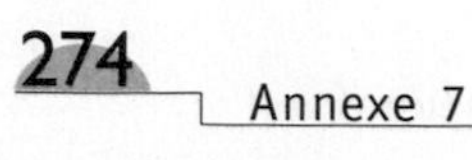

INDICATIF

Temps simples		Temps composés		
Présent		**Passé composé**		
je	crain**s**	j'	ai	craint
tu	crain**s**	tu	as	craint
il/elle	crain**t**	il/elle	a	craint
nous	craign**ons**	nous	avons	craint
vous	craign**ez**	vous	avez	craint
ils/elles	craign**ent**	ils/elles	ont	craint
Imparfait		**Plus-que-parfait**		
je	craign**ais**	j'	avais	craint
tu	craign**ais**	tu	avais	craint
il/elle	craign**ait**	il/elle	avait	craint
nous	craign**ions**	nous	avions	craint
vous	craign**iez**	vous	aviez	craint
ils/elles	craign**aient**	ils/elles	avaient	craint
Passé simple		**Passé antérieur**		
je	craign**is**	j'	eus	craint
il/elle	craign**it**	il/elle	eut	craint
ils/elles	craign**irent**	ils/elles	eurent	craint
Futur simple		**Futur antérieur**		
je	craindr**ai**	j'	aurai	craint
tu	craindr**as**	tu	auras	craint
il/elle	craindr**a**	il/elle	aura	craint
nous	craindr**ons**	nous	aurons	craint
vous	craindr**ez**	vous	aurez	craint
ils/elles	craindr**ont**	ils/elles	auront	craint
Conditionnel présent		**Conditionnel passé**		
je	craindr**ais**	j'	aurais	craint
tu	craindr**ais**	tu	aurais	craint
il/elle	craindr**ait**	il/elle	aurait	craint
nous	craindr**ions**	nous	aurions	craint
vous	craindr**iez**	vous	auriez	craint
ils/elles	craindr**aient**	ils/elles	auraient	craint

IMPÉRATIF

crain**s**
craign**ons**
craign**ez**

SUBJONCTIF

que je	craign**e**
que tu	craign**es**
qu'il/elle	craign**e**
que nous	craign**ions**
que vous	craign**iez**
qu'ils/elles	craign**ent**

INFINITIF

craind**re**

PARTICIPE

Présent	Passé
craign**ant**	crain**t** crain**te** crain**ts** crain**tes**

Futur proche

je	vais	craindre
tu	vas	craindre
il/elle	va	craindre
nous	allons	craindre
vous	allez	craindre
ils/elles	vont	craindre

REMARQUE
Attention au *i* des terminaisons de l'imparfait et du subjonctif avec *nous* et *vous* : *nous craignions, vous craigniez.*

INDICATIF					
Temps simples		**Temps composés**			
Présent		**Passé composé**			
je	crie	j'	ai	crié	
tu	cri**es**	tu	as	crié	
il/elle	crie	il/elle	a	crié	
nous	cri**ons**	nous	avons	crié	
vous	cri**ez**	vous	avez	crié	
ils/elles	cri**ent**	ils/elles	ont	crié	
Imparfait		**Plus-que-parfait**			
je	cri**ais**	j'	avais	crié	
tu	cri**ais**	tu	avais	crié	
il/elle	cri**ait**	il/elle	avait	crié	
nous	cri**ions**	nous	avions	crié	
vous	cri**iez**	vous	aviez	crié	
ils/elles	cri**aient**	ils/elles	avaient	crié	
Passé simple		**Passé antérieur**			
je	cri**ai**	j'	eus	crié	
il/elle	cri**a**	il/elle	eut	crié	
ils/elles	cri**èrent**	ils/elles	eurent	crié	
Futur simple		**Futur antérieur**			
je	crie**rai**	j'	aurai	crié	
tu	crie**ras**	tu	auras	crié	
il/elle	crie**ra**	il/elle	aura	crié	
nous	crie**rons**	nous	aurons	crié	
vous	crie**rez**	vous	aurez	crié	
ils/elles	crie**ront**	ils/elles	auront	crié	
Conditionnel présent		**Conditionnel passé**			
je	crie**rais**	j'	aurais	crié	
tu	crie**rais**	tu	aurais	crié	
il/elle	crie**rait**	il/elle	aurait	crié	
nous	crie**rions**	nous	aurions	crié	
vous	crie**riez**	vous	auriez	crié	
ils/elles	crie**raient**	ils/elles	auraient	crié	

IMPÉRATIF
crie
cri**ons**
cri**ez**

SUBJONCTIF	
que je	crie
que tu	cri**es**
qu'il/elle	crie
que nous	cri**ions**
que vous	cri**iez**
qu'ils/elles	cri**ent**

INFINITIF
crier

PARTICIPE	
Présent	**Passé**
cri**ant**	crié
	cri**ée**
	cri**és**
	cri**ées**

Futur proche		
je	vais	crier
tu	vas	crier
il/elle	va	crier
nous	allons	crier
vous	allez	crier
ils/elles	vont	crier

REMARQUES

1. Les verbes *crier, étudier, multiplier, plier* et *prier* prennent deux *i* à l'imparfait et au subjonctif avec *nous* et *vous*: *nous criions, vous criiez.*
2. Attention au e muet devant la terminaison du futur simple et du conditionnel présent: *je crierai, je crierais.*

INDICATIF

Temps simples		Temps composés		
Présent		**Passé composé**		
je	crois	j'	ai	cru
tu	crois	tu	as	cru
il/elle	croit	il/elle	a	cru
nous	croyons	nous	avons	cru
vous	croyez	vous	avez	cru
ils/elles	croient	ils/elles	ont	cru
Imparfait		**Plus-que-parfait**		
je	croyais	j'	avais	cru
tu	croyais	tu	avais	cru
il/elle	croyait	il/elle	avait	cru
nous	croyions	nous	avions	cru
vous	croyiez	vous	aviez	cru
ils/elles	croyaient	ils/elles	avaient	cru
Passé simple		**Passé antérieur**		
je	crus	j'	eus	cru
il/elle	crut	il/elle	eut	cru
ils/elles	crurent	ils/elles	eurent	cru
Futur simple		**Futur antérieur**		
je	croirai	j'	aurai	cru
tu	croiras	tu	auras	cru
il/elle	croira	il/elle	aura	cru
nous	croirons	nous	aurons	cru
vous	croirez	vous	aurez	cru
ils/elles	croiront	ils/elles	auront	cru
Conditionnel présent		**Conditionnel passé**		
je	croirais	j'	aurais	cru
tu	croirais	tu	aurais	cru
il/elle	croirait	il/elle	aurait	cru
nous	croirions	nous	aurions	cru
vous	croiriez	vous	auriez	cru
ils/elles	croiraient	ils/elles	auraient	cru

IMPÉRATIF

crois
croyons
croyez

SUBJONCTIF

que je	croie
que tu	croies
qu'il/elle	croie
que nous	croyions
que vous	croyiez
qu'ils/elles	croient

INFINITIF

croire

PARTICIPE

Présent	Passé
croyant	cru crue crus crues

Futur proche

je	vais	croire
tu	vas	croire
il/elle	va	croire
nous	allons	croire
vous	allez	croire
ils/elles	vont	croire

REMARQUE

Attention au *i* après le *y* à l'imparfait et au subjonctif avec *nous* et *vous* : *nous croyions, vous croyiez.*

ANNEXE 7

INDICATIF

Temps simples / Temps composés

Présent		Passé composé		
je	dois	j'	ai	dû
tu	dois	tu	as	dû
il/elle	doit	il/elle	a	dû
nous	devons	nous	avons	dû
vous	devez	vous	avez	dû
ils/elles	doivent	ils/elles	ont	dû

Imparfait		Plus-que-parfait		
je	devais	j'	avais	dû
tu	devais	tu	avais	dû
il/elle	devait	il/elle	avait	dû
nous	devions	nous	avions	dû
vous	deviez	vous	aviez	dû
ils/elles	devaient	ils/elles	avaient	dû

Passé simple		Passé antérieur		
je	dus	j'	eus	dû
il/elle	dut	il/elle	eut	dû
ils/elles	durent	ils/elles	eurent	dû

Futur simple		Futur antérieur		
je	devrai	j'	aurai	dû
tu	devras	tu	auras	dû
il/elle	devra	il/elle	aura	dû
nous	devrons	nous	aurons	dû
vous	devrez	vous	aurez	dû
ils/elles	devront	ils/elles	auront	dû

Conditionnel présent		Conditionnel passé		
je	devrais	j'	aurais	dû
tu	devrais	tu	aurais	dû
il/elle	devrait	il/elle	aurait	dû
nous	devrions	nous	aurions	dû
vous	devriez	vous	auriez	dû
ils/elles	devraient	ils/elles	auraient	dû

IMPÉRATIF

dois
devons
devez

SUBJONCTIF

que je	doive
que tu	doives
qu'il/elle	doive
que nous	devions
que vous	deviez
qu'ils/elles	doivent

INFINITIF

devoir

PARTICIPE

Présent	Passé
devant	dû due dus dues

Futur proche

je	vais	devoir
tu	vas	devoir
il/elle	va	devoir
nous	allons	devoir
vous	allez	devoir
ils/elles	vont	devoir

Remarque

Le verbe *devoir* prend un accent circonflexe au participe passé masculin singulier seulement : *il/elle a **dû**, un montant **dû***, mais *une somme **due**, les intérêts **dus***.

INDICATIF

Temps simples		Temps composés		
Présent		**Passé composé**		
je	dis	j'	ai	dit
tu	dis	tu	as	dit
il/elle	dit	il/elle	a	dit
nous	disons	nous	avons	dit
vous	dites	vous	avez	dit
ils/elles	disent	ils/elles	ont	dit
Imparfait		**Plus-que-parfait**		
je	disais	j'	avais	dit
tu	disais	tu	avais	dit
il/elle	disait	il/elle	avait	dit
nous	disions	nous	avions	dit
vous	disiez	vous	aviez	dit
ils/elles	disaient	ils/elles	avaient	dit
Passé simple		**Passé antérieur**		
je	dis	j'	eus	dit
il/elle	dit	il/elle	eut	dit
ils/elles	dirent	ils/elles	eurent	dit
Futur simple		**Futur antérieur**		
je	dirai	j'	aurai	dit
tu	diras	tu	auras	dit
il/elle	dira	il/elle	aura	dit
nous	dirons	nous	aurons	dit
vous	direz	vous	aurez	dit
ils/elles	diront	ils/elles	auront	dit
Conditionnel présent		**Conditionnel passé**		
je	dirais	j'	aurais	dit
tu	dirais	tu	aurais	dit
il/elle	dirait	il/elle	aurait	dit
nous	dirions	nous	aurions	dit
vous	diriez	vous	auriez	dit
ils/elles	diraient	ils/elles	auraient	dit

IMPÉRATIF

dis
disons
dites

SUBJONCTIF

que je	dise
que tu	dises
qu'il/elle	dise
que nous	disions
que vous	disiez
qu'ils/elles	disent

INFINITIF

dire

PARTICIPE

Présent	Passé
disant	dit dite dits dites

Futur proche

je	vais	dire
tu	vas	dire
il/elle	va	dire
nous	allons	dire
vous	allez	dire
ils/elles	vont	dire

Remarque

À la 2e personne du pluriel du présent et de l'impératif, le verbe *dire* ne fait pas ⊘ *disez,* mais *dites.*

+ dormir 18

INDICATIF

Temps simples		Temps composés		
Présent		**Passé composé**		
je	dor**s**	j'	ai	dormi
tu	dor**s**	tu	as	dormi
il/elle	dor**t**	il/elle	a	dormi
nous	dorm**ons**	nous	avons	dormi
vous	dorm**ez**	vous	avez	dormi
ils/elles	dorm**ent**	ils/elles	ont	dormi
Imparfait		**Plus-que-parfait**		
je	dorm**ais**	j'	avais	dormi
tu	dorm**ais**	tu	avais	dormi
il/elle	dorm**ait**	il/elle	avait	dormi
nous	dorm**ions**	nous	avions	dormi
vous	dorm**iez**	vous	aviez	dormi
ils/elles	dorm**aient**	ils/elles	avaient	dormi
Passé simple		**Passé antérieur**		
je	dorm**is**	j'	eus	dormi
il/elle	dorm**it**	il/elle	eut	dormi
ils/elles	dorm**irent**	ils/elles	eurent	dormi
Futur simple		**Futur antérieur**		
je	dormi**rai**	j'	aurai	dormi
tu	dormi**ras**	tu	auras	dormi
il/elle	dormi**ra**	il/elle	aura	dormi
nous	dormi**rons**	nous	aurons	dormi
vous	dormi**rez**	vous	aurez	dormi
ils/elles	dormi**ront**	ils/elles	auront	dormi
Conditionnel présent		**Conditionnel passé**		
je	dormi**rais**	j'	aurais	dormi
tu	dormi**rais**	tu	aurais	dormi
il/elle	dormi**rait**	il/elle	aurait	dormi
nous	dormi**rions**	nous	aurions	dormi
vous	dormi**riez**	vous	auriez	dormi
ils/elles	dormi**raient**	ils/elles	auraient	dormi

IMPÉRATIF

dor**s**
dorm**ons**
dorm**ez**

SUBJONCTIF

que je	dorm**e**
que tu	dorm**es**
qu'il/elle	dorm**e**
que nous	dorm**ions**
que vous	dorm**iez**
qu'ils/elles	dorm**ent**

INFINITIF

dormi**r**

PARTICIPE

Présent	Passé
dorm**ant**	dorm**i**

Futur proche		
je	vais	dormir
tu	vas	dormir
il/elle	va	dormir
nous	allons	dormir
vous	allez	dormir
ils/elles	vont	dormir

INDICATIF

Temps simples		Temps composés		
Présent		**Passé composé**		
j'	écri**s**	j'	ai	écrit
tu	écri**s**	tu	as	écrit
il/elle	écri**t**	il/elle	a	écrit
nous	écriv**ons**	nous	avons	écrit
vous	écriv**ez**	vous	avez	écrit
ils/elles	écriv**ent**	ils/elles	ont	écrit
Imparfait		**Plus-que-parfait**		
j'	écriv**ais**	j'	avais	écrit
tu	écriv**ais**	tu	avais	écrit
il/elle	écriv**ait**	il/elle	avait	écrit
nous	écriv**ions**	nous	avions	écrit
vous	écriv**iez**	vous	aviez	écrit
ils/elles	écriv**aient**	ils/elles	avaient	écrit
Passé simple		**Passé antérieur**		
j'	écriv**is**	j'	eus	écrit
il/elle	écriv**it**	il/elle	eut	écrit
ils/elles	écriv**irent**	ils/elles	eurent	écrit
Futur simple		**Futur antérieur**		
j'	écri**rai**	j'	aurai	écrit
tu	écri**ras**	tu	auras	écrit
il/elle	écri**ra**	il/elle	aura	écrit
nous	écri**rons**	nous	aurons	écrit
vous	écri**rez**	vous	aurez	écrit
ils/elles	écri**ront**	ils/elles	auront	écrit
Conditionnel présent		**Conditionnel passé**		
j'	écri**rais**	j'	aurais	écrit
tu	écri**rais**	tu	aurais	écrit
il/elle	écri**rait**	il/elle	aurait	écrit
nous	écri**rions**	nous	aurions	écrit
vous	écri**riez**	vous	auriez	écrit
ils/elles	écri**raient**	ils/elles	auraient	écrit

IMPÉRATIF

écri**s**
écriv**ons**
écriv**ez**

SUBJONCTIF

que j'	écriv**e**
que tu	écriv**es**
qu'il/elle	écriv**e**
que nous	écriv**ions**
que vous	écriv**iez**
qu'ils/elles	écriv**ent**

INFINITIF

écri**re**

PARTICIPE

Présent	Passé
écriv**ant**	écri**t** écri**te** écri**ts** écri**tes**

Futur proche

je	vais	écrire
tu	vas	écrire
il/elle	va	écrire
nous	allons	écrire
vous	allez	écrire
ils/elles	vont	écrire

INDICATIF

Temps simples		Temps composés		
Présent		**Passé composé**		
j'	emploi**e**	j'	ai	employé
tu	emploi**es**	tu	as	employé
il/elle	emploi**e**	il/elle	a	employé
nous	employ**ons**	nous	avons	employé
vous	employ**ez**	vous	avez	employé
ils/elles	emploi**ent**	ils/elles	ont	employé
Imparfait		**Plus-que-parfait**		
j'	employ**ais**	j'	avais	employé
tu	employ**ais**	tu	avais	employé
il/elle	employ**ait**	il/elle	avait	employé
nous	employ**ions**	nous	avions	employé
vous	employ**iez**	vous	aviez	employé
ils/elles	employ**aient**	ils/elles	avaient	employé
Passé simple		**Passé antérieur**		
j'	employ**ai**	j'	eus	employé
il/elle	employ**a**	il/elle	eut	employé
ils/elles	employ**èrent**	ils/elles	eurent	employé
Futur simple		**Futur antérieur**		
j'	emploie**rai**	j'	aurai	employé
tu	emploie**ras**	tu	auras	employé
il/elle	emploie**ra**	il/elle	aura	employé
nous	emploie**rons**	nous	aurons	employé
vous	emploie**rez**	vous	aurez	employé
ils/elles	emploie**ront**	ils/elles	auront	employé
Conditionnel présent		**Conditionnel passé**		
j'	emploie**rais**	j'	aurais	employé
tu	emploie**rais**	tu	aurais	employé
il/elle	emploie**rait**	il/elle	aurait	employé
nous	emploie**rions**	nous	aurions	employé
vous	emploie**riez**	vous	auriez	employé
ils/elles	emploie**raient**	ils/elles	auraient	employé

IMPÉRATIF

emploi**e**
employ**ons**
employ**ez**

SUBJONCTIF

que j'	emploi**e**
que tu	emploi**es**
qu'il/elle	emploi**e**
que nous	employ**ions**
que vous	employ**iez**
qu'ils/elles	emploi**ent**

INFINITIF

employ**er**

PARTICIPE

Présent	Passé
employ**ant**	employ**é** employ**ée** employ**és** employ**ées**

Futur proche

je	vais	employer
tu	vas	employer
il/elle	va	employer
nous	allons	employer
vous	allez	employer
ils/elles	vont	employer

Remarques

1. Les verbes en *-oyer* comme *employer* et en *-uyer* comme *appuyer* changent le *y* du radical en *i* devant un e muet : *j'emploie, nous appuierons*. Exceptions : *envoyer* et *renvoyer* au futur simple et au conditionnel présent.
2. Attention au *i* après le *y* à l'imparfait et au subjonctif avec *nous* et *vous*.

INDICATIF

Temps simples		Temps composés		
Présent		**Passé composé**		
j'	envoi**e**	j'	ai	envoyé
tu	envoi**es**	tu	as	envoyé
il/elle	envoi**e**	il/elle	a	envoyé
nous	envoy**ons**	nous	avons	envoyé
vous	envoy**ez**	vous	avez	envoyé
ils/elles	envoi**ent**	ils/elles	ont	envoyé
Imparfait		**Plus-que-parfait**		
j'	envoy**ais**	j'	avais	envoyé
tu	envoy**ais**	tu	avais	envoyé
il/elle	envoy**ait**	il/elle	avait	envoyé
nous	envoy**ions**	nous	avions	envoyé
vous	envoy**iez**	vous	aviez	envoyé
ils/elles	envoy**aient**	ils/elles	avaient	envoyé
Passé simple		**Passé antérieur**		
j'	envoy**ai**	j'	eus	envoyé
il/elle	envoy**a**	il/elle	eut	envoyé
ils/elles	envoy**èrent**	ils/elles	eurent	envoyé
Futur simple		**Futur antérieur**		
j'	enverr**ai**	j'	aurai	envoyé
tu	enverr**as**	tu	auras	envoyé
il/elle	enverr**a**	il/elle	aura	envoyé
nous	enverr**ons**	nous	aurons	envoyé
vous	enverr**ez**	vous	aurez	envoyé
ils/elles	enverr**ont**	ils/elles	auront	envoyé
Conditionnel présent		**Conditionnel passé**		
j'	enverr**ais**	j'	aurais	envoyé
tu	enverr**ais**	tu	aurais	envoyé
il/elle	enverr**ait**	il/elle	aurait	envoyé
nous	enverr**ions**	nous	aurions	envoyé
vous	enverr**iez**	vous	auriez	envoyé
ils/elles	enverr**aient**	ils/elles	auraient	envoyé

IMPÉRATIF

envoi**e**
envoy**ons**
envoy**ez**

SUBJONCTIF

que j'	envoi**e**
que tu	envoi**es**
qu'il/elle	envoi**e**
que nous	envoy**ions**
que vous	envoy**iez**
qu'ils/elles	envoi**ent**

INFINITIF

envoy**er**

PARTICIPE

Présent	Passé
envoy**ant**	envoy**é** envoy**ée** envoy**és** envoy**ées**

Futur proche

je	vais	envoyer
tu	vas	envoyer
il/elle	va	envoyer
nous	allons	envoyer
vous	allez	envoyer
ils/elles	vont	envoyer

Remarques

1. Attention au *i* après le *y* à l'imparfait et au subjonctif avec *nous* et *vous* : *nous envoyions, vous envoyiez.*
2. Au futur simple et au conditionnel présent, il ne faut pas dire, ⊘ *j'envoirai,* ⊘ *j'envoirais,* mais *j'enverrai, j'enverrais.*

ANNEXE 7

INDICATIF

Temps simples		Temps composés		
Présent		**Passé composé**		
j'	espère	j'	ai	espéré
tu	espères	tu	as	espéré
il/elle	espère	il/elle	a	espéré
nous	espérons	nous	avons	espéré
vous	espérez	vous	avez	espéré
ils/elles	espèrent	ils/elles	ont	espéré
Imparfait		**Plus-que-parfait**		
j'	espérais	j'	avais	espéré
tu	espérais	tu	avais	espéré
il/elle	espérait	il/elle	avait	espéré
nous	espérions	nous	avions	espéré
vous	espériez	vous	aviez	espéré
ils/elles	espéraient	ils/elles	avaient	espéré
Passé simple		**Passé antérieur**		
j'	espérai	j'	eus	espéré
il/elle	espéra	il/elle	eut	espéré
ils/elles	espérèrent	ils/elles	eurent	espéré
Futur simple		**Futur antérieur**		
j'	espérerai	j'	aurai	espéré
tu	espéreras	tu	auras	espéré
il/elle	espérera	il/elle	aura	espéré
nous	espérerons	nous	aurons	espéré
vous	espérerez	vous	aurez	espéré
ils/elles	espéreront	ils/elles	auront	espéré
Conditionnel présent		**Conditionnel passé**		
j'	espérerais	j'	aurais	espéré
tu	espérerais	tu	aurais	espéré
il/elle	espérerait	il/elle	aurait	espéré
nous	espérerions	nous	aurions	espéré
vous	espéreriez	vous	auriez	espéré
ils/elles	espéreraient	ils/elles	auraient	espéré

IMPÉRATIF

espère
espérons
espérez

SUBJONCTIF

que j'	espère
que tu	espères
qu'il/elle	espère
que nous	espérions
que vous	espériez
qu'ils/elles	espèrent

INFINITIF

espérer

PARTICIPE

Présent	Passé
espérant	espéré espérée espérés espérées

Futur proche

je	vais	espérer
tu	vas	espérer
il/elle	va	espérer
nous	allons	espérer
vous	allez	espérer
ils/elles	vont	espérer

REMARQUE

Le é se change en è devant une syllabe muette finale : *nous espérons/ils espèrent.* Mais au futur simple et au conditionnel présent, on conserve le é malgré la tendance à prononcer [ɛ] : *j'espérerai, j'espérerais.*

ANNEXE 7

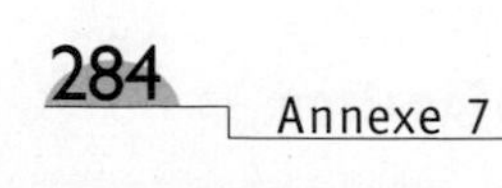

INDICATIF

Temps simples		Temps composés		
Présent		**Passé composé**		
je	suis	j'	ai	été
tu	es	tu	as	été
il/elle	est	il/elle	a	été
nous	sommes	nous	avons	été
vous	êtes	vous	avez	été
ils/elles	sont	ils/elles	ont	été
Imparfait		**Plus-que-parfait**		
j'	étais	j'	avais	été
tu	étais	tu	avais	été
il/elle	était	il/elle	avait	été
nous	étions	nous	avions	été
vous	étiez	vous	aviez	été
ils/elles	étaient	ils/elles	avaient	été
Passé simple		**Passé antérieur**		
je	fus	j'	eus	été
il/elle	fut	il/elle	eut	été
ils/elles	furent	ils/elles	eurent	été
Futur simple		**Futur antérieur**		
je	serai	j'	aurai	été
tu	seras	tu	auras	été
il/elle	sera	il/elle	aura	été
nous	serons	nous	aurons	été
vous	serez	vous	aurez	été
ils/elles	seront	ils/elles	auront	été
Conditionnel présent		**Conditionnel passé**		
je	serais	j'	aurais	été
tu	serais	tu	aurais	été
il/elle	serait	il/elle	aurait	été
nous	serions	nous	aurions	été
vous	seriez	vous	auriez	été
ils/elles	seraient	ils/elles	auraient	été

IMPÉRATIF

sois
soyons
soyez

SUBJONCTIF

que je	sois
que tu	sois
qu'il/elle	soit
que nous	soyons
que vous	soyez
qu'ils/elles	soient

INFINITIF

être

PARTICIPE

Présent	Passé
étant	été

Futur proche

je	vais	être
tu	vas	être
il/elle	va	être
nous	allons	être
vous	allez	être
ils/elles	vont	être

Remarque

Le verbe *être* est utilisé comme auxiliaire dans la formation des temps composés d'un petit nombre de verbes.

faire 24

INDICATIF

Temps simples		Temps composés		
Présent		**Passé composé**		
je	fai**s**	j'	ai	fait
tu	fai**s**	tu	as	fait
il/elle	fai**t**	il/elle	a	fait
nous	fais**ons**	nous	avons	fait
vous	fai**tes**	vous	avez	fait
ils/elles	**font**	ils/elles	ont	fait
Imparfait		**Plus-que-parfait**		
je	fais**ais**	j'	avais	fait
tu	fais**ais**	tu	avais	fait
il/elle	fais**ait**	il/elle	avait	fait
nous	fais**ions**	nous	avions	fait
vous	fais**iez**	vous	aviez	fait
ils/elles	fais**aient**	ils/elles	avaient	fait
Passé simple		**Passé antérieur**		
je	**fis**	j'	eus	fait
il/elle	**fit**	il/elle	eut	fait
ils/elles	**firent**	ils/elles	eurent	fait
Futur simple		**Futur antérieur**		
je	fer**ai**	j'	aurai	fait
tu	fer**as**	tu	auras	fait
il/elle	fer**a**	il/elle	aura	fait
nous	fer**ons**	nous	aurons	fait
vous	fer**ez**	vous	aurez	fait
ils/elles	fer**ont**	ils/elles	auront	fait
Conditionnel présent		**Conditionnel passé**		
je	fer**ais**	j'	aurais	fait
tu	fer**ais**	tu	aurais	fait
il/elle	fer**ait**	il/elle	aurait	fait
nous	fer**ions**	nous	aurions	fait
vous	fer**iez**	vous	auriez	fait
ils/elles	fer**aient**	ils/elles	auraient	fait

IMPÉRATIF

fai**s**
fais**ons**
fai**tes**

SUBJONCTIF

que je	fass**e**
que tu	fass**es**
qu'il/elle	fass**e**
que nous	fass**ions**
que vous	fass**iez**
qu'ils/elles	fass**ent**

INFINITIF

fai**re**

PARTICIPE

Présent	Passé
fais**ant**	fai**t** fai**te** fai**ts** fai**tes**

Futur proche

je	vais	faire
tu	vas	faire
il/elle	va	faire
nous	allons	faire
vous	allez	faire
ils/elles	vont	faire

Remarques

1. À l'imparfait, même si on prononce [fə], on écrit *fai*: *je **fai**sais.*
2. À la 2e personne du pluriel du présent et de l'impératif, on ne dit pas ⃠ *faisez,* mais *faites.*

falloir (verbe employé seulement avec *il*) 25

INDICATIF	
Temps simples	**Temps composés**
Présent	**Passé composé**
il fau**t**	il a fallu
Imparfait	**Plus-que-parfait**
il fall**ait**	il avait fallu
Passé simple	**Passé antérieur**
il fall**ut**	il eut fallu
Futur simple	**Futur antérieur**
il faud**ra**	il aura fallu
Conditionnel présent	**Conditionnel passé**
il faud**rait**	il aurait fallu

IMPÉRATIF
aucun

SUBJONCTIF
qu'il faill**e**

INFINITIF
fall**oir**

PARTICIPE	
Présent	**Passé**
aucun	fall**u**

Futur proche
il va falloir

ANNEXE 7

finir (modèle pour les verbes de la 2e conjugaison qui font *-issons* à la 1re personne du pluriel du présent)

INDICATIF

Temps simples		Temps composés		
Présent		**Passé composé**		
je	fini**s**	j'	ai	fini
tu	fini**s**	tu	as	fini
il/elle	fini**t**	il/elle	a	fini
nous	finiss**ons**	nous	avons	fini
vous	finiss**ez**	vous	avez	fini
ils/elles	finiss**ent**	ils/elles	ont	fini
Imparfait		**Plus-que-parfait**		
je	finiss**ais**	j'	avais	fini
tu	finiss**ais**	tu	avais	fini
il/elle	finiss**ait**	il/elle	avait	fini
nous	finiss**ions**	nous	avions	fini
vous	finiss**iez**	vous	aviez	fini
ils/elles	finiss**aient**	ils/elles	avaient	fini
Passé simple		**Passé antérieur**		
je	fin**is**	j'	eus	fini
il/elle	fin**it**	il/elle	eut	fini
ils/elles	fin**irent**	ils/elles	eurent	fini
Futur simple		**Futur antérieur**		
je	fini**rai**	j'	aurai	fini
tu	fini**ras**	tu	auras	fini
il/elle	fini**ra**	il/elle	aura	fini
nous	fini**rons**	nous	aurons	fini
vous	fini**rez**	vous	aurez	fini
ils/elles	fini**ront**	ils/elles	auront	fini
Conditionnel présent		**Conditionnel passé**		
je	fini**rais**	j'	aurais	fini
tu	fini**rais**	tu	aurais	fini
il/elle	fini**rait**	il/elle	aurait	fini
nous	fini**rions**	nous	aurions	fini
vous	fini**riez**	vous	auriez	fini
ils/elles	fini**raient**	ils/elles	auraient	fini

IMPÉRATIF

fini**s**
finiss**ons**
finiss**ez**

SUBJONCTIF

que je	finisse
que tu	finisse**s**
qu'il/elle	finisse
que nous	finiss**ions**
que vous	finiss**iez**
qu'ils/elles	finiss**ent**

INFINITIF

fin**ir**

PARTICIPE

Présent	Passé
finiss**ant**	fin**i** fin**ie** fin**is** fin**ies**

Futur proche

je	vais	finir
tu	vas	finir
il/elle	va	finir
nous	allons	finir
vous	allez	finir
ils/elles	vont	finir

INDICATIF

Temps simples / Temps composés

Présent		Passé composé		
je	fui**s**	j'	ai	fui
tu	fui**s**	tu	as	fui
il/elle	fui**t**	il/elle	a	fui
nous	fuy**ons**	nous	avons	fui
vous	fuy**ez**	vous	avez	fui
ils/elles	fui**ent**	ils/elles	ont	fui

Imparfait		Plus-que-parfait		
je	fuy**ais**	j'	avais	fui
tu	fuy**ais**	tu	avais	fui
il/elle	fuy**ait**	il/elle	avait	fui
nous	fuy**ions**	nous	avions	fui
vous	fuy**iez**	vous	aviez	fui
ils/elles	fuy**aient**	ils/elles	avaient	fui

Passé simple		Passé antérieur		
je	fui**s**	j'	eus	fui
il/elle	fui**t**	il/elle	eut	fui
ils/elles	fui**rent**	ils/elles	eurent	fui

Futur simple		Futur antérieur		
je	fui**rai**	j'	aurai	fui
tu	fui**ras**	tu	auras	fui
il/elle	fui**ra**	il/elle	aura	fui
nous	fui**rons**	nous	aurons	fui
vous	fui**rez**	vous	aurez	fui
ils/elles	fui**ront**	ils/elles	auront	fui

Conditionnel présent		Conditionnel passé		
je	fui**rais**	j'	aurais	fui
tu	fui**rais**	tu	aurais	fui
il/elle	fui**rait**	il/elle	aurait	fui
nous	fui**rions**	nous	aurions	fui
vous	fui**riez**	vous	auriez	fui
ils/elles	fui**raient**	ils/elles	auraient	fui

IMPÉRATIF

fui**s**
fuy**ons**
fuy**ez**

SUBJONCTIF

que je	fui**e**
que tu	fui**es**
qu'il/elle	fui**e**
que nous	fuy**ions**
que vous	fuy**iez**
qu'ils/elles	fui**ent**

INFINITIF

fui**r**

PARTICIPE

Présent	Passé
fuy**ant**	fui fui**e** fui**s** fui**es**

Futur proche		
je	vais	fuir
tu	vas	fuir
il/elle	va	fuir
nous	allons	fuir
vous	allez	fuir
ils/elles	vont	fuir

Remarques

1. Les formes qui font entendre le son [j] s'écrivent avec la lettre *y*, qui remplace le *i* : *je fuis, nous fu**y**ons.*
2. Attention au *i* après le *y* à l'imparfait et au subjonctif avec *nous* et *vous* : *nous fuy**i**ons, vous fuy**i**ez.*

ANNEXE 7

INDICATIF					
Temps simples		**Temps composés**			
Présent		**Passé composé**			
je	gèl**e**	j'	ai	gelé	
tu	gèl**es**	tu	as	gelé	
il/elle	gèl**e**	il/elle	a	gelé	
nous	gel**ons**	nous	avons	gelé	
vous	gel**ez**	vous	avez	gelé	
ils/elles	gèl**ent**	ils/elles	ont	gelé	
Imparfait		**Plus-que-parfait**			
je	gel**ais**	j'	avais	gelé	
tu	gel**ais**	tu	avais	gelé	
il/elle	gel**ait**	il/elle	avait	gelé	
nous	gel**ions**	nous	avions	gelé	
vous	gel**iez**	vous	aviez	gelé	
ils/elles	gel**aient**	ils/elles	avaient	gelé	
Passé simple		**Passé antérieur**			
je	gel**ai**	j'	eus	gelé	
il/elle	gel**a**	il/elle	eut	gelé	
ils/elles	gel**èrent**	ils/elles	eurent	gelé	
Futur simple		**Futur antérieur**			
je	gèler**ai**	j'	aurai	gelé	
tu	gèler**as**	tu	auras	gelé	
il/elle	gèler**a**	il/elle	aura	gelé	
nous	gèler**ons**	nous	aurons	gelé	
vous	gèler**ez**	vous	aurez	gelé	
ils/elles	gèler**ont**	ils/elles	auront	gelé	
Conditionnel présent		**Conditionnel passé**			
je	gèler**ais**	j'	aurais	gelé	
tu	gèler**ais**	tu	aurais	gelé	
il/elle	gèler**ait**	il/elle	aurait	gelé	
nous	gèler**ions**	nous	aurions	gelé	
vous	gèler**iez**	vous	auriez	gelé	
ils/elles	gèler**aient**	ils/elles	auraient	gelé	

IMPÉRATIF
gèl**e**
gel**ons**
gel**ez**

SUBJONCTIF	
que je	gèl**e**
que tu	gèl**es**
qu'il/elle	gèl**e**
que nous	gel**ions**
que vous	gel**iez**
qu'ils/elles	gèl**ent**

INFINITIF
gel**er**

PARTICIPE	
Présent	**Passé**
gel**ant**	gel**é** gel**ée** gel**és** gel**ées**

Futur proche		
je	vais	geler
tu	vas	geler
il/elle	va	geler
nous	allons	geler
vous	allez	geler
ils/elles	vont	geler

Remarque

Les formes des verbes *déceler, dégeler, congeler, geler, harceler* et *peler* qui font entendre le son [ɛ] s'écrivent avec un e accent grave : *je gèle.*

ANNEXE 7

+ haïr

INDICATIF

Temps simples		Temps composés		
Présent		**Passé composé**		
je	hai**s**	j'	ai	haï
tu	hai**s**	tu	as	haï
il/elle	hai**t**	il/elle	a	haï
nous	haïss**ons**	nous	avons	haï
vous	haïss**ez**	vous	avez	haï
ils/elles	haïss**ent**	ils/elles	ont	haï
Imparfait		**Plus-que-parfait**		
je	haïss**ais**	j'	avais	haï
tu	haïss**ais**	tu	avais	haï
il/elle	haïss**ait**	il/elle	avait	haï
nous	haïss**ions**	nous	avions	haï
vous	haïss**iez**	vous	aviez	haï
ils/elles	haïss**aient**	ils/elles	avaient	haï
Passé simple		**Passé antérieur**		
je	ha**ïs**	j'	eus	haï
il/elle	ha**ït**	il/elle	eut	haï
ils/elles	ha**ïrent**	ils/elles	eurent	haï
Futur simple		**Futur antérieur**		
je	haïr**ai**	j'	aurai	haï
tu	haïr**as**	tu	auras	haï
il/elle	haïr**a**	il/elle	aura	haï
nous	haïr**ons**	nous	aurons	haï
vous	haïr**ez**	vous	aurez	haï
ils/elles	haïr**ont**	ils/elles	auront	haï
Conditionnel présent		**Conditionnel passé**		
je	haïr**ais**	j'	aurais	haï
tu	haïr**ais**	tu	aurais	haï
il/elle	haïr**ait**	il/elle	aurait	haï
nous	haïr**ions**	nous	aurions	haï
vous	haïr**iez**	vous	auriez	haï
ils/elles	haïr**aient**	ils/elles	auraient	haï

IMPÉRATIF

hai**s**
haïss**ons**
haïss**ez**

SUBJONCTIF

que je	haïss**e**
que tu	haïss**es**
qu'il/elle	haïss**e**
que nous	haïss**ions**
que vous	haïss**iez**
qu'ils/elles	haïss**ent**

INFINITIF

haï**r**

PARTICIPE

Présent	Passé
haïss**ant**	haï haï**e** haï**s** haï**es**

Futur proche

je	vais	haïr
tu	vas	haïr
il/elle	va	haïr
nous	allons	haïr
vous	allez	haïr
ils/elles	vont	haïr

Remarque

Le verbe *haïr* prend un tréma sur le *i* dans toute sa conjugaison, sauf aux trois personnes du singulier du présent et à la 2e personne du singulier de l'impératif. On ne dit pas ⊘ *j'haïs*, ⊘ *tu haïs*, ⊘ *il/elle haït*, mais *je hais*, *tu hais*, *il/elle hait*.

ANNEXE 7

INDICATIF

Temps simples		Temps composés		
Présent		**Passé composé**		
je	jett**e**	j'	ai	jeté
tu	jett**es**	tu	as	jeté
il/elle	jett**e**	il/elle	a	jeté
nous	jet**ons**	nous	avons	jeté
vous	jet**ez**	vous	avez	jeté
ils/elles	jett**ent**	ils/elles	ont	jeté
Imparfait		**Plus-que-parfait**		
je	jet**ais**	j'	avais	jeté
tu	jet**ais**	tu	avais	jeté
il/elle	jet**ait**	il/elle	avait	jeté
nous	jet**ions**	nous	avions	jeté
vous	jet**iez**	vous	aviez	jeté
ils/elles	jet**aient**	ils/elles	avaient	jeté
Passé simple		**Passé antérieur**		
je	jet**ai**	j'	eus	jeté
il/elle	jet**a**	il/elle	eut	jeté
ils/elles	jet**èrent**	ils/elles	eurent	jeté
Futur simple		**Futur antérieur**		
je	jett**erai**	j'	aurai	jeté
tu	jett**eras**	tu	auras	jeté
il/elle	jett**era**	il/elle	aura	jeté
nous	jett**erons**	nous	aurons	jeté
vous	jett**erez**	vous	aurez	jeté
ils/elles	jett**eront**	ils/elles	auront	jeté
Conditionnel présent		**Conditionnel passé**		
je	jett**erais**	j'	aurais	jeté
tu	jett**erais**	tu	aurais	jeté
il/elle	jett**erait**	il/elle	aurait	jeté
nous	jett**erions**	nous	aurions	jeté
vous	jett**eriez**	vous	auriez	jeté
ils/elles	jett**eraient**	ils/elles	auraient	jeté

IMPÉRATIF

jett**e**
jet**ons**
jet**ez**

SUBJONCTIF

que je	jett**e**
que tu	jett**es**
qu'il/elle	jett**e**
que nous	jet**ions**
que vous	jet**iez**
qu'ils/elles	jett**ent**

INFINITIF

jet**er**

PARTICIPE

Présent	Passé
jet**ant**	jet**é** jet**ée** jet**és** jet**ées**

Futur proche

je	vais	jeter
tu	vas	jeter
il/elle	va	jeter
nous	allons	jeter
vous	allez	jeter
ils/elles	vont	jeter

Remarque

Les formes des verbes *épousseter, jeter, projeter* et *rejeter* qui font entendre le son [ɛ] s'écrivent avec la lettre e suivie de deux *t*: *je* ***jett****e, je* ***jett****erai.*

INDICATIF

Temps simples		Temps composés		
Présent		**Passé composé**		
je	lèv**e**	j'	ai	levé
tu	lèv**es**	tu	as	levé
il/elle	lèv**e**	il/elle	a	levé
nous	lev**ons**	nous	avons	levé
vous	lev**ez**	vous	avez	levé
ils/elles	lèv**ent**	ils/elles	ont	levé
Imparfait		**Plus-que-parfait**		
je	lev**ais**	j'	avais	levé
tu	lev**ais**	tu	avais	levé
il/elle	lev**ait**	il/elle	avait	levé
nous	lev**ions**	nous	avions	levé
vous	lev**iez**	vous	aviez	levé
ils/elles	lev**aient**	ils/elles	avaient	levé
Passé simple		**Passé antérieur**		
je	lev**ai**	j'	eus	levé
il/elle	lev**a**	il/elle	eut	levé
ils/elles	lev**èrent**	ils/elles	eurent	levé
Futur simple		**Futur antérieur**		
je	lèver**ai**	j'	aurai	levé
tu	lèver**as**	tu	auras	levé
il/elle	lèver**a**	il/elle	aura	levé
nous	lèver**ons**	nous	aurons	levé
vous	lèver**ez**	vous	aurez	levé
ils/elles	lèver**ont**	ils/elles	auront	levé
Conditionnel présent		**Conditionnel passé**		
je	lèver**ais**	j'	aurais	levé
tu	lèver**ais**	tu	aurais	levé
il/elle	lèver**ait**	il/elle	aurait	levé
nous	lèver**ions**	nous	aurions	levé
vous	lèver**iez**	vous	auriez	levé
ils/elles	lèver**aient**	ils/elles	auraient	levé

IMPÉRATIF

lèv**e**
lev**ons**
lev**ez**

SUBJONCTIF

que je	lèv**e**
que tu	lèv**es**
qu'il/elle	lèv**e**
que nous	lev**ions**
que vous	lev**iez**
qu'ils/elles	lèv**ent**

INFINITIF

lev**er**

PARTICIPE

Présent	Passé
lev**ant**	lev**é** lev**ée** lev**és** lev**ées**

Futur proche

je	vais	lever
tu	vas	lever
il/elle	va	lever
nous	allons	lever
vous	allez	lever
ils/elles	vont	lever

Remarque

Dans les formes qui font entendre le son [ɛ], le e est changé en è, y compris au futur simple et au conditionnel présent : *je l**è**ve, je l**è**verai, je l**è**verais.*

ANNEXE 7

INDICATIF

Temps simples		Temps composés		
Présent		**Passé composé**		
je	lis	j'	ai	lu
tu	lis	tu	as	lu
il/elle	lit	il/elle	a	lu
nous	lis**ons**	nous	avons	lu
vous	lis**ez**	vous	avez	lu
ils/elles	lis**ent**	ils/elles	ont	lu
Imparfait		**Plus-que-parfait**		
je	lis**ais**	j'	avais	lu
tu	lis**ais**	tu	avais	lu
il/elle	lis**ait**	il/elle	avait	lu
nous	lis**ions**	nous	avions	lu
vous	lis**iez**	vous	aviez	lu
ils/elles	lis**aient**	ils/elles	avaient	lu
Passé simple		**Passé antérieur**		
je	l**us**	j'	eus	lu
il/elle	l**ut**	il/elle	eut	lu
ils/elles	l**urent**	ils/elles	eurent	lu
Futur simple		**Futur antérieur**		
je	lir**ai**	j'	aurai	lu
tu	lir**as**	tu	auras	lu
il/elle	lir**a**	il/elle	aura	lu
nous	lir**ons**	nous	aurons	lu
vous	lir**ez**	vous	aurez	lu
ils/elles	lir**ont**	ils/elles	auront	lu
Conditionnel présent		**Conditionnel passé**		
je	lir**ais**	j'	aurais	lu
tu	lir**ais**	tu	aurais	lu
il/elle	lir**ait**	il/elle	aurait	lu
nous	lir**ions**	nous	aurions	lu
vous	lir**iez**	vous	auriez	lu
ils/elles	lir**aient**	ils/elles	auraient	lu

IMPÉRATIF

lis
lis**ons**
lis**ez**

SUBJONCTIF

que je	lis**e**
que tu	lis**es**
qu'il/elle	lis**e**
que nous	lis**ions**
que vous	lis**iez**
qu'ils/elles	lis**ent**

INFINITIF

lire

PARTICIPE

Présent	Passé
lis**ant**	lu lue lus lues

Futur proche

je	vais	lire
tu	vas	lire
il/elle	va	lire
nous	allons	lire
vous	allez	lire
ils/elles	vont	lire

ANNEXE 7

INDICATIF

Temps simples		Temps composés		
Présent		**Passé composé**		
je	mang**e**	j'	ai	mangé
tu	mang**es**	tu	as	mangé
il/elle	mang**e**	il/elle	a	mangé
nous	mange**ons**	nous	avons	mangé
vous	mang**ez**	vous	avez	mangé
ils/elles	mang**ent**	ils/elles	ont	mangé
Imparfait		**Plus-que-parfait**		
je	mange**ais**	j'	avais	mangé
tu	mange**ais**	tu	avais	mangé
il/elle	mange**ait**	il/elle	avait	mangé
nous	mang**ions**	nous	avions	mangé
vous	mang**iez**	vous	aviez	mangé
ils/elles	mange**aient**	ils/elles	avaient	mangé
Passé simple		**Passé antérieur**		
je	mange**ai**	j'	eus	mangé
il/elle	mange**a**	il/elle	eut	mangé
ils/elles	mang**èrent**	ils/elles	eurent	mangé
Futur simple		**Futur antérieur**		
je	manger**ai**	j'	aurai	mangé
tu	manger**as**	tu	auras	mangé
il/elle	manger**a**	il/elle	aura	mangé
nous	manger**ons**	nous	aurons	mangé
vous	manger**ez**	vous	aurez	mangé
ils/elles	manger**ont**	ils/elles	auront	mangé
Conditionnel présent		**Conditionnel passé**		
je	manger**ais**	j'	aurais	mangé
tu	manger**ais**	tu	aurais	mangé
il/elle	manger**ait**	il/elle	aurait	mangé
nous	manger**ions**	nous	aurions	mangé
vous	manger**iez**	vous	auriez	mangé
ils/elles	manger**aient**	ils/elles	auraient	mangé

IMPÉRATIF

mang**e**
mange**ons**
mang**ez**

SUBJONCTIF

que je	mang**e**
que tu	mang**es**
qu'il/elle	mang**e**
que nous	mang**ions**
que vous	mang**iez**
qu'ils/elles	mang**ent**

INFINITIF

mang**er**

PARTICIPE

Présent	Passé
mange**ant**	mang**é** mang**ée** mang**és** mang**ées**

Futur proche		
je	vais	manger
tu	vas	manger
il/elle	va	manger
nous	allons	manger
vous	allez	manger
ils/elles	vont	manger

REMARQUE

Le *g* est suivi d'un e devant *a* et *o* : *mange**a**nt, nous mange**o**ns.*

ANNEXE 7

INDICATIF

Temps simples / Temps composés

Présent		Passé composé		
je	mets	j'	ai	mis
tu	mets	tu	as	mis
il/elle	met	il/elle	a	mis
nous	mettons	nous	avons	mis
vous	mettez	vous	avez	mis
ils/elles	mettent	ils/elles	ont	mis

Imparfait		Plus-que-parfait		
je	mettais	j'	avais	mis
tu	mettais	tu	avais	mis
il/elle	mettait	il/elle	avait	mis
nous	mettions	nous	avions	mis
vous	mettiez	vous	aviez	mis
ils/elles	mettaient	ils/elles	avaient	mis

Passé simple		Passé antérieur		
je	mis	j'	eus	mis
il/elle	mit	il/elle	eut	mis
ils/elles	mirent	ils/elles	eurent	mis

Futur simple		Futur antérieur		
je	mettrai	j'	aurai	mis
tu	mettras	tu	auras	mis
il/elle	mettra	il/elle	aura	mis
nous	mettrons	nous	aurons	mis
vous	mettrez	vous	aurez	mis
ils/elles	mettront	ils/elles	auront	mis

Conditionnel présent		Conditionnel passé		
je	mettrais	j'	aurais	mis
tu	mettrais	tu	aurais	mis
il/elle	mettrait	il/elle	aurait	mis
nous	mettrions	nous	aurions	mis
vous	mettriez	vous	auriez	mis
ils/elles	mettraient	ils/elles	auraient	mis

IMPÉRATIF

mets
mettons
mettez

SUBJONCTIF

que je	mette
que tu	mettes
qu'il/elle	mette
que nous	mettions
que vous	mettiez
qu'ils/elles	mettent

INFINITIF

mettre

PARTICIPE

Présent	Passé
mettant	mis mise mis mises

Futur proche		
je	vais	mettre
tu	vas	mettre
il/elle	va	mettre
nous	allons	mettre
vous	allez	mettre
ils/elles	vont	mettre

ANNEXE 7

INDICATIF

Temps simples / Temps composés

Présent		Passé composé		
je	meur**s**	je	suis	mort/morte
tu	meur**s**	tu	es	mort/morte
il/elle	meur**t**	il/elle	est	mort/morte
nous	mour**ons**	nous	sommes	morts/mortes
vous	mour**ez**	vous	êtes	morts/mortes
ils/elles	meur**ent**	ils/elles	sont	morts/mortes

Imparfait		Plus-que-parfait		
je	mour**ais**	j'	étais	mort/morte
tu	mour**ais**	tu	étais	mort/morte
il/elle	mour**ait**	il/elle	était	mort/morte
nous	mour**ions**	nous	étions	morts/mortes
vous	mour**iez**	vous	étiez	morts/mortes
ils/elles	mour**aient**	ils/elles	étaient	morts/mortes

Passé simple		Passé antérieur		
je	mour**us**	je	fus	mort/morte
il/elle	mour**ut**	il/elle	fut	mort/morte
ils/elles	mour**urent**	ils/elles	furent	morts/mortes

Futur simple		Futur antérieur		
je	mour**rai**	je	serai	mort/morte
tu	mour**ras**	tu	seras	mort/morte
il/elle	mour**ra**	il/elle	sera	mort/morte
nous	mour**rons**	nous	serons	morts/mortes
vous	mour**rez**	vous	serez	morts/mortes
ils/elles	mour**ront**	ils/elles	seront	morts/mortes

Conditionnel présent		Conditionnel passé		
je	mour**rais**	je	serais	mort/morte
tu	mour**rais**	tu	serais	mort/morte
il/elle	mour**rait**	il/elle	serait	mort/morte
nous	mour**rions**	nous	serions	morts/mortes
vous	mour**riez**	vous	seriez	morts/mortes
ils/elles	mour**raient**	ils/elles	seraient	morts/mortes

IMPÉRATIF

meur**s**
mour**ons**
mour**ez**

SUBJONCTIF

que je	meur**e**
que tu	meur**es**
qu'il/elle	meur**e**
que nous	mour**ions**
que vous	mour**iez**
qu'ils/elles	meur**ent**

INFINITIF

mour**ir**

PARTICIPE

Présent	Passé
mour**ant**	mor**t** mor**te** mor**ts** mor**tes**

Futur proche

je	vais	mourir
tu	vas	mourir
il/elle	va	mourir
nous	allons	mourir
vous	allez	mourir
ils/elles	vont	mourir

Remarques

1. Aux temps composés, le verbe *mourir* se conjugue avec l'auxiliaire *être*.
2. Attention aux deux *r* au futur simple et au conditionnel présent : *je mour**r**ai, je mour**r**ais.*

INDICATIF

Temps simples		Temps composés		
Présent		**Passé composé**		
je	nais	je	suis	né/née
tu	nais	tu	es	né/née
il/elle	naît	il/elle	est	né/née
nous	naissons	nous	sommes	nés/nées
vous	naissez	vous	êtes	nés/nées
ils/elles	naissent	ils/elles	sont	nés/nées
Imparfait		**Plus-que-parfait**		
je	naissais	j'	étais	né/née
tu	naissais	tu	étais	né/née
il/elle	naissait	il/elle	était	né/née
nous	naissions	nous	étions	nés/nées
vous	naissiez	vous	étiez	nés/nées
ils/elles	naissaient	ils/elles	étaient	nés/nées
Passé simple		**Passé antérieur**		
je	naquis	je	fus	né/née
il/elle	naquit	il/elle	fut	né/née
ils/elles	naquirent	ils/elles	furent	nés/nées
Futur simple		**Futur antérieur**		
je	naîtrai	je	serai	né/née
tu	naîtras	tu	seras	né/née
il/elle	naîtra	il/elle	sera	né/née
nous	naîtrons	nous	serons	nés/nées
vous	naîtrez	vous	serez	nés/nées
ils/elles	naîtront	ils/elles	seront	nés/nées
Conditionnel présent		**Conditionnel passé**		
je	naîtrais	je	serais	né/née
tu	naîtrais	tu	serais	né/née
il/elle	naîtrait	il/elle	serait	né/née
nous	naîtrions	nous	serions	nés/nées
vous	naîtriez	vous	seriez	nés/nées
ils/elles	naîtraient	ils/elles	seraient	nés/nées

IMPÉRATIF

nais
naissons
naissez

SUBJONCTIF

que je	naisse
que tu	naisses
qu'il/elle	naisse
que nous	naissions
que vous	naissiez
qu'ils/elles	naissent

INFINITIF

naître

PARTICIPE

Présent	Passé
naissant	né née nés nées

Futur proche

je	vais	naître
tu	vas	naître
il/elle	va	naître
nous	allons	naître
vous	allez	naître
ils/elles	vont	naître

Remarques

1. Aux temps composés, le verbe *naître* se conjugue avec l'auxiliaire *être*.
2. Attention à l'accent circonflexe sur le *i* devant *t*: *il naît*.

INDICATIF

Temps simples		Temps composés		
Présent		**Passé composé**		
j'	offr**e**	j'	ai	offert
tu	offr**es**	tu	as	offert
il/elle	offr**e**	il/elle	a	offert
nous	offr**ons**	nous	avons	offert
vous	offr**ez**	vous	avez	offert
ils/elles	offr**ent**	ils/elles	ont	offert
Imparfait		**Plus-que-parfait**		
j'	offr**ais**	j'	avais	offert
tu	offr**ais**	tu	avais	offert
il/elle	offr**ait**	il/elle	avait	offert
nous	offr**ions**	nous	avions	offert
vous	offr**iez**	vous	aviez	offert
ils/elles	offr**aient**	ils/elles	avaient	offert
Passé simple		**Passé antérieur**		
j'	offr**is**	j'	eus	offert
il/elle	offr**it**	il/elle	eut	offert
ils/elles	offr**irent**	ils/elles	eurent	offert
Futur simple		**Futur antérieur**		
j'	offrir**ai**	j'	aurai	offert
tu	offrir**as**	tu	auras	offert
il/elle	offrir**a**	il/elle	aura	offert
nous	offrir**ons**	nous	aurons	offert
vous	offrir**ez**	vous	aurez	offert
ils/elles	offrir**ont**	ils/elles	auront	offert
Conditionnel présent		**Conditionnel passé**		
j'	offrir**ais**	j'	aurais	offert
tu	offrir**ais**	tu	aurais	offert
il/elle	offrir**ait**	il/elle	aurait	offert
nous	offrir**ions**	nous	aurions	offert
vous	offrir**iez**	vous	auriez	offert
ils/elles	offrir**aient**	ils/elles	auraient	offert

IMPÉRATIF

offr**e**
offr**ons**
offr**ez**

SUBJONCTIF

que j'	offr**e**
que tu	offr**es**
qu'il/elle	offr**e**
que nous	offr**ions**
que vous	offr**iez**
qu'ils/elles	offr**ent**

INFINITIF

offr**ir**

PARTICIPE

Présent	Passé
offr**ant**	offer**t** offer**te** offer**ts** offer**tes**

ANNEXE 7

Futur proche

je	vais	offrir
tu	vas	offrir
il/elle	va	offrir
nous	allons	offrir
vous	allez	offrir
ils/elles	vont	offrir

Remarque

Le verbe *offrir* ainsi que les verbes *couvrir, cueillir, découvrir, ouvrir* et *souffrir* prennent les terminaisons des verbes en *-er* aux trois personnes du singulier du présent et à la 2e personne du singulier de l'impératif : *j'offr**e**, tu offr**es**, il/elle offr**e**, offr**e***.

INDICATIF

Temps simples		Temps composés		
Présent		**Passé composé**		
je	par**s**	je	suis	parti/partie
tu	par**s**	tu	es	parti/partie
il/elle	par**t**	il/elle	est	parti/partie
nous	part**ons**	nous	sommes	partis/parties
vous	part**ez**	vous	êtes	partis/parties
ils/elles	part**ent**	ils/elles	sont	partis/parties
Imparfait		**Plus-que-parfait**		
je	part**ais**	j'	étais	parti/partie
tu	part**ais**	tu	étais	parti/partie
il/elle	part**ait**	il/elle	était	parti/partie
nous	part**ions**	nous	étions	partis/parties
vous	part**iez**	vous	étiez	partis/parties
ils/elles	part**aient**	ils/elles	étaient	partis/parties
Passé simple		**Passé antérieur**		
je	part**is**	je	fus	parti/partie
il/elle	part**it**	il/elle	fut	parti/partie
ils/elles	part**irent**	ils/elles	furent	partis/parties
Futur simple		**Futur antérieur**		
je	parti**rai**	je	serai	parti/partie
tu	parti**ras**	tu	seras	parti/partie
il/elle	parti**ra**	il/elle	sera	parti/partie
nous	parti**rons**	nous	serons	partis/parties
vous	parti**rez**	vous	serez	partis/parties
ils/elles	parti**ront**	ils/elles	seront	partis/parties
Conditionnel présent		**Conditionnel passé**		
je	parti**rais**	je	serais	parti/partie
tu	parti**rais**	tu	serais	parti/partie
il/elle	parti**rait**	il/elle	serait	parti/partie
nous	parti**rions**	nous	serions	partis/parties
vous	parti**riez**	vous	seriez	partis/parties
ils/elles	parti**raient**	ils/elles	seraient	partis/parties

IMPÉRATIF

par**s**
part**ons**
part**ez**

SUBJONCTIF

que je	part**e**
que tu	part**es**
qu'il/elle	part**e**
que nous	part**ions**
que vous	part**iez**
qu'ils/elles	part**ent**

INFINITIF

part**ir**

PARTICIPE

Présent	Passé
part**ant**	part**i** part**ie** part**is** part**ies**

Futur proche		
je	vais	partir
tu	vas	partir
il/elle	va	partir
nous	allons	partir
vous	allez	partir
ils/elles	vont	partir

Remarque

Aux temps composés, le verbe *partir* se conjugue avec l'auxiliaire *être*.

+ payer 39

INDICATIF

Temps simples		Temps composés		
Présent		**Passé composé**		
je	pai**e**/pay**e**	j'	ai	payé
tu	pai**es**/pay**es**	tu	as	payé
il/elle	pai**e**/pay**e**	il/elle	a	payé
nous	pay**ons**	nous	avons	payé
vous	pay**ez**	vous	avez	payé
ils/elles	pai**ent**/pay**ent**	ils/elles	ont	payé
Imparfait		**Plus-que-parfait**		
je	pay**ais**	j'	avais	payé
tu	pay**ais**	tu	avais	payé
il/elle	pay**ait**	il/elle	avait	payé
nous	pay**ions**	nous	avions	payé
vous	pay**iez**	vous	aviez	payé
ils/elles	pay**aient**	ils/elles	avaient	payé
Passé simple		**Passé antérieur**		
je	pay**ai**	j'	eus	payé
il/elle	pay**a**	il/elle	eut	payé
ils/elles	pay**èrent**	ils/elles	eurent	payé
Futur simple		**Futur antérieur**		
je	paie**rai**/paye**rai**	j'	aurai	payé
tu	paie**ras**/paye**ras**	tu	auras	payé
il/elle	paie**ra**/paye**ra**	il/elle	aura	payé
nous	paie**rons**/paye**rons**	nous	aurons	payé
vous	paie**rez**/paye**rez**	vous	aurez	payé
ils/elles	paie**ront**/paye**ront**	ils/elles	auront	payé
Conditionnel présent		**Conditionnel passé**		
je	paie**rais**/paye**rais**	j'	aurais	payé
tu	paie**rais**/paye**rais**	tu	aurais	payé
il/elle	paie**rait**/paye**rait**	il/elle	aurait	payé
nous	paie**rions**/paye**rions**	nous	aurions	payé
vous	paie**riez**/paye**riez**	vous	auriez	payé
ils/elles	paie**raient**/paye**raient**	ils/elles	auraient	payé

IMPÉRATIF

pai**e**/pay**e**
pay**ons**
pay**ez**

SUBJONCTIF

que je	pai**e**/pay**e**
que tu	pai**es**/pay**es**
qu'il/elle	pai**e**/pay**e**
que nous	pay**ions**
que vous	pay**iez**
qu'ils/elles	pai**ent**/pay**ent**

INFINITIF

pay**er**

PARTICIPE

Présent	Passé
pay**ant**	pay**é** pay**ée** pay**és** pay**ées**

ANNEXE 7

Futur proche

je	vais	payer
tu	vas	payer
il/elle	va	payer
nous	allons	payer
vous	allez	payer
ils/elles	vont	payer

Remarques

1. Devant un e muet, on peut trouver une forme en *i* ou une forme en *y* : *je paie/je paye, je paierai/je payerai.*
2. Attention au *i* après le *y* à l'imparfait et au subjonctif avec *nous* et *vous* : *nous payions, vous payiez.*

INDICATIF

Temps simples / Temps composés

Présent		Passé composé		
je	plais	j'	ai	plu
tu	plais	tu	as	plu
il/elle	plaît	il/elle	a	plu
nous	plaisons	nous	avons	plu
vous	plaisez	vous	avez	plu
ils/elles	plaisent	ils/elles	ont	plu

Imparfait		Plus-que-parfait		
je	plaisais	j'	avais	plu
tu	plaisais	tu	avais	plu
il/elle	plaisait	il/elle	avait	plu
nous	plaisions	nous	avions	plu
vous	plaisiez	vous	aviez	plu
ils/elles	plaisaient	ils/elles	avaient	plu

Passé simple		Passé antérieur		
je	plus	j'	eus	plu
il/elle	plut	il/elle	eut	plu
ils/elles	plurent	ils/elles	eurent	plu

Futur simple		Futur antérieur		
je	plairai	j'	aurai	plu
tu	plairas	tu	auras	plu
il/elle	plaira	il/elle	aura	plu
nous	plairons	nous	aurons	plu
vous	plairez	vous	aurez	plu
ils/elles	plairont	ils/elles	auront	plu

Conditionnel présent		Conditionnel passé		
je	plairais	j'	aurais	plu
tu	plairais	tu	aurais	plu
il/elle	plairait	il/elle	aurait	plu
nous	plairions	nous	aurions	plu
vous	plairiez	vous	auriez	plu
ils/elles	plairaient	ils/elles	auraient	plu

IMPÉRATIF

plais
plaisons
plaisez

SUBJONCTIF

que je	plaise
que tu	plaises
qu'il/elle	plaise
que nous	plaisions
que vous	plaisiez
qu'ils/elles	plaisent

INFINITIF

plaire

PARTICIPE

Présent	Passé
plaisant	plu

Futur proche

je	vais	plaire
tu	vas	plaire
il/elle	va	plaire
nous	allons	plaire
vous	allez	plaire
ils/elles	vont	plaire

REMARQUE
Attention à l'accent circonflexe sur le *i* devant *t* à la 3e personne du singulier du présent : *il/elle plaît.*

ANNEXE 7

+ pleuvoir (verbe employé seulement avec *il*) 41

INDICATIF	
Temps simples	**Temps composés**
Présent	**Passé composé**
il pleu**t**	il a plu
Imparfait	**Plus-que-parfait**
il pleuv**ait**	il avait plu
Passé simple	**Passé antérieur**
il pl**ut**	il eut plu
Futur simple	**Futur antérieur**
il pleuv**ra**	il aura plu
Conditionnel présent	**Conditionnel passé**
il pleuv**rait**	il aurait plu

IMPÉRATIF	
aucun	
SUBJONCTIF	
qu'il pleuv**e**	
INFINITIF	
pleuv**oir**	
PARTICIPE	
Présent	**Passé**
pleuv**ant**	pl**u**

Futur proche
il va pleuvoir

pouvoir **42**

INDICATIF

Temps simples		Temps composés		
Présent		**Passé composé**		
je	peu**x**/puis	j'	ai	pu
tu	peu**x**	tu	as	pu
il/elle	peu**t**	il/elle	a	pu
nous	pouv**ons**	nous	avons	pu
vous	pouv**ez**	vous	avez	pu
ils/elles	peuv**ent**	ils/elles	ont	pu
Imparfait		**Plus-que-parfait**		
je	pouv**ais**	j'	avais	pu
tu	pouv**ais**	tu	avais	pu
il/elle	pouv**ait**	il/elle	avait	pu
nous	pouv**ions**	nous	avions	pu
vous	pouv**iez**	vous	aviez	pu
ils/elles	pouv**aient**	ils/elles	avaient	pu
Passé simple		**Passé antérieur**		
je	p**us**	j'	eus	pu
il/elle	p**ut**	il/elle	eut	pu
ils/elles	p**urent**	ils/elles	eurent	pu
Futur simple		**Futur antérieur**		
je	pour**rai**	j'	aurai	pu
tu	pour**ras**	tu	auras	pu
il/elle	pour**ra**	il/elle	aura	pu
nous	pour**rons**	nous	aurons	pu
vous	pour**rez**	vous	aurez	pu
ils/elles	pour**ront**	ils/elles	auront	pu
Conditionnel présent		**Conditionnel passé**		
je	pour**rais**	j'	aurais	pu
tu	pour**rais**	tu	aurais	pu
il/elle	pour**rait**	il/elle	aurait	pu
nous	pour**rions**	nous	aurions	pu
vous	pour**riez**	vous	auriez	pu
ils/elles	pour**raient**	ils/elles	auraient	pu

IMPÉRATIF

aucun

SUBJONCTIF

que je	puiss**e**
que tu	puiss**es**
qu'il/elle	puiss**e**
que nous	puiss**ions**
que vous	puiss**iez**
qu'ils/elles	puiss**ent**

INFINITIF

pouv**oir**

PARTICIPE

Présent	Passé
pouv**ant**	**pu**

Futur proche

je	vais	pouvoir
tu	vas	pouvoir
il/elle	va	pouvoir
nous	allons	pouvoir
vous	allez	pouvoir
ils/elles	vont	pouvoir

REMARQUES

1. Attention aux deux *r* au futur simple et au conditionnel présent : *je pou**rr**ai, je pou**rr**ais*.
2. La forme *je puis* est plus recherchée, mais elle est la seule utilisée dans les phrases interrogatives : *Puis-je vous aider ?*

prendre

INDICATIF					
Temps simples		**Temps composés**			
Présent		**Passé composé**			
je	prend**s**	j'	ai	pris	
tu	prend**s**	tu	as	pris	
il/elle	prend	il/elle	a	pris	
nous	pren**ons**	nous	avons	pris	
vous	pren**ez**	vous	avez	pris	
ils/elles	prenn**ent**	ils/elles	ont	pris	
Imparfait		**Plus-que-parfait**			
je	pren**ais**	j'	avais	pris	
tu	pren**ais**	tu	avais	pris	
il/elle	pren**ait**	il/elle	avait	pris	
nous	pren**ions**	nous	avions	pris	
vous	pren**iez**	vous	aviez	pris	
ils/elles	pren**aient**	ils/elles	avaient	pris	
Passé simple		**Passé antérieur**			
je	pr**is**	j'	eus	pris	
il/elle	pr**it**	il/elle	eut	pris	
ils/elles	pr**irent**	ils/elles	eurent	pris	
Futur simple		**Futur antérieur**			
je	prendr**ai**	j'	aurai	pris	
tu	prendr**as**	tu	auras	pris	
il/elle	prendr**a**	il/elle	aura	pris	
nous	prendr**ons**	nous	aurons	pris	
vous	prendr**ez**	vous	aurez	pris	
ils/elles	prendr**ont**	ils/elles	auront	pris	
Conditionnel présent		**Conditionnel passé**			
je	prendr**ais**	j'	aurais	pris	
tu	prendr**ais**	tu	aurais	pris	
il/elle	prendr**ait**	il/elle	aurait	pris	
nous	prendr**ions**	nous	aurions	pris	
vous	prendr**iez**	vous	auriez	pris	
ils/elles	prendr**aient**	ils/elles	auraient	pris	

IMPÉRATIF
prend**s**
pren**ons**
pren**ez**

SUBJONCTIF	
que je	prenn**e**
que tu	prenn**es**
qu'il/elle	prenn**e**
que nous	pren**ions**
que vous	pren**iez**
qu'ils/elles	prenn**ent**

INFINITIF
prend**re**

PARTICIPE	
Présent	**Passé**
pren**ant**	pr**is**
	pr**ise**
	pr**is**
	pr**ises**

Futur proche		
je	vais	prendre
tu	vas	prendre
il/elle	va	prendre
nous	allons	prendre
vous	allez	prendre
ils/elles	vont	prendre

REMARQUES

1. À la 3e personne du singulier du présent, les verbes en *-endre* se terminent par un *d* : *il pren**d**.*
2. Les formes qui font entendre le son [ɛ] s'écrivent avec la lettre e suivie de deux *n* : *ils pre**nn**ent.*

ANNEXE 7

INDICATIF

Temps simples / Temps composés

Présent		Passé composé		
je	produi**s**	j'	ai	produit
tu	produi**s**	tu	as	produit
il/elle	produi**t**	il/elle	a	produit
nous	produis**ons**	nous	avons	produit
vous	produis**ez**	vous	avez	produit
ils/elles	produis**ent**	ils/elles	ont	produit

Imparfait		Plus-que-parfait		
je	produis**ais**	j'	avais	produit
tu	produis**ais**	tu	avais	produit
il/elle	produis**ait**	il/elle	avait	produit
nous	produis**ions**	nous	avions	produit
vous	produis**iez**	vous	aviez	produit
ils/elles	produis**aient**	ils/elles	avaient	produit

Passé simple		Passé antérieur		
je	produis**is**	j'	eus	produit
il/elle	produis**it**	il/elle	eut	produit
ils/elles	produis**irent**	ils/elles	eurent	produit

Futur simple		Futur antérieur		
je	produir**ai**	j'	aurai	produit
tu	produir**as**	tu	auras	produit
il/elle	produir**a**	il/elle	aura	produit
nous	produir**ons**	nous	aurons	produit
vous	produir**ez**	vous	aurez	produit
ils/elles	produir**ont**	ils/elles	auront	produit

Conditionnel présent		Conditionnel passé		
je	produir**ais**	j'	aurais	produit
tu	produir**ais**	tu	aurais	produit
il/elle	produir**ait**	il/elle	aurait	produit
nous	produir**ions**	nous	aurions	produit
vous	produir**iez**	vous	auriez	produit
ils/elles	produir**aient**	ils/elles	auraient	produit

IMPÉRATIF

produi**s**
produis**ons**
produis**ez**

SUBJONCTIF

que je	produis**e**
que tu	produis**es**
qu'il/elle	produis**e**
que nous	produis**ions**
que vous	produis**iez**
qu'ils/elles	produis**ent**

INFINITIF

produi**re**

PARTICIPE

Présent	Passé
produis**ant**	produi**t** produi**te** produi**ts** produi**tes**

Futur proche

je	vais	produire
tu	vas	produire
il/elle	va	produire
nous	allons	produire
vous	allez	produire
ils/elles	vont	produire

ANNEXE 7

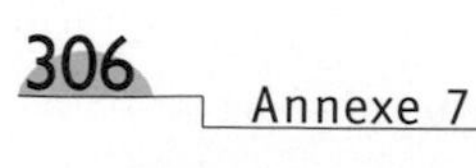

+ recevoir

INDICATIF

Temps simples		Temps composés		
Présent		**Passé composé**		
je	reçoi**s**	j'	ai	reçu
tu	reçoi**s**	tu	as	reçu
il/elle	reçoi**t**	il/elle	a	reçu
nous	recev**ons**	nous	avons	reçu
vous	recev**ez**	vous	avez	reçu
ils/elles	reçoiv**ent**	ils/elles	ont	reçu
Imparfait		**Plus-que-parfait**		
je	recev**ais**	j'	avais	reçu
tu	recev**ais**	tu	avais	reçu
il/elle	recev**ait**	il/elle	avait	reçu
nous	recev**ions**	nous	avions	reçu
vous	recev**iez**	vous	aviez	reçu
ils/elles	recev**aient**	ils/elles	avaient	reçu
Passé simple		**Passé antérieur**		
je	reç**us**	j'	eus	reçu
il/elle	reç**ut**	il/elle	eut	reçu
ils/elles	reç**urent**	ils/elles	eurent	reçu
Futur simple		**Futur antérieur**		
je	recev**rai**	j'	aurai	reçu
tu	recev**ras**	tu	auras	reçu
il/elle	recev**ra**	il/elle	aura	reçu
nous	recev**rons**	nous	aurons	reçu
vous	recev**rez**	vous	aurez	reçu
ils/elles	recev**ront**	ils/elles	auront	reçu
Conditionnel présent		**Conditionnel passé**		
je	recev**rais**	j'	aurais	reçu
tu	recev**rais**	tu	aurais	reçu
il/elle	recev**rait**	il/elle	aurait	reçu
nous	recev**rions**	nous	aurions	reçu
vous	recev**riez**	vous	auriez	reçu
ils/elles	recev**raient**	ils/elles	auraient	reçu

IMPÉRATIF

reçoi**s**
recev**ons**
recev**ez**

SUBJONCTIF

que je	reçoiv**e**
que tu	reçoiv**es**
qu'il/elle	reçoiv**e**
que nous	recev**ions**
que vous	recev**iez**
qu'ils/elles	reçoiv**ent**

INFINITIF

recev**oir**

PARTICIPE

Présent	Passé
recev**ant**	reç**u** reç**ue** reç**us** reç**ues**

Futur proche

je	vais	recevoir
tu	vas	recevoir
il/elle	va	recevoir
nous	allons	recevoir
vous	allez	recevoir
ils/elles	vont	recevoir

Remarque

Attention à la cédille devant les lettres *o* et *u* : *je re**ço**is, j'ai re**çu***.

INDICATIF

Temps simples		Temps composés		
Présent		**Passé composé**		
je	rend**s**	j'	ai	rendu
tu	rend**s**	tu	as	rendu
il/elle	rend	il/elle	a	rendu
nous	rend**ons**	nous	avons	rendu
vous	rend**ez**	vous	avez	rendu
ils/elles	rend**ent**	ils/elles	ont	rendu
Imparfait		**Plus-que-parfait**		
je	rend**ais**	j'	avais	rendu
tu	rend**ais**	tu	avais	rendu
il/elle	rend**ait**	il/elle	avait	rendu
nous	rend**ions**	nous	avions	rendu
vous	rend**iez**	vous	aviez	rendu
ils/elles	rend**aient**	ils/elles	avaient	rendu
Passé simple		**Passé antérieur**		
je	rend**is**	j'	eus	rendu
il/elle	rend**it**	il/elle	eut	rendu
ils/elles	rend**irent**	ils/elles	eurent	rendu
Futur simple		**Futur antérieur**		
je	rend**rai**	j'	aurai	rendu
tu	rend**ras**	tu	auras	rendu
il/elle	rend**ra**	il/elle	aura	rendu
nous	rend**rons**	nous	aurons	rendu
vous	rend**rez**	vous	aurez	rendu
ils/elles	rend**ront**	ils/elles	auront	rendu
Conditionnel présent		**Conditionnel passé**		
je	rend**rais**	j'	aurais	rendu
tu	rend**rais**	tu	aurais	rendu
il/elle	rend**rait**	il/elle	aurait	rendu
nous	rend**rions**	nous	aurions	rendu
vous	rend**riez**	vous	auriez	rendu
ils/elles	rend**raient**	ils/elles	auraient	rendu

IMPÉRATIF

rend**s**
rend**ons**
rend**ez**

SUBJONCTIF

que je	rend**e**
que tu	rend**es**
qu'il/elle	rend**e**
que nous	rend**ions**
que vous	rend**iez**
qu'ils/elles	rend**ent**

INFINITIF

rend**re**

PARTICIPE

Présent	Passé
rend**ant**	rend**u** rend**ue** rend**us** rend**ues**

Futur proche

je	vais	rendre
tu	vas	rendre
il/elle	va	rendre
nous	allons	rendre
vous	allez	rendre
ils/elles	vont	rendre

REMARQUE

À la 3e personne du singulier du présent, les verbes en *-endre* se terminent par un *d* : *il ren**d***.

+ répondre 47

INDICATIF

Temps simples		Temps composés		
Présent		**Passé composé**		
je	répond**s**	j'	ai	répondu
tu	répond**s**	tu	as	répondu
il/elle	répond	il/elle	a	répondu
nous	répond**ons**	nous	avons	répondu
vous	répond**ez**	vous	avez	répondu
ils/elles	répond**ent**	ils/elles	ont	répondu
Imparfait		**Plus-que-parfait**		
je	répond**ais**	j'	avais	répondu
tu	répond**ais**	tu	avais	répondu
il/elle	répond**ait**	il/elle	avait	répondu
nous	répond**ions**	nous	avions	répondu
vous	répond**iez**	vous	aviez	répondu
ils/elles	répond**aient**	ils/elles	avaient	répondu
Passé simple		**Passé antérieur**		
je	répond**is**	j'	eus	répondu
il/elle	répond**it**	il/elle	eut	répondu
ils/elles	répond**irent**	ils/elles	eurent	répondu
Futur simple		**Futur antérieur**		
je	répond**rai**	j'	aurai	répondu
tu	répond**ras**	tu	auras	répondu
il/elle	répond**ra**	il/elle	aura	répondu
nous	répond**rons**	nous	aurons	répondu
vous	répond**rez**	vous	aurez	répondu
ils/elles	répond**ront**	ils/elles	auront	répondu
Conditionnel présent		**Conditionnel passé**		
je	répond**rais**	j'	aurais	répondu
tu	répond**rais**	tu	aurais	répondu
il/elle	répond**rait**	il/elle	aurait	répondu
nous	répond**rions**	nous	aurions	répondu
vous	répond**riez**	vous	auriez	répondu
ils/elles	répond**raient**	ils/elles	auraient	répondu

IMPÉRATIF

répond**s**
répond**ons**
répond**ez**

SUBJONCTIF

que je	répond**e**
que tu	répond**es**
qu'il/elle	répond**e**
que nous	répond**ions**
que vous	répond**iez**
qu'ils/elles	répond**ent**

INFINITIF

répond**re**

PARTICIPE

Présent	Passé
répond**ant**	répond**u** répond**ue** répond**us** répond**ues**

ANNEXE 7

Futur proche

je	vais	répondre
tu	vas	répondre
il/elle	va	répondre
nous	allons	répondre
vous	allez	répondre
ils/elles	vont	répondre

Remarque

À la 3e personne du singulier du présent, les verbes en *-ondre* se terminent par un *d* : *il répon**d***.

INDICATIF

Temps simples		Temps composés		
Présent		**Passé composé**		
je	ris	j'	ai	ri
tu	ris	tu	as	ri
il/elle	**rit**	il/elle	a	ri
nous	**rions**	nous	avons	ri
vous	**riez**	vous	avez	ri
ils/elles	**rient**	ils/elles	ont	ri
Imparfait		**Plus-que-parfait**		
je	**riais**	j'	avais	ri
tu	**riais**	tu	avais	ri
il/elle	**riait**	il/elle	avait	ri
nous	**riions**	nous	avions	ri
vous	**riiez**	vous	aviez	ri
ils/elles	**riaient**	ils/elles	avaient	ri
Passé simple		**Passé antérieur**		
je	ris	j'	eus	ri
il/elle	rit	il/elle	eut	ri
ils/elles	**rirent**	ils/elles	eurent	ri
Futur simple		**Futur antérieur**		
je	**rirai**	j'	aurai	ri
tu	**riras**	tu	auras	ri
il/elle	**rira**	il/elle	aura	ri
nous	**rirons**	nous	aurons	ri
vous	**rirez**	vous	aurez	ri
ils/elles	**riront**	ils/elles	auront	ri
Conditionnel présent		**Conditionnel passé**		
je	**rirais**	j'	aurais	ri
tu	**rirais**	tu	aurais	ri
il/elle	**rirait**	il/elle	aurait	ri
nous	**ririons**	nous	aurions	ri
vous	**ririez**	vous	auriez	ri
ils/elles	**riraient**	ils/elles	auraient	ri

IMPÉRATIF

ris
ri**ons**
ri**ez**

SUBJONCTIF

que je	rie
que tu	ri**es**
qu'il/elle	rie
que nous	ri**ions**
que vous	ri**iez**
qu'ils/elles	ri**ent**

INFINITIF

rire

PARTICIPE

Présent	Passé
ri**ant**	ri

Futur proche

je	vais	rire
tu	vas	rire
il/elle	va	rire
nous	allons	rire
vous	allez	rire
ils/elles	vont	rire

REMARQUE

Attention aux deux *i* à l'imparfait et au subjonctif avec *nous* et *vous* : *nous riions, vous riiez.*

ANNEXE 7

INDICATIF

Temps simples		Temps composés		
Présent		**Passé composé**		
je	sai**s**	j'	ai	su
tu	sai**s**	tu	as	su
il/elle	sai**t**	il/elle	a	su
nous	sav**ons**	nous	avons	su
vous	sav**ez**	vous	avez	su
ils/elles	sav**ent**	ils/elles	ont	su
Imparfait		**Plus-que-parfait**		
je	sav**ais**	j'	avais	su
tu	sav**ais**	tu	avais	su
il/elle	sav**ait**	il/elle	avait	su
nous	sav**ions**	nous	avions	su
vous	sav**iez**	vous	aviez	su
ils/elles	sav**aient**	ils/elles	avaient	su
Passé simple		**Passé antérieur**		
je	**sus**	j'	eus	su
il/elle	**sut**	il/elle	eut	su
ils/elles	**surent**	ils/elles	eurent	su
Futur simple		**Futur antérieur**		
je	sau**rai**	j'	aurai	su
tu	sau**ras**	tu	auras	su
il/elle	sau**ra**	il/elle	aura	su
nous	sau**rons**	nous	aurons	su
vous	sau**rez**	vous	aurez	su
ils/elles	sau**ront**	ils/elles	auront	su
Conditionnel présent		**Conditionnel passé**		
je	sau**rais**	j'	aurais	su
tu	sau**rais**	tu	aurais	su
il/elle	sau**rait**	il/elle	aurait	su
nous	sau**rions**	nous	aurions	su
vous	sau**riez**	vous	auriez	su
ils/elles	sau**raient**	ils/elles	auraient	su

IMPÉRATIF

sach**e**
sach**ons**
sach**ez**

SUBJONCTIF

que je	sach**e**
que tu	sach**es**
qu'il/elle	sach**e**
que nous	sach**ions**
que vous	sach**iez**
qu'ils/elles	sach**ent**

INFINITIF

sav**oir**

PARTICIPE

Présent	Passé
sach**ant**	**su** **sue** **sus** **sues**

Futur proche

je	vais	savoir
tu	vas	savoir
il/elle	va	savoir
nous	allons	savoir
vous	allez	savoir
ils/elles	vont	savoir

Remarques

1. À la 2e personne du singulier de l'impératif, on écrit *sache* sans *s*.
2. À l'impératif, au subjonctif et au participe présent, le radical est *sach-* et non *sav-*.

INDICATIF

Temps simples		Temps composés		
Présent		**Passé composé**		
je	sen**s**	j'	ai	senti
tu	sen**s**	tu	as	senti
il/elle	sen**t**	il/elle	a	senti
nous	sent**ons**	nous	avons	senti
vous	sent**ez**	vous	avez	senti
ils/elles	sent**ent**	ils/elles	ont	senti
Imparfait		**Plus-que-parfait**		
je	sent**ais**	j'	avais	senti
tu	sent**ais**	tu	avais	senti
il/elle	sent**ait**	il/elle	avait	senti
nous	sent**ions**	nous	avions	senti
vous	sent**iez**	vous	aviez	senti
ils/elles	sent**aient**	ils/elles	avaient	senti
Passé simple		**Passé antérieur**		
je	sent**is**	j'	eus	senti
il/elle	sent**it**	il/elle	eut	senti
ils/elles	sent**irent**	ils/elles	eurent	senti
Futur simple		**Futur antérieur**		
je	senti**rai**	j'	aurai	senti
tu	senti**ras**	tu	auras	senti
il/elle	senti**ra**	il/elle	aura	senti
nous	senti**rons**	nous	aurons	senti
vous	senti**rez**	vous	aurez	senti
ils/elles	senti**ront**	ils/elles	auront	senti
Conditionnel présent		**Conditionnel passé**		
je	senti**rais**	j'	aurais	senti
tu	senti**rais**	tu	aurais	senti
il/elle	senti**rait**	il/elle	aurait	senti
nous	senti**rions**	nous	aurions	senti
vous	senti**riez**	vous	auriez	senti
ils/elles	senti**raient**	ils/elles	auraient	senti

IMPÉRATIF

sen**s**
sent**ons**
sent**ez**

SUBJONCTIF

que je	sent**e**
que tu	sent**es**
qu'il/elle	sent**e**
que nous	sent**ions**
que vous	sent**iez**
qu'ils/elles	sent**ent**

INFINITIF

senti**r**

PARTICIPE

Présent	Passé
sent**ant**	sent**i** sent**ie** sent**is** sent**ies**

Futur proche

je	vais	sentir
tu	vas	sentir
il/elle	va	sentir
nous	allons	sentir
vous	allez	sentir
ils/elles	vont	sentir

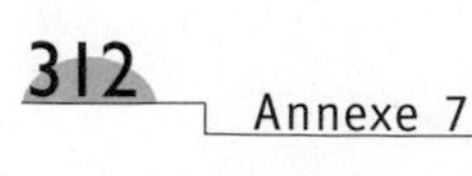

+ servir

51

INDICATIF

Temps simples		Temps composés		
Présent		**Passé composé**		
je	ser**s**	j'	ai	servi
tu	ser**s**	tu	as	servi
il/elle	ser**t**	il/elle	a	servi
nous	ser**vons**	nous	avons	servi
vous	ser**vez**	vous	avez	servi
ils/elles	ser**vent**	ils/elles	ont	servi
Imparfait		**Plus-que-parfait**		
je	serv**ais**	j'	avais	servi
tu	serv**ais**	tu	avais	servi
il/elle	serv**ait**	il/elle	avait	servi
nous	serv**ions**	nous	avions	servi
vous	serv**iez**	vous	aviez	servi
ils/elles	serv**aient**	ils/elles	avaient	servi
Passé simple		**Passé antérieur**		
je	serv**is**	j'	eus	servi
il/elle	serv**it**	il/elle	eut	servi
ils/elles	serv**irent**	ils/elles	eurent	servi
Futur simple		**Futur antérieur**		
je	servir**ai**	j'	aurai	servi
tu	servir**as**	tu	auras	servi
il/elle	servir**a**	il/elle	aura	servi
nous	servir**ons**	nous	aurons	servi
vous	servir**ez**	vous	aurez	servi
ils/elles	servir**ont**	ils/elles	auront	servi
Conditionnel présent		**Conditionnel passé**		
je	servir**ais**	j'	aurais	servi
tu	servir**ais**	tu	aurais	servi
il/elle	servir**ait**	il/elle	aurait	servi
nous	servir**ions**	nous	aurions	servi
vous	servir**iez**	vous	auriez	servi
ils/elles	servir**aient**	ils/elles	auraient	servi

IMPÉRATIF

ser**s**
ser**vons**
ser**vez**

SUBJONCTIF

que je	serv**e**
que tu	serv**es**
qu'il/elle	serv**e**
que nous	serv**ions**
que vous	serv**iez**
qu'ils/elles	serv**ent**

INFINITIF

serv**ir**

PARTICIPE

Présent	Passé
serv**ant**	serv**i** serv**ie** serv**is** serv**ies**

Futur proche

je	vais	servir
tu	vas	servir
il/elle	va	servir
nous	allons	servir
vous	allez	servir
ils/elles	vont	servir

INDICATIF

Temps simples		Temps composés		
Présent		**Passé composé**		
je	sor**s**	j'	ai	sorti
tu	sor**s**	tu	as	sorti
il/elle	sor**t**	il/elle	a	sorti
nous	sort**ons**	nous	avons	sorti
vous	sort**ez**	vous	avez	sorti
ils/elles	sort**ent**	ils/elles	ont	sorti
Imparfait		**Plus-que-parfait**		
je	sort**ais**	j'	avais	sorti
tu	sort**ais**	tu	avais	sorti
il/elle	sort**ait**	il/elle	avait	sorti
nous	sort**ions**	nous	avions	sorti
vous	sort**iez**	vous	aviez	sorti
ils/elles	sort**aient**	ils/elles	avaient	sorti
Passé simple		**Passé antérieur**		
je	sort**is**	j'	eus	sorti
il/elle	sort**it**	il/elle	eut	sorti
ils/elles	sort**irent**	ils/elles	eurent	sorti
Futur simple		**Futur antérieur**		
je	sorti**rai**	j'	aurai	sorti
tu	sorti**ras**	tu	auras	sorti
il/elle	sorti**ra**	il/elle	aura	sorti
nous	sorti**rons**	nous	aurons	sorti
vous	sorti**rez**	vous	aurez	sorti
ils/elles	sorti**ront**	ils/elles	auront	sorti
Conditionnel présent		**Conditionnel passé**		
je	sorti**rais**	j'	aurais	sorti
tu	sorti**rais**	tu	aurais	sorti
il/elle	sorti**rait**	il/elle	aurait	sorti
nous	sorti**rions**	nous	aurions	sorti
vous	sorti**riez**	vous	auriez	sorti
ils/elles	sorti**raient**	ils/elles	auraient	sorti

IMPÉRATIF

sor**s**
sort**ons**
sort**ez**

SUBJONCTIF

que je	sort**e**
que tu	sort**es**
qu'il/elle	sort**e**
que nous	sort**ions**
que vous	sort**iez**
qu'ils/elles	sort**ent**

INFINITIF

sort**ir**

PARTICIPE

Présent	Passé
sort**ant**	sorti sorti**e** sorti**s** sorti**es**

Futur proche

je	vais	sortir
tu	vas	sortir
il/elle	va	sortir
nous	allons	sortir
vous	allez	sortir
ils/elles	vont	sortir

Remarques

1. *Sortir* se conjugue avec *avoir* quand il a un complément direct : *Elle **a** sorti les ordures.*
2. Il se conjugue avec *être* quand il est employé sans complément ou avec un complément indirect : *Il **est** sorti. Elle **est** sortie de la salle.*

INDICATIF

Temps simples		Temps composés		
Présent		**Passé composé**		
je	suis	j'	ai	suivi
tu	suis	tu	as	suivi
il/elle	suit	il/elle	a	suivi
nous	suivons	nous	avons	suivi
vous	suivez	vous	avez	suivi
ils/elles	suivent	ils/elles	ont	suivi
Imparfait		**Plus-que-parfait**		
je	suivais	j'	avais	suivi
tu	suivais	tu	avais	suivi
il/elle	suivait	il/elle	avait	suivi
nous	suivions	nous	avions	suivi
vous	suiviez	vous	aviez	suivi
ils/elles	suivaient	ils/elles	avaient	suivi
Passé simple		**Passé antérieur**		
je	suivis	j'	eus	suivi
il/elle	suivit	il/elle	eut	suivi
ils/elles	suivirent	ils/elles	eurent	suivi
Futur simple		**Futur antérieur**		
je	suivrai	j'	aurai	suivi
tu	suivras	tu	auras	suivi
il/elle	suivra	il/elle	aura	suivi
nous	suivrons	nous	aurons	suivi
vous	suivrez	vous	aurez	suivi
ils/elles	suivront	ils/elles	auront	suivi
Conditionnel présent		**Conditionnel passé**		
je	suivrais	j'	aurais	suivi
tu	suivrais	tu	aurais	suivi
il/elle	suivrait	il/elle	aurait	suivi
nous	suivrions	nous	aurions	suivi
vous	suivriez	vous	auriez	suivi
ils/elles	suivraient	ils/elles	auraient	suivi

IMPÉRATIF

suis
suivons
suivez

SUBJONCTIF

que je	suive
que tu	suives
qu'il/elle	suive
que nous	suivions
que vous	suiviez
qu'ils/elles	suivent

INFINITIF

suivre

PARTICIPE

Présent	Passé
suivant	suivi suivie suivis suivies

Futur proche		
je	vais	suivre
tu	vas	suivre
il/elle	va	suivre
nous	allons	suivre
vous	allez	suivre
ils/elles	vont	suivre

INDICATIF

Temps simples		Temps composés		
Présent		**Passé composé**		
je	teins	j'	ai	teint
tu	teins	tu	as	teint
il/elle	teint	il/elle	a	teint
nous	teignons	nous	avons	teint
vous	teignez	vous	avez	teint
ils/elles	teignent	ils/elles	ont	teint
Imparfait		**Plus-que-parfait**		
je	teignais	j'	avais	teint
tu	teignais	tu	avais	teint
il/elle	teignait	il/elle	avait	teint
nous	teignions	nous	avions	teint
vous	teigniez	vous	aviez	teint
ils/elles	teignaient	ils/elles	avaient	teint
Passé simple		**Passé antérieur**		
je	teignis	j'	eus	teint
il/elle	teignit	il/elle	eut	teint
ils/elles	teignirent	ils/elles	eurent	teint
Futur simple		**Futur antérieur**		
je	teindrai	j'	aurai	teint
tu	teindras	tu	auras	teint
il/elle	teindra	il/elle	aura	teint
nous	teindrons	nous	aurons	teint
vous	teindrez	vous	aurez	teint
ils/elles	teindront	ils/elles	auront	teint
Conditionnel présent		**Conditionnel passé**		
je	teindrais	j'	aurais	teint
tu	teindrais	tu	aurais	teint
il/elle	teindrait	il/elle	aurait	teint
nous	teindrions	nous	aurions	teint
vous	teindriez	vous	auriez	teint
ils/elles	teindraient	ils/elles	auraient	teint

IMPÉRATIF

teins
teignons
teignez

SUBJONCTIF

que je	teigne
que tu	teignes
qu'il/elle	teigne
que nous	teignions
que vous	teigniez
qu'ils/elles	teignent

INFINITIF

teindre

PARTICIPE

Présent	Passé
teignant	teint teinte teints teintes

Futur proche

je	vais	teindre
tu	vas	teindre
il/elle	va	teindre
nous	allons	teindre
vous	allez	teindre
ils/elles	vont	teindre

Remarque

Les participes passés des verbes *déteindre*, *éteindre* et *teindre* ne sont pas ⃠ *déteindu*, ⃠ *éteindu*, ⃠ *teindu*, mais *déteint*, *éteint* et *teint*.

INDICATIF

Temps simples		Temps composés		
Présent		**Passé composé**		
je	tien**s**	j'	ai	tenu
tu	tien**s**	tu	as	tenu
il/elle	tien**t**	il/elle	a	tenu
nous	ten**ons**	nous	avons	tenu
vous	ten**ez**	vous	avez	tenu
ils/elles	tienn**ent**	ils/elles	ont	tenu
Imparfait		**Plus-que-parfait**		
je	ten**ais**	j'	avais	tenu
tu	ten**ais**	tu	avais	tenu
il/elle	ten**ait**	il/elle	avait	tenu
nous	ten**ions**	nous	avions	tenu
vous	ten**iez**	vous	aviez	tenu
ils/elles	ten**aient**	ils/elles	avaient	tenu
Passé simple		**Passé antérieur**		
je	**tins**	j'	eus	tenu
il/elle	**tint**	il/elle	eut	tenu
ils/elles	**tinrent**	ils/elles	eurent	tenu
Futur simple		**Futur antérieur**		
je	tiend**rai**	j'	aurai	tenu
tu	tiend**ras**	tu	auras	tenu
il/elle	tiend**ra**	il/elle	aura	tenu
nous	tiend**rons**	nous	aurons	tenu
vous	tiend**rez**	vous	aurez	tenu
ils/elles	tiend**ront**	ils/elles	auront	tenu
Conditionnel présent		**Conditionnel passé**		
je	tiend**rais**	j'	aurais	tenu
tu	tiend**rais**	tu	aurais	tenu
il/elle	tiend**rait**	il/elle	aurait	tenu
nous	tiend**rions**	nous	aurions	tenu
vous	tiend**riez**	vous	auriez	tenu
ils/elles	tiend**raient**	ils/elles	auraient	tenu

IMPÉRATIF

tien**s**
ten**ons**
ten**ez**

SUBJONCTIF

que je	tienn**e**
que tu	tienn**es**
qu'il/elle	tienn**e**
que nous	ten**ions**
que vous	ten**iez**
qu'ils/elles	tienn**ent**

INFINITIF

ten**ir**

PARTICIPE

Présent	Passé
ten**ant**	ten**u** ten**ue** ten**us** ten**ues**

Futur proche

je	vais	tenir
tu	vas	tenir
il/elle	va	tenir
nous	allons	tenir
vous	allez	tenir
ils/elles	vont	tenir

REMARQUE

Le verbe *tenir* et ses dérivés (*appartenir, obtenir, soutenir*, etc.) se terminent par *-ins*, *-int* et *-inrent* au passé simple : *je* ***tins****, il/elle* ***tint****, ils/elles* ***tinrent****.*

INDICATIF					
Temps simples		**Temps composés**			
Présent		**Passé composé**			
je	vau**x**	j'	ai	valu	
tu	vau**x**	tu	as	valu	
il/elle	vau**t**	il/elle	a	valu	
nous	val**ons**	nous	avons	valu	
vous	val**ez**	vous	avez	valu	
ils/elles	val**ent**	ils/elles	ont	valu	
Imparfait		**Plus-que-parfait**			
je	val**ais**	j'	avais	valu	
tu	val**ais**	tu	avais	valu	
il/elle	val**ait**	il/elle	avait	valu	
nous	val**ions**	nous	avions	valu	
vous	val**iez**	vous	aviez	valu	
ils/elles	val**aient**	ils/elles	avaient	valu	
Passé simple		**Passé antérieur**			
je	val**us**	j'	eus	valu	
il/elle	val**ut**	il/elle	eut	valu	
ils/elles	val**urent**	ils/elles	eurent	valu	
Futur simple		**Futur antérieur**			
je	vaud**rai**	j'	aurai	valu	
tu	vaud**ras**	tu	auras	valu	
il/elle	vaud**ra**	il/elle	aura	valu	
nous	vaud**rons**	nous	aurons	valu	
vous	vaud**rez**	vous	aurez	valu	
ils/elles	vaud**ront**	ils/elles	auront	valu	
Conditionnel présent		**Conditionnel passé**			
je	vaud**rais**	j'	aurais	valu	
tu	vaud**rais**	tu	aurais	valu	
il/elle	vaud**rait**	il/elle	aurait	valu	
nous	vaud**rions**	nous	aurions	valu	
vous	vaud**riez**	vous	auriez	valu	
ils/elles	vaud**raient**	ils/elles	auraient	valu	

IMPÉRATIF
vau**x**
val**ons**
val**ez**

SUBJONCTIF	
que je	vaill**e**
que tu	vaill**es**
qu'il/elle	vaill**e**
que nous	val**ions**
que vous	val**iez**
qu'ils/elles	vaill**ent**

INFINITIF
val**oir**

PARTICIPE	
Présent	**Passé**
val**ant**	val**u**
	val**ue**
	val**us**
	val**ues**

Futur proche		
je	vais	valoir
tu	vas	valoir
il/elle	va	valoir
nous	allons	valoir
vous	allez	valoir
ils/elles	vont	valoir

REMARQUE

À la 1re et à la 2e personne du singulier du présent et à la 2e personne du singulier de l'impératif, le verbe *valoir* se termine par *x* : *je vau**x**, tu vau**x**, vau**x***.

ANNEXE 7

INDICATIF					
Temps simples		**Temps composés**			
Présent		**Passé composé**			
je	vien**s**	je	suis	venu/venue
tu	vien**s**	tu	es	venu/venue
il/elle	vien**t**	il/elle	est	venu/venue
nous	ven**ons**	nous	sommes	venus/venues
vous	ven**ez**	vous	êtes	venus/venues
ils/elles	vienn**ent**	ils/elles	sont	venus/venues
Imparfait		**Plus-que-parfait**		
je	ven**ais**	j'	étais	venu/venue
tu	ven**ais**	tu	étais	venu/venue
il/elle	ven**ait**	il/elle	était	venu/venue
nous	ven**ions**	nous	étions	venus/venues
vous	ven**iez**	vous	étiez	venus/venues
ils/elles	ven**aient**	ils/elles	étaient	venus/venues
Passé simple		**Passé antérieur**		
je	**vins**	je	fus	venu/venue
il/elle	**vint**	il/elle	fut	venu/venue
ils/elles	**vinrent**	ils/elles	furent	venus/venues
Futur simple		**Futur antérieur**		
je	viend**rai**	je	serai	venu/venue
tu	viend**ras**	tu	seras	venu/venue
il/elle	viend**ra**	il/elle	sera	venu/venue
nous	viend**rons**	nous	serons	venus/venues
vous	viend**rez**	vous	serez	venus/venues
ils/elles	viend**ront**	ils/elles	seront	venus/venues
Conditionnel présent		**Conditionnel passé**		
je	viend**rais**	je	serais	venu/venue
tu	viend**rais**	tu	serais	venu/venue
il/elle	viend**rait**	il/elle	serait	venu/venue
nous	viend**rions**	nous	serions	venus/venues
vous	viend**riez**	vous	seriez	venus/venues
ils/elles	viend**raient**	ils/elles	seraient	venus/venues

IMPÉRATIF
vien**s**
ven**ons**
ven**ez**

SUBJONCTIF	
que je	vienn**e**
que tu	vienn**es**
qu'il/elle	vienn**e**
que nous	ven**ions**
que vous	ven**iez**
qu'ils/elles	vienn**ent**

INFINITIF
ven**ir**

PARTICIPE	
Présent	**Passé**
ven**ant**	ven**u** ven**ue** ven**us** ven**ues**

Futur proche		
je	vais	venir
tu	vas	venir
il/elle	va	venir
nous	allons	venir
vous	allez	venir
ils/elles	vont	venir

Remarques

1. Aux temps composés, le verbe *venir* se conjugue avec l'auxiliaire *être*.
2. Le verbe *venir* et ses dérivés (*devenir, parvenir, se souvenir*, etc.) se terminent par *-ins*, *-int* et *-inrent* au passé simple : *je **vins**, il/elle **vint**, ils/elles **vinrent***.

ANNEXE 7

INDICATIF

Temps simples		Temps composés		
Présent		**Passé composé**		
je	vis	j'	ai	vécu
tu	vis	tu	as	vécu
il/elle	vit	il/elle	a	vécu
nous	viv**ons**	nous	avons	vécu
vous	viv**ez**	vous	avez	vécu
ils/elles	viv**ent**	ils/elles	ont	vécu
Imparfait		**Plus-que-parfait**		
je	viv**ais**	j'	avais	vécu
tu	viv**ais**	tu	avais	vécu
il/elle	viv**ait**	il/elle	avait	vécu
nous	viv**ions**	nous	avions	vécu
vous	viv**iez**	vous	aviez	vécu
ils/elles	viv**aient**	ils/elles	avaient	vécu
Passé simple		**Passé antérieur**		
je	véc**us**	j'	eus	vécu
il/elle	véc**ut**	il/elle	eut	vécu
ils/elles	véc**urent**	ils/elles	eurent	vécu
Futur simple		**Futur antérieur**		
je	viv**rai**	j'	aurai	vécu
tu	viv**ras**	tu	auras	vécu
il/elle	viv**ra**	il/elle	aura	vécu
nous	viv**rons**	nous	aurons	vécu
vous	viv**rez**	vous	aurez	vécu
ils/elles	viv**ront**	ils/elles	auront	vécu
Conditionnel présent		**Conditionnel passé**		
je	viv**rais**	j'	aurais	vécu
tu	viv**rais**	tu	aurais	vécu
il/elle	viv**rait**	il/elle	aurait	vécu
nous	viv**rions**	nous	aurions	vécu
vous	viv**riez**	vous	auriez	vécu
ils/elles	viv**raient**	ils/elles	auraient	vécu

IMPÉRATIF

vis
viv**ons**
viv**ez**

SUBJONCTIF

que je	vive
que tu	viv**es**
qu'il/elle	vive
que nous	viv**ions**
que vous	viv**iez**
qu'ils/elles	viv**ent**

INFINITIF

viv**re**

PARTICIPE

Présent	Passé
viv**ant**	véc**u** véc**ue** véc**us** véc**ues**

Futur proche

je	vais	vivre
tu	vas	vivre
il/elle	va	vivre
nous	allons	vivre
vous	allez	vivre
ils/elles	vont	vivre

ANNEXE 7

INDICATIF

Temps simples		Temps composés		
Présent		**Passé composé**		
je	vois	j'	ai	vu
tu	vois	tu	as	vu
il/elle	voit	il/elle	a	vu
nous	voy**ons**	nous	avons	vu
vous	voy**ez**	vous	avez	vu
ils/elles	voi**ent**	ils/elles	ont	vu
Imparfait		**Plus-que-parfait**		
je	voy**ais**	j'	avais	vu
tu	voy**ais**	tu	avais	vu
il/elle	voy**ait**	il/elle	avait	vu
nous	voy**ions**	nous	avions	vu
vous	voy**iez**	vous	aviez	vu
ils/elles	voy**aient**	ils/elles	avaient	vu
Passé simple		**Passé antérieur**		
je	**vis**	j'	eus	vu
il/elle	**vit**	il/elle	eut	vu
ils/elles	**virent**	ils/elles	eurent	vu
Futur simple		**Futur antérieur**		
je	ver**rai**	j'	aurai	vu
tu	ver**ras**	tu	auras	vu
il/elle	ver**ra**	il/elle	aura	vu
nous	ver**rons**	nous	aurons	vu
vous	ver**rez**	vous	aurez	vu
ils/elles	ver**ront**	ils/elles	auront	vu
Conditionnel présent		**Conditionnel passé**		
je	ver**rais**	j'	aurais	vu
tu	ver**rais**	tu	aurais	vu
il/elle	ver**rait**	il/elle	aurait	vu
nous	ver**rions**	nous	aurions	vu
vous	ver**riez**	vous	auriez	vu
ils/elles	ver**raient**	ils/elles	auraient	vu

IMPÉRATIF

vois
voy**ons**
voy**ez**

SUBJONCTIF

que je	voie
que tu	voi**es**
qu'il/elle	voie
que nous	voy**ions**
que vous	voy**iez**
qu'ils/elles	voi**ent**

INFINITIF

voir

PARTICIPE

Présent	Passé
voy**ant**	**vu** **vue** **vus** **vues**

Futur proche

je	vais	voir
tu	vas	voir
il/elle	va	voir
nous	allons	voir
vous	allez	voir
ils/elles	vont	voir

Remarques

1. Les formes qui font entendre le son [j] s'écrivent avec la lettre *y*: *nous vo**y**ons*.
2. Attention au *i* après le *y* à l'imparfait et au subjonctif avec *nous* et *vous* : *nous voyions, vous voy**i**ez*.
3. Attention aux deux *r* au futur simple et au conditionnel présent: *je ve**rr**ai, je ve**rr**ais*.

INDICATIF					
Temps simples		Temps composés			
Présent		Passé composé			
je	veux	j'	ai	voulu	
tu	veux	tu	as	voulu	
il/elle	veut	il/elle	a	voulu	
nous	voulons	nous	avons	voulu	
vous	voulez	vous	avez	voulu	
ils/elles	veulent	ils/elles	ont	voulu	
Imparfait		Plus-que-parfait			
je	voulais	j'	avais	voulu	
tu	voulais	tu	avais	voulu	
il/elle	voulait	il/elle	avait	voulu	
nous	voulions	nous	avions	voulu	
vous	vouliez	vous	aviez	voulu	
ils/elles	voulaient	ils/elles	avaient	voulu	
Passé simple		Passé antérieur			
je	voulus	j'	eus	voulu	
il/elle	voulut	il/elle	eut	voulu	
ils/elles	voulurent	ils/elles	eurent	voulu	
Futur simple		Futur antérieur			
je	voudrai	j'	aurai	voulu	
tu	voudras	tu	auras	voulu	
il/elle	voudra	il/elle	aura	voulu	
nous	voudrons	nous	aurons	voulu	
vous	voudrez	vous	aurez	voulu	
ils/elles	voudront	ils/elles	auront	voulu	
Conditionnel présent		Conditionnel passé			
je	voudrais	j'	aurais	voulu	
tu	voudrais	tu	aurais	voulu	
il/elle	voudrait	il/elle	aurait	voulu	
nous	voudrions	nous	aurions	voulu	
vous	voudriez	vous	auriez	voulu	
ils/elles	voudraient	ils/elles	auraient	voulu	

IMPÉRATIF
veux/veuille
voulons
voulez/veuillez

SUBJONCTIF	
que je	veuille
que tu	veuilles
qu'il/elle	veuille
que nous	voulions
que vous	vouliez
qu'ils/elles	veuillent

INFINITIF
vouloir

PARTICIPE	
Présent	Passé
voulant	voulu
	voulue
	voulus
	voulues

Futur proche		
je	vais	vouloir
tu	vas	vouloir
il/elle	va	vouloir
nous	allons	vouloir
vous	allez	vouloir
ils/elles	vont	vouloir

Remarques

1. À la 1re et à la 2e personne du singulier du présent et à la 2e personne du singulier de l'impératif, le verbe *vouloir* se termine par *x* : *je veu**x**, tu veu**x**, veu**x***.
2. Dans les invitations polies, on utilise les formes *veuille* et *veuillez* : ***veuillez** me suivre, s'il vous plaît.*

Index

LÉGENDE :

Gras notion grammaticale et numéros de page où le terme est défini ou expliqué
Italique mot qui présente une difficulté
Rouge règles
Vert procédure de reconnaissance, de révision et d'accord

LÉGENDE : **Définition** *Difficulté* **Règle** Procédure

Bibliographie

OUVRAGES SCIENTIFIQUES

CATACH, N. *L'orthographe française*, Paris, Nathan Université, 1995.

CATACH, N. *Les listes orthographiques de base du français (LOB)*, Paris, Nathan, 1984.

CHARTRAND, S.-G. (sous la dir. de). *Pour un nouvel enseignement de la grammaire*, Montréal, Éditions Logiques, 1996.

GREVISSE, M. et GOOSSE A. *Nouvelle grammaire française*, Paris, Duculot, 1980.

GREVISSE, M. et GOOSSE A. *Le bon usage*, Paris, Duculot, 1993.

GOBBE, R. et TORDOIR, M. *Grammaire française*, Saint-Laurent, Éditions du Trécarré, 1986.

RIEGEL, M., PELLAT, J. Ch. et RIOUL, R. *Grammaire méthodique du français*, Paris, PUF, 1994.

OUVRAGES SCOLAIRES

CHARTRAND, S.-G., AUBIN, D., BLAIN, R. et SIMARD, C. *Grammaire pédagogique du français d'aujourd'hui*, Boucherville, Graficor, 2000.

DE VILLERS, M.-É. *Le multi des jeunes*, Montréal, Québec Amérique, 1997.

FUMEAUX, M. *Memento*, Neuchâtel, Corome, 1990.

GENOUVRIER, É., GRUWEZ, C., *Grammaire pour enseigner le français à l'école élémentaire*, Paris, Larousse, 1987.

MAREUIL, A. *Si la grammaire m'était contée...*, Saint-Laurent, ERPI, 1993.

Sources des extraits

Chapitre 1

Dictionnaire Maxi-Débutants, Boucherville, ©Librairie Larousse, 1989. **(p. 7)**

Chapitre 2

Dictionnaire Maxi-Débutants, Boucherville, ©Librairie Larousse, 1989. **(p. 21)**

Chapitre 3

Le tournoi des petits rois, Lucie Bergeron, ill. Doris Barrette, Héritage, 1999, p. 43. **(p. 24)**

Lygaya, Andrée-Paule Mignot, coll. Atout, LaSalle, Hurtubise HMH, 1996, p. 47. **(p. 26)**

La belle lisse poire du prince de Motordu, Pef, Gallimard, 1980, p. 34-36. **(p. 27)**

Hansel et Grethel, Contes de Grimm, ©1995 Librairie Gründ pour l'édition française, p. 12. **(p. 28)**

L'invention de la peinture, coll. Les racines du savoir, série Arts, Gallimard Jeunesse, p. 13. **(p. 28)**

Chapitre 4

Dictionnaire Maxi-Débutants, Boucherville, ©Librairie Larousse, 1989. **(p. 38)**

Chapitre 5

Le fil à retordre, « Défense de bronzer », Claude Bourgeyx, Nathan, 1994, p. 12. **(p. 39)**

Vendredi ou la vie sauvage, Michel Tournier, Castor Poche Flammarion, ©1971 Flammarion pour le texte et ©1984 Castor Poche Flammarion pour les illustrations, p. 16. **(p.43)**

Dictionnaire CEC Jeunesse, 4e édition, Les Éditions CEC inc. 1999. Reproduit avec l'autorisation de l'Éditeur. **(p. 46-47)**

Dictionnaire Maxi-Débutants, Boucherville, ©Librairie Larousse, 1989. **(p. 47)**

Chapitre 7

Ulysse qui voulait voir Paris, Monique Ponty, LaSalle, Hurtubise HMH, 1993, p. 7. **(p. 52)**

Le Multi des jeunes, Marie-Éva De Villers, Montréal, Québec Amérique, 1997, 1006 p. **(p. 61)**

Chapitre 8

Zoé et les petits diables, Sylvain Trudel, LaSalle, Hurtubise HMH, 1997, p. 29-30. **(p. 66)**

Trois princes et une limace, Hans Hagen, Éditeurop/Hurtubise HMH, 1998, p. 19. **(p. 69)**

Le bric-à-brac de Jacques, Rindhert Kromhout, Éditeurop/Hurtubise HMH, 1998, p. 5-6. **(p. 71)**

Vendredi ou la vie sauvage, Michel Tournier, Castor Poche Flammarion, ©1971 Flammarion pour le texte et ©1984 Castor Poche Flammarion pour les illustrations, p. 132. **(p. 72)**

Le moulin de papier, poèmes, Gécibis Ltd. Saint-Hélier, 1973 ; 7e éd., 1992, ©Fondation Maurice Carême, tous droits réservés. **(p. 72)**

Chapitre 9

Les animaux des déserts, « Quel est le lièvre aux oreilles géantes ? », M. Chinery, coll. Du tac au tac, Paris, Larousse, 1992, p. 31. **(p. 77)**

Chapitre 10

Les Débrouillards, Annie Mercier et Jean-François Hamel, janvier 1999, « Mon pays, c'est l'été », p. 6. **(p. 87)**

Chapitre 11

Les plus beaux contes de conteurs, « Hassan et le derviche magicien », Praline Gay Parra, Paris, Éditions La Découverte et Syros, coll. Syros Jeunesse, 1999, p. 46. **(p. 99)**

Chapitre 12

Que le diable l'emporte!, « Contes du Canada francophone » réunis par Charlotte Guérette, coll. Atout, LaSalle, Hurtubise HMH, 1997, p. 104-105. **(p. 133)**

La disparition de Baffuto, Chrystine Brouillet, Montréal, La courte échelle, 1999, p. 18. **(p. 135)**

Le loup, mon œil!, Susan Meddaugh, Paris, Éditions Autrement, 1998, p. 10-12. **(p. 136)**

Contes, « Cendrillon », Jacob et Wilhelm Grimm, Paris, Albin Michel Jeunesse, 1990, tome 2, p. 78. **(p. 138)**

Chapitre 13

Contes du monde arabe, « Le roi et le bédouin », Jean Muzi, Paris, Castor Poche Flammarion, 1983, p. 17-18. **(p. 151)**

Chapitre 14

Monsieur Rêve, Roger Hargreaves, Paris, Hachette Jeunesse, 1984, p. 4. **(p. 158)**

Télé-rencontre, Francine Pelletier, LaSalle, Hurtubise HMH, 1999, p. 43-44. **(p. 164)**

Alice au pays des merveilles, Lewis Carroll, trad. Henri Parisot, Paris, Flammarion, 1979, p. 96. **(p. 166)**

Le vaillant petit tailleur, d'après Jacob et Wilhelm Grimm, trad. Marie-Claude Auger, Duculot/Casterman, 1999, p. 13. **(p. 167)**

Des forêts et des arbres, Paris, Gallimard Jeunesse, série Nature, 1993, p. 2. **(p. 168)**

Chapitre 16

« L'histoire la plus courte du monde », Axel Scheffler et Lame Deer, dans *Le grand livre de contes de l'UNICEF*, Paris, © Ravensburger/Gallimard Jeunesse, 1996. **(p. 184)**

La télévision et le cinéma influencent-ils ton comportement?, « Laura », Francine Gagnon, Vidéo-Presse, vol. XIX, n° 4, décembre 1989, p. 10. **(p. 185)**

L'eau en poésie, « Le Lac endormi » de Jules Supervielle, présenté par Colline Poirée, Paris, Gallimard, 1979, p. 75. **(p. 186)**

Chantefables et Chantefleurs, « La fourmi » de Robert Desnos, Gründ-Paris, ©1944, 1955 et 1970, p. 42. **(p. 186)**

Mémo junior Larousse, « L'atmosphère », Paris, Librairie Larousse, 1993, p. 178. **(p. 187)**

C'est ici, mon pays, Cécile Gagnon, Paris, ©Castor Poche Flammarion, 1999, p. 132. **(p. 188)**

Les enfants découvrent… la science, « Pourquoi ne voit-on pas les odeurs ? », Time-Life Jeunesse, 1989, p. 52. **(p. 188)**

Charade, Livre B, « Pour construire un tambour », Évelyne Tran, Marie-José Trudel, Saint-Laurent, ERPI, 1995. **(p. 189-190)**

Des enfants comme moi, « Préface » de Daniel Pennac, Barnabas et Anabel Kindersley, Paris, Gallimard Jeunesse, 1996. **(p. 191)**

C'est au feu que je pardonne, « Les loups », Andrée Sodenkamp, Bruxelles, Éditions de Rache, 1984. **(p. 192)**

Les Mammifères de chez nous, « Le loup », Angèle Delaunois, coll. Nos richesses, ©Les Éditions Héritage, 1991, p. 127-128. **(p. 193)**

Contes et Légendes du Québec, « Alexis-le-Trotteur », Charles Le Blanc, coll. Contes et Légendes, ©Nathan/HER, 2000, p. 199. **(p. 196)**

À la découverte de l'espace, « Gardons les pieds sur terre », Catherine De Lannoy, Éditions Casterman, 1998, p. 14. **(p. 197)**